ことばの教育と平和

争い・隔たり・不公正を乗り越えるための理論と実践

［編著］佐藤慎司　神吉宇一　奥野由紀子　三輪 聖 明石書店

第2部　「ことばの教育と平和」取り組む編

第9章　センシティブなトピックについて
　　　　議論を重ねる　　　　　　　　　　　305
英語で実施される、交換留学生・学部正規生の混合クラス

山本冴里

[コラム]

平和をめざすことばの教育の
枠組みを考える

佐藤慎司・奥野由紀子・三輪聖・神吉宇一

1. はじめに

　今、世界は平和か。このように問われたとき、私たちはどのように答えるだろうか。本書執筆の背景には、「今、世界は平和か」という筆者たちの問いがあり、現在の世界の状況に対する危機感もある。

　日本国内では、「外国人との共生」が必要だと言われるが、制度としても人々の意識の面でも実現にはほど遠い状況である。2009 年には、「在日特権を許さない市民の会（在特会）」による京都朝鮮第一初級学校に対するヘイトスピーチが話題となり、それに呼応するように、日本各地で排外的な言動があからさまに行われるようになった。「ヘイトスピーチ解消法」により、若干の沈静化は見られるが、ヘイトスピーチを強く批判するような論調にはなっていない。2019 年 12 月 12 日に川崎市議会において全国で初めての罰則規定を盛り込んだ「川崎市差別のない人権尊重のまちづくり条例」が可決されたが、2022 年春現在、後に続く自治体はない。2021年秋から冬にかけて、武蔵野市が住民投票条例を改正し、国籍に関係なく 3 ヶ月以上居住している住民に投票の権利を付与することを検討した際には、いわゆるヘイト団体だけでなく、国会議員などからも反対や懸念の声が多数挙げられた。一方で、日本では人口減少による労働力不足により、実質的な移民政策が進んでいる。新型コロナにより国境を越えた人の移動

が制限され、外国人の入国も減少したが、日本政府そして産業界は、外国人労働者の受け入れをさらに加速させることを目指している。しかし、在留している外国人の幸福感は日本人に比べて有意に低く、共生社会の実現も外国人の社会統合も進んでいるとは言えない（永吉 2021）。このことは、日本国内における外国人の不可視化と、新旧コミュニティの分断を引き起こしている（神吉 2016）。

　世界でも人々の平和な生活を脅かす様々なことが起きている。排外主義・人種差別的な言動を繰り返すドナルド・トランプが、2016 年の選挙でアメリカ大統領に選出されたのは象徴的な出来事であった。また、同じく 2016 年には、イギリスで欧州連合からの離脱をめぐる国民投票が実施された結果、離脱支持者が半数を超え、いわゆる「Brexit」が可決された。同時期にポーランドやハンガリーでは極右の政治勢力が支持を伸ばし、民族の対立を煽っている。ドイツ、オーストリア、オランダでも反移民を掲げる右派ポピュリズムが台頭しており、市民の間に対立を生み出している。さらに中東では、湾岸戦争以降、アフガン、イラク、シリアと戦争が続き、多くの人々が命を落としている。南米ではベネズエラの政情不安で大量の難民が発生した。香港では、2019 年に中国政府によって自治に対する介入が進み、それに反対する市民参加の大々的なデモが実施され、警察との衝突から犠牲者や逮捕者が出た。ミャンマーでは数十年にわたって断続的に軍部による圧政が起きている。そして本書執筆の最中にはロシアとウクライナの戦争が起き、多くの命が奪われ、アフガニスタンにおいては、タリバン政権が女子の中等・高等教育を事実上廃止してしまった。「今、世界は平和である」とはとても言えないような状況に直面している私たちは、この状況を座してみているわけにはいかない。

　このような状況の中、高等教育機関では近年、ことばの教育も含め、現状を批判的・分析的に捉え直す視点、課題解決のために人々と民主的に合意形成する視点やスキル（シティズンシップ教育）、多様性に気づきそれを認める寛容性（共生論など）、具体的な課題を自ら設定しその解決のために人々と協力して取り組む力の育成などが求められる（例えばByram 2008 など）。これらの力を育成することは市民性教育として重視されているもの

であり、平和で民主的な社会を支える次世代に対する教育において、なくてはならない視点である。次節では本書のテーマでもある「平和」という概念について振り返ってみたい。

2. 平和の定義とことばの教育

　平和学における平和の定義は、ガルトゥングによって提唱された積極的平和という概念として非常に幅広く捉えられるものである。ガルトゥング・藤田（2003）は、平和を脅かす暴力には直接的暴力と間接的暴力としての構造的暴力の二つの種類があると主張している（その後、文化的暴力という概念も加えている）。構造的暴力とは政治的・経済的な状況がつくりだしている社会の不平等・不公正・不正義のことであり、構造的暴力によって政治的抑圧や経済的搾取が実態としてあらわれ、飢餓や貧困、ジェンダー不平等、環境破壊などにもつながっているとする。そして、直接的暴力の阻止だけでなく構造的暴力の解消が実現している状態が平和な状態であるとし、この状態を積極的平和と呼んでいる。このことを踏まえると、平和の定義は「人間の基本的な必要がすべて満たされた社会の状態である」と言える（ガルトゥング 1990）。また、人間が基本的に必要とするものとして、生存、福祉、自己（アイデンティティ）、自由が挙げられており、それらは世界の中で人間が人間として生きていくために最低限必要なものであるとも述べられている。ただ生きるということだけでなく、「善く生きる」ことを考えると「福祉」の視点が必要となる。また、人は社会の中で生きる「自己」とは何かを問い続ける存在でもある。そして、自身が置かれている世界と自分の関係、つまり、世界の中の自分の立ち位置を理解したときにはじめて、その世界を変革していく自由を自分のものにできると言える（ガルトゥング・藤田 2003）。

　このような大きな世界・社会レベルの平和の定義以外に、『平和の人類学』（小田・関 2014）では、平和をもっと身近な「他者とともに生きられる関係性を作っていくこと」と定義している。ここで言う「ともに生きられる」には、友好関係だけでなく打算的な利害関係も含まれている。また、

「生きられる」に関しても人間社会の問題に限定せず、自然を含めた生命の領域（例えば、生物学や医学）に接合する意図を持っていると述べられている。「ともに生きる」という観点からは、多文化共生（多言語・多文化が共生できる状態を作っていくこと）（加賀美 2013; 馬渕 2011）も平和構築と密接な関係にあることがわかる。

　筆者らは、教育を、人々が様々なことを学ぶことを通して、よりよい社会やコミュニティをつくり、人々が幸せに生きていくことの実現を助ける営みであると考える。教育の場には、特定の事柄を学ぶことを目的として様々な文化的・社会的背景を持つ人々が集う。しかし、教育の場ではしばしば、教師も学習者もそこで学ばれる内容を理解することやスキルを向上させることにのみ意識を向けてしまい、その結果、一つの「正解」に到達することが目指されてしまいがちになる。ことばの教育も教育の一部であり、日本語教育や外国語教育の場においても、学ぶべき言語のルールの理解やスキルの習得が目的とされ、「正解」が主たる評価の対象とされることがある。しかし、ことばの使い方、テクストの解釈の仕方、コミュニケーションの方法にも多様なこたえがあってよく、そのことは人の生き方の多様性を認めることにもつながっていくはずである。筆者たちの問題意識は、互いの考えや認識の相違を基盤としつつ、平和という切り口からことばの教育のあり方について考えたいという点にある。

3. 平和と国家

　平和な状態を「人間の基本的な必要がすべて満たされた社会の状態」であると考え、人間が基本的に必要とするものとして、生存、福祉、自己（アイデンティティ）、自由を挙げるなら、それを保障するのはいったいだれなのか。

　18 紀末まではほとんどの国で君主制が敷かれており、国家の意思決定は君主が行うことが多かった。その頃、共和制をとる国家は、スイス、オランダ、ヴェネツィアなどわずかにあるにすぎなかった。その後、民主主義という形態が、イギリス、アメリカ、フランス、そして、それを後追い

するように、日本でも発達していったが[1]、主権は国民が持つという大原則がどのような形で政治の仕組みに発展したかは国によって異なっていた。また、女性の人権が認められはじめたのは19世紀後半になってからである（佐々木 2007; 文部省 2018 [1948]）。

　飯田（2002）は民主主義には、制度・政策を通して実現されている「状態としての民主主義」と国民が主体的な活動を通して実現している「活動としての民主主義」があるとしている。そして民主主義の3つの原理として、国民が主体であること、人々が自由で平等であること、人間活動が本質的に共同性を持ったものであることを挙げている。また、友枝（2015）は、グローバル化による国民国家の役割の低下を踏まえると、民主主義の主体が、「国民」から「市民」に移ってきており、国籍を持たない居住者も主体になる必要性があるとしている。また、岡野（2012）は「主権国家」の論理による「安全保障」ではない「ケアの倫理」をもとに「平和」を構想している（詳細は第3章参照）。苫野（2014）は、そもそも公教育の目的は戦争を避けることにあったとまとめている。公教育の目的は、学力だけでなく、「自由の相互承認」の感度も育むことであるとし、「〈自由〉＝自らが自由に生きるためにこそ、他者の〈自由〉もまた承認する必要があるのだということを、徹底的に自覚する必要がある」と説いている。そして、そのことにこそ公教育の目的があるのだと述べている。

　また、国家による言語政策や言語教育政策も平和と密接に関係がある。現在の学校におけることばの教育は、ことばの使い方、コミュニケーションについて考えることで、「異文化理解」や対話を促進し、様々な単位での対立、争い、紛争等を解決に導き、人々が安心して生きていけるおだやかな世界をつくり、維持することに貢献しようとしているかのように見える。

　しかし、一方で、ことばの教育は、歴史的には、敵国理解のために外国語学習が推奨されたり、支配国の言語を植民地の公用語として強要したりと平和とは正反対の状態をつくりだす役割を担うことがあった。例えば、アメリカにおいて外国語としての日本語教育が大きな意味を持ちはじめたのは、第二次世界大戦中である。当時は敵国である日本を理解することを

目的として、日本語教育に力が注がれたが、そのような状況で日本・日本語を勉強したドナルド・キーン、エドワード・サイデンステッカーなどの学生が後世に名だたる著名な日本研究者となっていく（小川 2020）。

　日本においても、沖縄や東北地方における標準語の普及にあたっては、学校で方言を使用した生徒には方言札と呼ばれる札を首から提げ、その札を取るためには、ほかに方言を話している生徒を探さなければならないというシステムが用いられた地域もあった（井谷 2006）。また、第二次世界大戦時における韓国や台湾をはじめアジアで日本語教育が何をしたか（古川他 2007）を振り返ってみれば国家の行うことばの教育がいつも平和に貢献しているとは言えず、むしろその真逆のことをしてきたことは明らかであろう。

4. コミュニケーションと対話と平和

　国民が国家の意思決定を行うという民主主義は、ことばによるコミュニケーションと密接に関係がある。しかし、ここでコミュニケーションと呼ばれている活動がいったいどんな営みを指すのかは極めて曖昧であることも指摘しておきたい。例えば、辞書でコミュニケーションの定義を見てみると「社会生活を営む人間の間で行う知覚・感情・思考の伝達。言語・記号その他視覚・聴覚に訴える各種のものを媒介とする」（広辞苑）、「特定の刺激によって互いにある意味内容を交換すること。人間社会においては、言語、文字、身振りなど、種々のシンボルをなかだちとして複雑かつ頻繁な伝達、交換が行われ、これによって共同生活が成り立っている」（小学館国語大辞典）とあるが、これらの定義を見ると、コミュニケーションは社会生活、人間社会、共同生活と密接な関係にあるようである。

　現在のコミュニケーション研究・教育においては、コミュニケーションという概念の捉え方に関して大きく分けると以下の3つのアプローチがある（熊谷他 2013）。伝達モデルに基づくアプローチでは、コミュニケーションの送り手が、メッセージや情報を何らかの記号を用いて、受け手に伝達するプロセスとして定義する。これは、多くの人がイメージするコ

ミュニケーション概念に近いものである。それに対して、構築主義的アプローチでは、コミュニケーション・プロセスによって、意味が構築されていくと考える。つまり、コミュニケーションに関わる者は、「送り手」や「受け手」としてではなく「参加者」として、様々な工夫をしながら言いたいことを調整していると考える。この構築主義的アプローチをさらに発展させた批判的アプローチでは、現実がコミュニケーションによって構築されていると考える点では同じであるが、その意味がつくられていく作業は、自分たちから離れた遠くのどこかで行われていると考えるのではなく、自分たちもその構築に積極的に関わっていると考える。つまり、現実世界がコミュニケーションによって構築されたもので、とりわけ不公正に構築されているとするならば、社会における支配・抑圧の権力関係やイデオロギーを批判的に分析し、人権・環境・平和など人類が直面している問題と真摯に向き合い自分たち自身が行動を起こすことが求められる。これは言い換えると、コミュニケーションすることによって、現在とは異なる現実世界の構築が可能であると捉えることである。

　批判的アプローチの観点に立った場合、現在とは異なる現実世界の構築はどのように可能なのか。ここで鍵となるのは対話という概念である。対話の概念は従来、哲学・心理学・教育学などの分野で議論されてきた（西口 2016; 平田 2012; 細川 2019; 鷲田 2015）が、ここで重視したいのは、各々が他者の発言をできるだけ対等な立場で傾聴し、従来の予定調和的な異文化理解だけでなく意見交換や、解決を目指すという対話の特性である（佐藤他 2019）。

　では、コミュニケーションや対話がうまくいっている平和な状態とはどのような状態なのか。コミュニケーションにおける参加者の気持ちや意見、解釈などは平等に配慮することが可能なのか。だれが今起こっているコミュニケーションがうまくいっているかどうか判断できるのか。また、コミュニケーション・対話の弊害となっているかもしれないある問題に対する互いの認識の違いをどう認めあうのか。ともに問題を乗り越えていこうという意識をどうつくっていくのか。コミュニケーション・対話の弊害となっているかもしれない「問題」を乗り越えていこうという問題解決への

意識は、まず「問題」をお互いにどう認識するのかというところから始まる。そもそも「問題」は本当に存在するのだろうか、「問題」を感じていない無関心な人にその「問題」の存在を認識してもらうにはどうしたらよいのであろうか。また、「問題」を認識してはいるが、自分の「問題」でないから乗り越えるのは面倒だと感じている人たちにはどう接していったらよいのであろうか。これは様々な問題にいかに当事者として関わることができるかということと密接に関係がある。

　現実的にはすべての問題に当事者として関わることは難しいであろうし、優先順位をつけて関わっていかなければならない場合も多い。しかし、当事者として関われなくても「共感」してもらえるだけで、当事者は救われる場合も多い。したがって、ある問題が自分にとって大切な問題ならば、他者にも関心を持ってもらえるよう訴え続けていくことでしか、現時点での解決方法はないように思われる。そして、お互いの問題を認識しあい「問題」を乗り越える、つまり、対話する理由は、自己実現（＝善く生きる）のためであると筆者らは考えている。自分の自己実現のためには、当然相手の自己実現もときには支援しなければならず、お互いに助け合い、歩み合うこと、それが社会に生きるということなのかもしれない。これは、苫野が言う「自由の相互承認」という考え方とも大きく連関する点であろう。

　このような問題はことばの教育に限らず、教育全般で考えていくべき問題であるが、ことばの教育はことばを用いたコミュニケーションを育むことが直接的な目的とされる教育であり、コミュニケーション相手との関係性も射程に置いた教育であることから、当事者性に関する問題は避けて通れないものと言えよう。

5.「ことばの教育と平和」の理論的枠組み

　これまでの議論を踏まえた上で、本節では、ことばの教育と平和の理論的枠組みを概観する。本節では大きく分けて３つの流れを概観する。一つはブラジルの識字教育にルーツを持つクリティカルペダゴジーの流れ、もう一つはヨーロッパにルーツを持つと考えられる民主的シティズンシップ

教育の流れ、最後は日本で生まれたウェルフェア・リングイスティックスである。

5.1　未来を指向する教育アプローチ：クリティカルペダゴジー

　クリティカルペダゴジーはフレイレに影響を受けた教育の一分野である。フレイレはその著書『被抑圧者の教育学』（Freire 1970）で知識注入型の教育を「銀行型教育」と名付けそれを批判的に見るような教育、「問題提起型教育」を広めようとした。クリティカルペダゴジーは、自分たちの置かれた不平等・不公正な現状を認識し改善を図るために教師・学習者がともに積極的に社会に働きかけることを目的としたアプローチ（Freire 1970; Giroux 1981; Norton & Toohey 2004; Shore 1980）である。これは、学習の場面で教育者と学習者を媒介し、両者の批判的思考と行動の対象となる「世界」が問題として提起されるために問題提起型教育と呼ばれる（野元 2001：94）。この運動は60年代に発展途上国から始まり、70〜80年代には先進国にも広がり、「エンパワメント」「対話」「声」といったことばを用いて語られることが多いが、社会に存在する様々な不平等や構造的問題の解決という「積極的平和」の定義と重なる部分が大きい。

　このクリティカルペダゴジーは様々な分野で発展していったが、以下では、ことばの教育と密接に関連があると考えられるクリティカルリテラシーと「内容重視の批判的言語教育（Critical Content-Based Instruction：以下CCBI）」を見ていきたい。

5.1.1　クリティカルリテラシー

　クリティカルリテラシーは、クリティカルペダゴジーの影響を受けて生まれた分野であり、テクスト分析を教育の核とし、そのテクストが構築する言説を批判的に読み解き、それを「書き換える」ことを目的としている（熊谷 2007; Cope & Kalantzis 2000; Freebody & Luke 1990; Freire & Macedo 1987; Lankshear & McLaren 1993）。例えばあるテクストを読む際に、書いた人はどんな人か、だれが何のためにこれを書いたのか、書いた人はだれが読むと思っているのか、このテクストではどんなトーン、文体、語彙・

表現、比喩などが使われているか、このテクストを理解するためには読む人はどんなことを知っていなければならないと思うか、もしあなたがテクストを書くとしたら同じようなテクストを書くと思うか、それはどうしてかなどの問いを考えることで、社会の不均衡に気づき、それを是正し、権力の濫用による社会問題に対して声をあげること目的としている（Janks et al. 2013）。

5.1.2　内容重視の批判的言語教育（Critical Content-Based Instruction：CCBI）

　このようなクリティカルペダゴジーは内容重視の言語教育（CBI：Content-Based Instruction）にも影響を与えている。言語教育の教授法において内容重視（正確には、内容を基盤とするContent-Based）という考えが注目を集めるようになったのは1970年代である（Richards & Rodgers 2001）。当時、カナダでは多くの学校でフランス語のイマージョンプログラムが開設され、また、同じ頃イギリスでもすべての教科において言語（英語）を重視しようとする動きが起こっていた。アメリカでも隣国カナダのイマージョンプログラムにならい、カリフォルニア州でスペイン語のイマージョンプログラムが開設され（Brinton et al. 1989）、学校における教科教育と言語教育の統合が必要とされていた。

　80年代のアメリカで外国語教授法として体系化された内容重視の言語教育（CBI）は、教科内容を外国語で行うことを提唱したものであり、このCBIでは、学習者は教科の学習を通して外国語に触れ、内容を理解し、自分の意見を述べようとする過程を通して外国語を習得すると考えられている（Brinton et al. 1989）。CBIは主として北米で形成されたもので、その背景には、英語が母語でない者に対する専門英語（English for academic purposes）のような専門分野のための英語教育や、イマージョン教育の広まりなどがある。CBIとは言語とそれが使われる内容や文脈を切り離さずに教育活動を行っていく教授法であり、他教科との連携、学習者のニーズの変化や教授法の変化などに対応する形でこれまで変容してきている[2]。しかし、より大きな社会文化的文脈や教育的目標への視点は現在に至るまであまり取り込まれずにその言語教育的な手法だけが発展してきた感がある。

最近では佐藤他（2018）が、CBIを言語教育だけではなく教育一般の一分野として位置づけ、より大きな社会文化的文脈や教育的目標への視点から検討し直し、内容重視の批判的言語教育（Critical Content-Based Instruction：CCBI）というアプローチを提案している。佐藤らは教育の持つ使命の一つが、現今のコミュニティをよりよく発展させつつ、そのコミュニティの未来を担っていく次世代の育成（佐藤・熊谷 2011; Partnership for 21st Century Skills 2002）であることを確認し、自分たちの生きる未来、そして、コミュニティの未来を創造するためには、既存の枠組みを見直し、必要があれば変えていこうとするクリティカルな意識・視点・姿勢・態度が大切であると述べる。そして、現在のCBIの取り組みに必要なものはこのクリティカルな意識・視点・姿勢・態度に基づいたCBIの教育理念とその理念に沿ったカリキュラムおよびプログラム開発であることを唱えている。そして、その教育理念やプログラム開発の必要性を強調する内容重視の言語教育をCCBIと呼んでいる。

　CCBIでは例えば、クリティカルな言語使用者になることを目指し、以下のような日本語教育における「日本語話者」育成の例が掲げられている（佐藤他 2018：18）。

- ●言語形式や言語使用のルール・慣習を習得することのみに囚われるのではなく、自分自身の目的や用途にあった日本語を学び、自らの（体現したい、あるいは、理想の）アイデンティティを日本語で表現し、交渉できるような日本語話者
- ●「ノンネイティブ」という立場から（日本語教師も含む）「ネイティブ」との関係に対して受身的になるのではなく、マルチリンガル話者としての立場から自信を持って自己実現していけるような日本語話者
- ●「日本人」「日本文化／社会」の枠に囚われすぎず、その流動性、多様性を認識した上で、状況に適した言語使用ができる日本語話者
- ●今ある慣習ややり方を異なった側面から分析し、新たな価値を生

み出すために日本語を用いて討議を行うことができる日本語話者

　このような「日本語」使用者になることで、学習者は自分の所属する（あるいは、所属したい）様々なコミュニティとの関わりの中で自分の定めた目標を達成できるようになるだけでなく、コミュニティをよりよく発展させるために積極的に貢献することも可能になる。

5.2　よりよい社会形成を目指して行動できる市民を育む教育：
民主的シティズンシップ教育（Education for Democratic Citizenship）

　ことばを用いたコミュニケーションによる平和を意識した教育の一例としてここでは民主的シティズンシップ教育を挙げたい。第二次世界大戦後、ヨーロッパでは域内統合に向けて1949年に欧州評議会（Council of Europe）が設立され、人権、民主主義、法の支配という共有の価値を掲げて活動している。その活動の一環として1997年に「民主的シティズンシップ教育（Education for Democratic Citizenship）」の推進が決議され、それ以来ヨーロッパ各地で民主的シティズンシップを育む教育実践が試みられている。

　Dürr（2000）は民主的シティズンシップ教育について、

　　　EDCは、生徒、若者、成人が、自分たちと社会全体の利益のために、地域社会の意思決定過程に積極的かつ責任を持って参加できるように、ボトムアップアプローチとして開発された多面的な実践・活動の総体である。EDCは、人権と自由、異なる人々に対する平等、法の支配といった共通の価値に対する認識と責任に基づいた民主的な文化を促進し強化するために行われるものである。また、民主主義の原理と実現の仕方の双方に関わる情報、価値、スキルを、公式か非公式（non-formal）かを問わず、幅広い教育・学習環境において身につけ、使いこなし、広げていく機会を生涯にわたって提供できるようになることに重点を置いている。（Dürr 2000：13）[3]

とまとめている。また、民主的シティズンシップ教育では以下のような能力の獲得や姿勢の育成を促進することが目指されている（Dürr 2000：13）。

- ●民主的な市民社会への積極的参加に必要な知識、スキル、能力の獲得
- ●対話、談話、問題解決、合意形成、コミュニケーションおよびインターアクションをしようとする姿勢の獲得
- ●コミュニティ内の権利と責任、行動規範、価値、倫理・道徳問題への気づきの促進

　また、福島（2011）は民主的シティズンシップ教育を「民主的社会のルールを身につけ（認知）、他者との関係を考慮しながら自己の価値観に基づくアイデンティティ形成を行い（情動・価値）、共同、議論、討議、調整を通して社会を形づくる（行動）能力を育成」する教育であると説明している。つまり、市民として必要な資質、能力は「認知」「情動・価値」「行動」の三側面にわたるものであり、これらは一人一人の市民が民主的な市民社会に積極的に関与し、人と関わり、議論・調整をしながら自分たちのコミュニティや社会を形づくっていくのに必要な姿勢、知識、スキルを指すと言える。
　さらに、民主的シティズンシップ教育では批判的に分析、思考することの重要性も指摘されている。私たちは現時点で自分に見えている目先のことから様々な意味付けを行い、その背後にある価値や問題をつい見逃してしまいがちである。しかし、見えていることの背景にある暗示的価値を批判的に分析することができれば、明示的な特定の価値を絶対視することなく相対的に見ることを可能にし、様々な価値を尊重する姿勢が育まれるだろう。
　民主的シティズンシップを育む一つの教育アプローチであるByram（1997）による「相互文化的コミュニケーション能力モデル（Model of Intercultural Communicative Competence：以下ICCモデル）」においても批判的文化意識（critical cultural awareness）がその軸となっており、自他文

化および自身が持つ複数の文化の明示的および暗示的な価値に気づき、複数の文化を相対的に見る意識の重要性が示唆されている。ICCモデルでは、相互文化的コミュニケーション能力の育成が目的とされており、「様々な文化の中で社会化されている人々の間を仲介する能力」の重要性が説かれている。仲介とは基本的に新規で未知の対象に接近するための、もしくは他の人がそうするのを手助けするための媒介手段であり、また、コミュニケーションが成立するために関係性や場や時間など諸条件を確立するといった関連付けの活動でもある（ピカルド他 2021）。この仲介という行動には、自分が何の疑問も持たず当然視している習慣ややり方を、異なった側面から複眼的・批判的に分析し、必要な場合は新たな価値を生み出すことができる能力が欠かせない。こうした能力は、新奇で未知の対象に近づきやすくしてくれる。

　また欧州評議会は、次世代を担う子どもたちが、多文化社会において主体的で責任のある人として行動できる力を「民主的な文化への能力（Competences for Democratic Culture：以下CDC）」とし、市民性につながる子どもたちの能力の育成を推奨している。CDCは「価値観」「態度」「スキル」「体系的な知識と批判的な理解」とその下に置かれる20の能力から構成されており、平和的共存に必要な相互文化的能力を基盤とした、民主的文化のために必要な能力に焦点が当てられている（櫻井他 2021）。このような能力は、ドイツの学校教育においても「政治教育（politische Bildung）」（コラム❷参照）という教育活動を通してその育成が目指されている。とりわけ価値観、文化的背景、積み重ねてきた経験が異なる難民の子どもたちや移民背景を持つ子どもたちと共に学ぶ場においては、子どもたち一人一人が幸せに生きることができ、よりよい学校コミュニティを自分で形成していけるような力が求められる。

　このように、民主的で平和な社会をつくるためには、社会に積極的に関わる市民としての能力を身につけられるような教育が必要であり、それが民主的シティズンシップ教育（名嶋 2019）なのである。このような教育によって政治的・文化的・社会的な問題を超えて人と人がつながり、平和な人間関係の構築、社会形成を目指していけるようになる。そして、こうし

た活動にことばが大きな役割を果たしていることは想像に難くない。した
がって、例えば外国語の教室においては、学習言語を通して、そこに参加
している個々の学習者が持つ社会背景や文化背景を利用し、文法や語彙以
外にも様々な学びを生じさせることが可能である。Byram（2008）は、学
生の言語能力の向上と批判性（criticality）の育成を担う外国語教育の場に
おいて、市民性教育やドイツの「政治教育」を意識的に取り入れる必要が
あると述べている。同時に、これまで外国語教育では、教室運営の仕方や
文法項目をどう教えるかといった教授法の面に議論の重点が置かれてきた
が、ことばの教育に関わる者の課題として、市民性教育および「政治教
育」をどのように取り入れられるかといった問題と向き合うことを避けず、
教育を実践することが求められていると説く。人がことばを使ってよりよ
い人間関係を築き、平和な社会をつくることを指向するのであれば、こと
ばの教育もそれに必要な能力を育むことを目指すのが自然な流れだろう。

5.2.1 内容言語統合型学習（Content and Language Integrated Learning：CLIL）

　ヨーロッパの民主的シティズンシップ教育は、ことばの教育にも大きな
影響を及ぼしている。欧州評議会（Council of Europe）は、先述のとおり、
人権、民主主義、法の支配という共有の価値を掲げて 1949 年に創設され
たヨーロッパの統合に取り組む国際機関だが、ことばの教育に関しては
「複言語主義」「言語的多様性」「相互理解」「民主的シティズンシップ」
「社会的結束」の促進を図る政策をとっている。欧州評議会では、1984 年
に複言語主義の理念に基づいたより効果的なことばの教育を模索する必要
性が提議され、2001 年には、様々な異なる言語や文化、複数性に対する
個人の意識を高め、尊重を促すためのことばの教育の方向性を示す「外国
語の学習、教授、評価のためのヨーロッパ共通参照枠（The Common
European Framework of Reference for Languages：Learning, teaching, assess-
ment：以下 CEFR）」が公開された。2018 年と 2020 年には CEFR 補遺版が
公開され、言語コミュニケーションに関わる教育をより多角的な観点から
包括的に行う必要性が示された。このように、CEFR を通して複言語主義

的なことばの教育を進めることで、言語や文化、他者・他文化に対する一定の偏見や差別から人々が解放され、個々の人間が尊厳を持ってともに生きていくことができるような社会を目指そうとしている。CEFRが公開されて 20 年以上が経過した今、この参照枠は世界各国のことばの教育にも多大な影響を与えている。

　このようなヨーロッパのことばの教育の流れの中、1990 年代半ばに、これまでの歴史を踏まえて複言語主義、言語と文化の多様性の保全、平和構築の必要性から言語政策の推進手段の 1 つとして内容言語統合型学習（Content and Language Integrated Learning：以下 CLIL）が取り扱われるようになった。CLIL とは、学習者が特定の教科またはテーマを学習することを通し、内容理解と目標言語の運用能力、学習スキル、思考力の向上を同時に進めるアプローチ（Coyle et al. 2010）のことである [4]。2005 年には、欧州議会（Europe Parliament）において CLIL は EU 全体において導入されるべきアプローチであるという勧告が出され（Coyle et al. 2010：3）、2001 年に公開された上述の CEFR の普及とともに急速に広がった。ホロコーストに象徴されるような負の歴史が繰り返されることのないよう、また、人のスムーズな移動や、社会の平和と安定が図られるよう、多様な言語と文化に対する意識と尊重を促し、個人が複数の言語や文化を身につけるための「複言語・複文化主義」や「民主的シティズンシップ教育」が CLIL の根底に流れる教育観となっている。そして、言語を通して平和な社会の実現に必要な汎用的能力を育成する方向性が示されている。

　CLIL の特徴は、内容（Content）、言語（Communication）、思考（Cognition）、協学／異文化理解（Community/Culture）という 4 つの概念（4 つの C）に沿って、計画的に内容・方法・教材を選択、設計する点にあり、それらを有機的に結びつけることにより、質の高い教育を実現させることにある（渡部他 2011）とされる。それにより、知識活用力、批判的思考力、実践的言語力、問題解決力、革新創造力、対人交渉力、協調協働力、社会貢献力、国際感覚力といった汎用的能力をも高めていく。このような特徴を持つ CLIL による教育目標として、池田他（2016）は CLIL が最終的に目指すのは、つまるところ 21 世紀を生き抜く地球市民の育成であるとする。

そして、その人物像をCLILの「4つのC」を用いて次のように説明している。すなわち、社会に貢献できる得意分野（Content）があり、共通言語を介した効果的な意思疎通（Communication）ができ、論理性と柔軟性を兼ね備えた発想（Cognition）を有し、多様な他者と課題を達成する協働的実行力（Community/Culture）を兼ね備えた地球市民である。

　最近では、奥野他（2018, 2021, 2022）が、CLILのアプローチに基づき、世界の課題を学びながら日本語力を高め、平和な社会の実現に貢献できる人材育成を目指す実践シリーズを、日本語学習者と日本語教師に向けて発信している。これは日本語教育と平和教育をともに推し進めようとするプロジェクトであり、ユネスコの「平和のために外国語を学ぼう」、あるいは「外国語を学びながら平和を築こう」というLinguapax Projectにも通ずるものである（奥野他 2022）。くしくも、この第一回目の会議は1987年に当時のソビエト連邦のキエフ（現在のウクライナのキーウ）で開催され、外国語教師について以下の4つの声明が出されている。

　外国語教師は――
　　1. 国際理解に責任を持っていることを自覚すること
　　2. 相互理解・平和・民族協調に資するようにすること
　　3. 国際理解を増進するような課外活動を行うこと
　　4. 学習者の興味とニーズに応じた協働学習を行うこと

　上述のByram（2008）も述べているように、ことばの教育に関わる者の課題として、国際理解や平和問題を取り上げることを避けず、教育を実践することが30年以上前から求められ続けているのである。外国語教育に世界の諸問題を知るためのグローバル教育（Global Education）を取り入れた実践は本書でも多く取り上げられているが、ことばの教育を通してよりよい社会形成を目指して行動できる市民を育んでいける教師の育成が今改めて求められていると言えるだろう。

5.2.2　日本におけることばの教育と市民性形成

　日本にも従来からシティズンシップ教育は存在するが、公民教育という意味合いが強く、これまでことばの教育の分野ではほとんど議論されてこなかった（細川他 2016）。言語教育は近代の植民地主義と同時に生まれたものであり、植民地主義の時代にも国家統一の時代にも言語教育と言語習得の政治的な目的は明確であったが、多様な歴史・経済・世界観の存在する現在、何のためにことばを教える・学ぶのか、その目標を設定することは極めて政治的な課題であると細川は述べる。

　そこで、細川は、ことばの活動によって、（学習者だけでなく、教育者も含む）私たち自身が社会的行為主体として他者と関わり、この社会で生きることについて自覚的になること、つまり、市民的態度、市民としての意識を持つことの重要性を説く。そして、シティズンシップ教育は市民性形成の一つのあり方であると考えており、私たちが一人の「個」として他者とともに社会に属しつつ、その社会に埋没せず、「善く生きる」には、私たち自身が民主的な社会の形成とその社会参加の意識を明確に保持することが大切であると述べている。つまり、市民性形成とは、私たちが他者と関わりつつ社会で生きることについて自覚的になること、すなわち、市民的態度の育成であると言えよう（細川他 2016）。

5.3　ウェルフェア・リングイスティックス

　ガルトゥングの平和学という考えは、その後「人間の安全保障」（セン 2006）として国連等でも発展的に議論され、グローバル化による搾取的な政治経済的構造に対して批判的な目が向けられるようになった。現代社会における平和の実現のためには、このような政治経済的構造に起因する人間の「不安全」を解消することが目指される必要がある（武者小路 2004）。アマルティア・センはwelfare economicsという概念を提唱して、グローバルな政治経済的構造のオルタナティブを示したが、これに触発されて生み出されたのがウェルフェア・リングイスティックス（welfare linguistic：以下WL）という考え方であり（徳川 1999）、ここに平和とことばの教育の接続が見出せる。徳川（1999）は、「WLこそ言語学の全体像であるべきで、

従来の言語学は、その中の一部と考えるようになればいい」（徳川 1999：
90）と主張している。さらに平高（2013）は、WLを日本語教育、母語・
継承語教育、国語教育、外国語教育の4つの領域から論じており、WLは
必ずしも弱者のための福祉的な観点のものではなく、「人々の幸せにつな
がる」「社会の役に立つ」「社会の福利に資する」ものだとしている（尾
辻・熊谷・佐藤 2021; 平高 2013）。

　本書では、大学で日本語を教えるという日常の教育現場において、昨今
の社会情勢を踏まえ、自分たちをとりまく社会、世界をより平和的なもの
にするために何ができるのか、戦争や争いを繰り返さないために、またそ
れらを生み出す不満や誤解、不平等を乗り越えていくためにどのような後
押しが可能なのかについて、当事者として考え、行ってきた実践について
紹介する。

6. 本書の構成

　第1部第1章では、欧州でも大きな話題となっているシリア難民に焦点
を当てる。そして、シリア難民日本語学習者の語りから、平和構築のため
の日本語教育、ことばの教育の必要性を主張する。第2章では、戦後ドイ
ツの戦争への反省と民主国家の再建に向けて生まれた「政治教育」につい
て報告し、ことばの教育が「政治教育」から学べることを明らかにした後、
その視点がどう活かせるか、特に「継承語教育」に焦点を当てて議論を行
う。次に第3章では、日本における「英語教育」について、コミュニケー
ション論の視座から批判的に捉え直し、「ことばの教育」と「平和」を実
質的に結びつける可能性について論じる。

　第2部第4章では、アメリカの日本語初級の学生と日本の大学で日本語
教育演習コースを履修する学生がFacebookを用いてコミュニケーション
を行った様子を報告する。この章では、自身のコミュニケーションを批判
的に振り返ることで、心配やもめごとがなく、おだやかなコミュニケー
ションを目指すことばの教育がどのように可能なのかを提示する。第5章
から第7章では、内容言語統合型学習（CLIL）の実践について報告する。

第5章では、貧困問題を題材に、戦争当事国の学生を含む日本、アジア、ヨーロッパの学生が在籍する上級クラスにおいて、当事者意識やクリティカルな思考がどのように変容していったのかについて、学生の語りを中心とした報告を行う。第6章では、「貧困」と「いのち」をテーマとした小さな初中級クラスにおいて、居場所の確保や心の安定を図るクラスマネージメントや学習者心理に焦点を当て、身近な平和を大切にしつつ世界の平和を考えた取り組みについて報告する。次に第7章では、ドイツの大学で実施しているナチスの歴史と日本語教育を融合した実践例を紹介する。特に、ナチ政権が誕生し、活動の拠点となっていたミュンヘンにおいて、ミュンヘン市民である学生と教員が、市内の資料センターと大学での学習活動をどのようにつなげ、学んでいるかを報告する。そして第8章では、対立の絶えない東アジアがともに生きるために、第二言語教育は何ができるのか、ヨーロッパが共同体を築くためのことばの教育理念などを参考にしつつ行ってきた教育実践を事例に、東アジアがともに生きるためのことばの教育のあり方を探る。第9章では、日本の大学での交換留学生・学部正規留学生によるクラスについて報告する。愛国心、差別、宗教、性など、タブーとされがちなトピックについて議論を重ね、ゆずれない信念と信念がぶつかりあうとき、その衝突を嫌悪や憎しみに転化させないために、そしてともにその先を描くために、教室だからこそできることは何なのかを考える。

謝　辞

　本稿執筆にあたって奥村三菜子さん、熊谷由理さん、平高史也さん（五十音順）から有益なコメントをいただきました。この場を借りて御礼申し上げます。

注
1）民主主義の概念、理念、範囲、制度などは古代より多くの主張や議論がある。例えば、ギリシアやローマの古代国家にも民主主義は存在したが、それらの国家には市民とはみなされていない数多くの奴隷が存在し、真の意味での民主主義と言えるもので

はなかった。

2）CBIが実践される形態は、内容学習と言語学習のどちらに比重を置くかで、1）アジャンクトモデル（カリキュラム横断型外国語教育（Foreign Language Across the Curriculum：FLAC）も含む）、2）テーマベースモデル（theme-based approach）（目的別言語教育・専門外国語教育（Language for Specific/Special Purpose：LSP）も含む）、3）シェルターモデル、の3つに大別される。（詳細は佐藤ら 2018：15-16 参照）

3）引用部分は筆者訳。

4）70年代に北米で生まれ80年代に体系化したCBIと90年代半ばにヨーロッパで広がったCLILには様々なバリエーションがあり、単純に比較することは困難であるが、社会的・教育的観点においてはどちらも言語・人種・宗教・政治信条などが同時に平和的に共存していく多元的共存を目指すものであり、ある言語集団へ同化することを目的としていないという点において共通している（Cenoz 2015）。

引用文献

飯田哲也（2002）「民主主義と社会学——日常生活における民主主義」『立命館産業社会論集』38（1）：3-16.

池田真・渡部良典・和泉伸一（2016）『CLIL 内容言語統合型学習 上智大学外国語教育の新たなる挑戦 第3巻 授業と教材』上智大学出版.

井谷泰彦（2006）『沖縄の方言札』ボーダーインク.

岡野八代（2012）『フェミニズムの政治学——ケアの倫理をグローバル社会へ』みすず書房.

小川誉子美（2020）『蚕と戦争と日本語——欧米の日本語理解はこうして始まった』ひつじ書房.

奥野由紀子・小林明子・佐藤礼子・元田静・渡部倫子（2018）奥野由紀子（編）『日本語教師のためのCLIL（内容言語統合型学習）入門』凡人社.

奥野由紀子・小林明子・佐藤礼子・元田静・渡部倫子（2021）奥野由紀子（編）『日本語×世界の課題を学ぶ 日本語でPEACE：Poverty（中上級）』凡人社.

奥野由紀子・小林明子・佐藤礼子・元田静・渡部倫子（2022）奥野由紀子（編）『日本語でPEACE CLIL実践ガイド』凡人社.

小田博志・関雄二（2014）『平和の人類学』法律文化社.

尾辻恵美・熊谷由理・佐藤慎司（編）（2021）『ともに生きるために——ウェルフェア・リングイスティクスと生態学の視点からみることばの教育』春風社.

加賀美常美代（2013）『多文化共生論——多様性理解のためのヒントとレッスン』明石書店.

ガルトゥング，ヨハン（1990）伊藤武彦（編）・奥本京子（訳）『平和的手段による紛争の転換——超越法』平和文化.

ガルトゥング，ヨハン・藤田明史（編）（2003）『ガルトゥング平和学入門』法律文化

社.

神吉宇一（2016）「日本国内における地域日本語教育・外国人支援の現状と課題」本田弘之・松田真希子編『複言語・複文化時代の日本語教育』凡人社、pp.85-111.

熊谷由理（2007）「日本語教室でのクリティカル・リテラシーの実践へ向けて」『WEB版リテラシーズ』4(2)：1-8.

熊谷由理・奥泉香・仲潔・丸山純真・佐藤慎司（2013）「コミュニケーション──コミュニケーション研究とことばの教育におけるコミュニケーション概念の変遷と現状」佐藤慎司・熊谷由理（編）『異文化コミュニケーション能力を問う』ココ出版、pp.33-69.

櫻井省吾・宮本真有・近藤行人・近藤有美（2021）「欧州評議会の『民主的な文化への能力と135項目のキーディスクリプター』の邦訳」『名古屋外国語大学論集』8：353-367.

佐々木毅（2007）『民主主義という不思議なしくみ』ちくまプリマー文庫.

佐藤慎司・川本健二・若井誠司・守時なぎさ（2019）「現在、そして、未来の『ことば』の教育──ロボット・AI・自律的独学環境と対話」『ヨーロッパ日本語教師会予稿集』pp.124-158.

佐藤慎司・熊谷由理（編）（2011）『社会参加をめざす日本語教育──社会に関わる、つながる、働きかける』ひつじ書房.

佐藤慎司・長谷川敦志・熊谷由理・神吉宇一（2018）「内容重視の言語教育再考」佐藤慎司・高見智子・神吉宇一・熊谷由理（編）『未来を創ることばの教育をめざして──批判的言語教育（Critical Content-Based Instruction：CCBI）の理論と実践【新装版】』ココ出版、pp.13-36.

セン，アマルティア（2006）東郷えりか（訳）『人間の安全保障』集英社新書.

徳川宗賢（1999）「ウェルフェア・リングイスティクスの出発」『社会言語科学』2(2)：89-100.

苫野一徳（2014）『教育の力』講談社現代新書.

友枝敏雄（2015）「第二の近代における民主主義」『学術の動向』pp.85-87.

永吉希久子（編）（2021）『日本の移民統合──全国調査から見る現況と障壁』明石書店.

名嶋義直（編）（2019）『民主的シティズンシップの育て方』ひつじ書房.

西口光一（2016）『対話原理と第二言語の習得と教育』くろしお出版.

野元弘（2001）「フレイレ的教育学の視点」青木直子・尾崎明人・土岐哲編『日本語教育を学ぶ人のために』世界思想社、pp.91-104.

ピカルド，エンリカ・ノース，ブライアン・グディア，トム（2021）「言語教育の視野を広げる──仲介・複言語主義・協働学習とCEFR-CV」西山教行・大木充（編）『CEFRの理念と現実　理念編　言語政策からの考察』くろしお出版、pp.81-108.

平田オリザ（2012）『わかりあえないことから』講談社現代新書.

平高史也（2013）「ウエルフェア・リングイスティクスから見た言語教育」『社会言語科

学』16（1）、pp.6-21.

福島青史（2011）「社会参加のための日本語教育とその課題——EDC、CEFR、日本語能力試験の比較検討から」『早稲田日本語教育学』10：1-19.

古川ちかし・林珠雪・川口隆行（編）（2007）『台湾・韓国・沖縄で日本語は何をしたのか——言語支配のもたらすもの』三元社.

細川英雄（2019）『対話をデザインする』ちくま新書.

細川英雄・尾辻恵美・マリオッティ，マルチェッラ（編）（2016）『市民性形成とことばの教育』くろしお出版.

馬渕仁（2011）『「多文化共生」は可能か——教育における挑戦』勁草書房.

武者小路公秀（2004）「グローバル化時代における平和学の展望」藤原修・岡本三夫編『いま平和とは何か——平和学の倫理と実践』法律文化社、pp.13-41.

文部省（2018［1948］）『民主主義』角川ソフィア文庫.

鷲田清一（2015）『「聴く」ことの力——臨床哲学の試論』ちくま学芸文庫.

渡部良典・池田真・和泉伸一（2011）『CLIL 内容言語統合型学習　上智大学外語教育の新たなる挑戦　第1巻　原理と方法』上智大学出版.

Brinton, D., Snow, M. A., & Wesche, M. (1989). *Content-based second language instruction*. Newbury House.

Byram, M. (1997). *Teaching and assessing intercultural communicative competence*. Multilingual Matters Ltd.

Byram, M. (2008). *From foreign language education to education for intercultural citizenship*. Multilingual Matters Ltd.［＝バイラム，マイケル（2015）細川英雄（監修）・山田悦子・古村由美子（訳）『相互文化的能力を育む外国語教育——グローバル時代の市民性形成をめざして』大修館書店］

Cenoz, J. (2015). Content-based instruction and content and language integrated learning: The same or different? *Language, Culture and Curriculum, 28*(1), 8-24.

Cope, B., & Kalantzis, M. (2000). *Multiliteracies: Literacy learning and the design of social Futures*. Routledge.

Coyle, D., Hood, P., & Marsh, D. (2010). *CLIL: Content and language integrated learning*. Cambridge University Press.

Dürr, K. (2000). *Project on "education for democratic citizenship. Strategies for learning democratic citizenship"*. Council of Europe Publishing.

Freebody, P., & Luke, A. (1990). Literacies programs: Debates and demands in cultural context. *Prospect: Australian Journal of TESOL, 5*(7), 7–16.

Freire, P. (1970). *Pedagogy of the oppressed*. Continuum.［＝フレイレ，P.（2011）三砂ちづる（訳）『被抑圧者の教育学』亜紀書房］

Freire, P., & Macedo, D. (1987). *Literacy: Reading the word and the world*. Bergin & Garvey.

Giroux, H. (1981). *Ideology, culture and the process of schooling*. Temple University

Press.

Janks, H., Dixon, K., Ferreira, A., Granville, S., & Newfield, D. (2013). *Doing critical literacy: Texts and activities for students and teachers*. Routledge.

Lankshear, C., & McLaren, P. (1993). *Politics, praxis, and the postmodern*. State University of New York Press.

Norton, B., & Toohey, K. (2004). *Critical pedagogies and language learning*. Cambridge University Press.

Partnership for 21st Century Skills (2002). Framework for 21st century learning. In *Partnership for 21st Century Skills*. Retrieved from: http://www.p21.org

Richards, J. C., & Rodgers, T. S. (2001). *Approaches and methods in language teaching* (2nd ed.). Cambridge University Press. [＝リチャーズ，J. C.・ロジャーズ，T. S. (2007) アルジェイミー，A.・高見澤孟監（訳）『アプローチ＆メソッド——世界の言語教授・指導法』東京書籍]

Shore, I. (1980). *Critical teaching and everyday life*. University of Chicago Press.

第1部

「ことばの教育と平和」考える編

第 1 章

シティズンシップとことばの学び

シリア出身の日本語学習者の語りから

市嶋典子

一番伝えたいこと

　シリアの問題というと遠い国の出来事で、自分とは関係のないこととして考えられるかもしれません。しかし、既に日本にも少ないながらもシリア出身者が定住しています。また、内戦下のシリアや世界各地で日本語を学び続けるシリア出身の「忘却された日本語学習者」も存在しています。彼／彼女らは、今、生きるための日本語を必要としています。本稿をとおして、ことばの学びが、困難な状況を生き抜くための糧となりうることを伝えたいと思っています。

なぜこのような実践・研究をしようと思ったか

　ダマスカス大学で日本語教育に携わった経験、人々との出会いは、筆者にとってかけがいのないものでした。内戦後、彼／彼女らは、自分達のことを知ってほしい、忘れないでほしいと語っています。また、自分達は世界から見捨てられたと語る者もいます。そういった人達の声を拾い上げ、その存在や問題を浮かび上がらせることで、個人として、また、言語教育として何ができるかを模索し、研究を続けていきたいと思っています。

1. はじめに

　シリアは、2011 年に勃発した紛争を契機に、大量の難民が世界各地に避難し、「21 世紀最大の人道危機」として、世界中から注目を浴びた。UNHCR（2022a）の『Operation Data Portal Refugee Situation』によると、UNHCR の支援対象となっているシリア難民は、2022 年 7 月現在、560 万 6946 人にのぼる。また UNHCR（2022b）の『Syria Fact Sheet June 2022』は、シリアの国内避難民は、1460 万人で、前年度より 9% 増加していることを報告している。現在、戦闘は以前より落ち着いた状況となったが、公共施設や基本的な公共サービスは著しく損なわれた状況が続いており、シリア市民として生きていく上での権利[1]も失われている。

　国際交流基金の『海外の日本語教育の現状—— 2018 年度日本語教育機関調査より』によると、2015 年度の調査時点では、ダマスカス大学とアレッポ大学の 2 つの大学での日本語教育の実施が確認されていたが、内戦下の苛烈な情勢もあり、その後、新規入学生の募集停止、閉講状態となっていることが報告されている。シリアの日本語教育に関しては、2015 年 8 月 18 日の毎日新聞で秋山が、紛争が泥沼化し、2014 年にダマスカス大学日本語・日本文学科の募集が停止され、日本語教育が危機にあることを報告している。また、市嶋（2017, 2018, 2022）は、長引く内戦のなか、シリアに留まり、日本語を学び続ける「忘却された日本語学習者」の存在、シリアを離れ、難民として外国で生活しながら、日本語を学ぶことを望む学習者の存在を明らかにしている。このようにシリア国内外にシリア出身の日本語学習者が存在しているが、困難な状況にありながら、彼／彼女らは、なぜ日本語を学び続けるのか。日本語を学ぶ機会が損なわれているなか、果たして、シリア出身の日本語学習者は、どのように日本語学習環境を維持し、日本語に関していかなる意味づけをしているのか。また、国家が機能不全をおこしている現在、彼等は、どのようなシティズンシップを生成しているのか。

　以上の問題意識から、本研究では、難民としてスウェーデンに渡ったシリア出身の日本語学習者のおかれた環境の実態と、紛争前から現在までの

日本語に関する意識の動態、シティズンシップの内実を考察する。さらに、学習者のシティズンシップの生成に日本語がいかに関わっているのかを明らかにする。

2. シリアの日本語教育

　シリアと日本は 1953 年に国交が樹立され、1967 年に青年海外協力隊派遣が、1985 年に技術協力協定が両国間で取り決められた。シリアの日本語教育機関は、1990 年以降に拡充され、維持されてきたが、2011 年以降、日本語教育機関の縮小を余儀なくされることになる。

　シリアの日本語教育は、1979 年に開講された在シリア日本国大使館の日本語講座から始まった。1995 年になると、ホテル観光学校、科学研究調査センター（Scientific Studies and Research Center：SSRC）に日本語コースが設置され、アレッポ大学学術交流日本センターが設立された。これら 3 機関は国際協力事業団（JICA）[2] の支援によって始められ、主に青年海外協力隊の日本語教師が日本語教育を担った（国際交流基金 2017a）。ホテル観光学校の日本語コースは、パルミラ遺跡等のシリアの観光資源をいかし、日本からの観光客の誘致を目的として開講された。

　近隣国のエジプトでは 1960 年代後半、エジプトを訪れる日本人観光客の増加などを背景に、在エジプト日本国大使館広報文化センターに日本語講座が創設されており、観光関係の高等専門学校に日本語コースが設けられるようになった。エジプトでは、日本語が話せることが、観光ガイド国家資格の取得や観光関係産業への就職などにおいて必要・有利であり、日本語学習が具体的な利益につながると考えられていた（国際交流基金 2017b）。エジプトは中東地域のなかでは、最も日本語教育が発展している地域であり、特に観光日本語が成功モデルとみなされていた。しかし、1997 年エジプトの主要観光地であるルクソールで、死者 69 名、内邦人 10 名、1 名の重傷者を出す襲撃テロが勃発すると、エジプトの日本語ガイドの需要が減少した。シリアでは、エジプトをモデルとして観光日本語コースが開講されたが、ルクソールでのテロの影響を受けてか、ホテル観光学

校日本語コースは 1999 年に閉鎖される。シリアにおいて、2000 年以降も観光のための日本語コース開設の話は何度も浮上したが、実現には至ることはなかった。

　国際協力事業団（JICA）は、シリア政府からの要請により、科学研究調査センターに対して、1987〜1992 年、1995〜1999 年に、電気、温度における計測標準の確立・整備のための技術協力を行った（国際協力事業団 1998）。その過程で、1995 年に同センターに日本語コースが開講され、センターに所属するエンジニアを対象とした日本語教育が行われた。しかし、1999 年ダマスカス大学付属言語センター・日本研究センター（2009 年より「ダマスカス大学高等言語学院日本語科」に名称変更）が設立されると、同年、科学研究調査センターの日本語コース、在シリア日本国大使館の日本語講座は閉鎖され、ダマスカスの日本語教育は、ダマスカス大学言語センター・日本研究センターに集約されることになった。また、1999 年には、在シリア日本語教師会が発足する。発足後は、2011 年に日本語教師等が退避するまで、日本語スピーチコンテストが毎年開催されていた。その後、2002 年にダマスカス大学人文学部日本語・日本文学科、2010 年にアレッポ大学人文学部哲学社会学科・日本研究専攻がそれぞれ設立された（国際交流基金 2017a）。

　2011 年までは、国費留学、大学間協定による交換留学、国際交流基金による教員養成等、日本に留学や日本語教育を学びに行くチャンスが少なからず存在した。学習者達は、これら日本に行くチャンスを得るため、非常に熱心に日本語を学んでいた。また、国際協力機構（JICA）や国際交流基金から教員が継続的に派遣され、日本留学から帰ってきた学生を帰国後に日本語教員として育てることによって、現地の教員の自立化を目指していた（市嶋 2016）。

　チュニジアで 2010 年末に始まった「アラブの春」[3) は、翌年 2 月までにアラブ世界に広がり、2011 年 3 月半ばにシリアにも波及した。その後、2011 年にシリアでおこった民衆蜂起が全国的に拡大したことにより、シリア国内で多数の犠牲者を出す深刻な事態に陥った。そして、シリアの日本語教育は大きな打撃を受けることになる。2011 年 3 月には、国際協力

機構（JICA）や国際交流基金から派遣された日本人の教師が全員、国外退避となり、当地で日本語教育を維持することが困難な状態に陥った。

　日本政府は中東の難民支援策の一環として、内戦が続くシリアの難民のうち、留学生として2017年から5年間で最大150人の若者を受け入れることを決定した。主な支援制度としては、文部科学省の国費外国人留学生制度、国際協力機構（JICA）の技術協力制度が挙げられる。国際協力機構（JICA）（2019）は、「シリア平和への架け橋・人材育成プログラム（Japanese Initiative for the future of Syrian Refugees：JISR（ジスル））」と称したシリア人難民支援のための留学生受け入れ事業を開始したことを報告している。この事業は、近隣諸国に難民として避難中の39歳までのシリア人を対象に、UNHCR事務所の協力のもと、修士課程の学生として日本の大学に受け入れるものである。本事業によって、シリアの日本語学習者にも日本留学のチャンスが生まれる。しかし、難民受け入れが学生限定で5年間、最大150人という数は、諸外国と比較してもきわめて少ない。また、難民支援協会（2019）によると、2011年以降、日本では60名以上のシリア人が難民認定を申請しているが、認められたのは6名のみであるという。

3.　シリア紛争とシティズンシップ

　シリアは、現政権に反対する勢力の蜂起をきっかけに、政治活動とは無関係な大量の住民をふくめ、多くの人々が犠牲になった紛争状態にある。2011年から2012年にかけて初期の難民がシリア周辺国へ避難し始め、2015年頃、地中海経由でEU諸国に庇護を求める難民が急増し、国際問題へと発展していった。このような状況のもと、多くのシリア人がヨーロッパに向かうことになるのだが、Schmal et al.（2016）は、ドイツのシリア人難民の多くは、自身の持つ専門性がドイツで理解されないことから失望させられることが多く、新しい国で最下層として出発しなければならないという現状を報告している。一方で、大野（2014）は、国民国家において主権に参与する市民はある階層性を持つため、市民権（シティズンシップ）は排他的に付与されるとする。また、市民権の概念はグローバリゼーショ

ンのなかで選別・差異化の機能を負いながら強化されており、移民・移住者のような異質な存在は、社会では最も低い階層とされると述べている。そのため、シティズンシップからは当然のように除外され、無権利状態におかれてきたと問題提起している。

　錦田（2016a）は、実際に難民が移動先で安定した移住環境を得られるか否かは、シティズンシップの取得にかかっていると指摘する。シティズンシップという概念は多義的であるが、錦田（2016b）は、シティズンシップを「市民としての法的権利や社会的包摂を含めた広義の概念」（p157）としてとらえている。また、近代シティズンシップの概念は、国民国家の創出と同じ過程のなかで発達してきたとし、国家に帰属することにより人々は権利を獲得し、その権利は相互に承認され、制度的に保証されることになるが、コミュニティーからの転出は、これらの保証から自ら外れることを意味するため、国家の一員として正式な資格を持たない難民や移民は、不安定な地位におかれることになるとする。

　近代におけるシティズンシップ論としては、『シティズンシップと社会的階級』（Marshall and Bottomore 1992 = 1993）が代表的な古典として挙げられる。マーシャル等は、シティズンシップを「ある共同社会の完全な成員である人々に与えられた地位身分である。この地位身分を持っているすべての人々は、その地位身分に付与された権利と義務において平等である」（Marshall and Bottomore 1992 = 1993：37）と定義している。マーシャルが上記のように述べた当時の社会、1950年代の当時のイギリスの文脈を考慮に入れる必要はあるにせよ、マーシャルのシティズンシップ論は多くの批判を受けてきた。例えば、山崎（2016）は、マーシャルの提示したシティズンシップは、「ある共同社会の完全な成員」つまり、「自立した父親としての市民」をモデル化しており、自立できない者は、市民権からは排除されてきたと批判している。この論からは、当然、「ある共同社会の完全な成員」ではない難民や移民は排除されることになる。

　20世紀後半、民族的少数派の権利要求運動、女性の権利要求運動（フェミニズム）、環境保護運動などの「新しい社会運動」の興隆によって、アイデンティティの差異が出現し、平等であったはずの近代的シティズン

シップは、そこから排除されてきた人々や集団から批判を浴びるように
なった。このことがこれまでとは異なるシティズンシップ概念が語られる
ようになったきっかけとされている（木前他 2011）。このように近代にお
いて意味づけられてきた、法的権利としてのシティズンシップ、共同体へ
の包摂や国家の成員資格を追求してきたようなシティズンシップから、
個々の状況に基づいたシティズンシップへとその意味づけが拡大されて
いった。なかでも、ヤスミン・N・ソイサル（Soysal 1994）は、シティズ
ンシップを国家や言語、宗教のような属性を中心とする「nationhood」で
はなく、人であること、「personhood」に基づくものとして位置付けるこ
とが重要であると主張している。そして、シティズンシップを、国境超越
性、メンバーシップの多重性、普遍的人権イデオロギーを含むものである
とし、地位や国籍などを示すものではなく、個々の〈生〉のための権利と
して意味づけている。宮島（2002）は、これはあながち非現実の理想型と
は言えず、今日の西ヨーロッパ（＝EU）は、システムとしては、「移動の
自由」「ヨーロッパ市民権」「ヨーロッパ人権保護条約」などを備えること
で、この「ポストナショナル市民権」の実現をすでに視野に収めているか
もしれないと述べている。一方で、キース・フォークス（Faulks 2011）は、
Soysal のシティズンシップの概念は不十分であるとし、「シティズンシッ
プは参加と責任が伴う」と述べている。彼は、シティズンシップは、権利
だけでなく責任があり、責任から導出される概念として参加があるとし、
シティズンシップの主要な要素として参加を挙げている。

　教育学の分野では、オードリー・オスラー（Osler）とヒュー・スター
キー（Starkey）（2009）が、シティズンシップの構成要素の一つとして、
共同体内部及び共同体間の自由・正義・平和に向けて他者と共に取り組む
「実践（practice）」を挙げている。そして、近年のグローバル化に伴う人々
の移動によって、多重の地位を持ち、複数の共同体に所属する感覚を持つ
市民が増加していることから、シティズンシップを国家が市民に付与する
地位として国籍との関係で狭く定義するのは適当ではないと述べている。

　日本語教育学においては、細川（2016）が、近代的、普遍的シティズン
シップのとらえ方は、一人ひとりの個別性や差異、あるいは個人の多元

性・多様性を否定することになるとし、「普遍性」という軸でシティズンシップを論ずることは、その内実を見ないことになってしまうと指摘している。また、シティズンシップを考える際に、個人が、同時に複数の共同体に帰属しつつ、その意識は文脈により変容していることを鑑みれば、一つの社会に多くの文化が共存することを前提とする多文化主義から、個人のなかに複数の文化が同時に存在すると考える複文化主義の考え方が重要になるとする。また、細川は、「ことばの市民」という概念を提示し、この概念を「ことばによって自律的に考え、他者との対話をとおして、社会を形成していく個人」（2012：261）と位置付けた。そして、その言語活動の行為者が、主体として言語のみではなく、その人とその人のいる環境全体、その全体を行為者自身が意志を持って構成することの意味が重要であると述べている。また、市嶋（2017, 2022）も、シティズンシップを個人と国家との関係で把握するのではなく、個人と多元的な世界との関係で複合的に読み解いていくこと、そして、その個人がより良い世界を構成するために具体的な実践、活動に結び付けていくことが重要であると述べている。

　本稿では、これらのシティズンシップ論を踏まえ、シティズンシップを、「個人と社会との関係のなかで生成する権利」と定義する。ここでいうシティズンシップは、近代において意味づけられてきた、共同体の成員としての権利のみを意味するものではなく、「国境超越性、多元的な世界との関係性、社会参加」を含むものである。その上で、本稿では、上記のように理念的に語られてきたシティズンシップは、現実にはどのような現れ方をするのかを考察したい。そのために、日本語を学び続けるあるひとりのシリア出身の学習者の事例を挙げ、彼がどのようなシティズンシップを生成し、社会参加をしているのか、さらに、彼のシティズンシップ生成に日本語がどのように関わっているのかを示す。

4.　インタビュー調査の概要

　分析対象は、調査協力者のインタビュー記録である。調査協力者である

アリ（仮名）は、30代後半（2019年5月現在）、スウェーデン在住の男性である。アリは、2001年から約6年間、ダマスカス大学付属言語研究所・日本研究センターで日本語を学んだ。学部時代の専門は英文学だったが、日本語にも興味を持ち、学び始めた。彼は、シリア内戦後、ヨルダン、エジプトへ避難し、難民として生活した。その後、エジプトから難民船でイタリアのシチリアへと渡り、フランス、ドイツ、デンマークを経由して、スウェーデンにたどり着いた。現在は、独学で日本語を学んでいる。

　筆者は、2000年9月～2002年9月と2003年7月～2004年7月、ダマスカス大学付属言語研究所・日本研究センターで日本語教育に携わった。アリとは、2000年にダマスカス大学付属言語研究所・日本研究センターで開講されている日本語の授業で知り合った。筆者が2004年7月に帰国後、アリとは連絡が途絶えていたが、2011年3月にフィールドワークでダマスカスを訪れた際にインタビューを実施することができた。内戦勃発後は、SNSのメッセンジャー機能をとおして、計8回、インタビューをする機会を得た。本稿では、2011年3月13日、2015年11月6日、2016年12月30日、2017年1月21日、2018年3月5日に行ったインタビューに焦点をあてる。インタビューは、日本語で、1回1時間半から2時間程度行った。インタビューは複数回行うことで、紛争勃発前から現在までの時間の経過による認識の変化を考察すると同時に、前回のインタビュー内容の確認を行った。質問事項は準備していたが、基本的にはアリの自由な語りが促されるように配慮した。インタビューは、主に日本語で行われ、英語、アラビア語の単語を用いることもあった。協力者のプライバシーに配慮し、名前は仮名を用いる。また、アリには、本データの使用許可を得ている。

　紛争勃発直前の2011年3月13日に行ったインタビューでは、日本語を学ぶようになったきっかけ、現在、どのような環境で、どのように日本語を学んでいるのか、なぜ日本語を学び続けるのか、今後、日本語をどのようにいかしていこうと考えているのかを中心にたずねた。紛争が泥沼化した2015年11月6日には、主にシリア情勢、スウェーデンでの生活状況、生活のなかでの困難、その困難をどう乗り越えたのかを聞いた。また、生

活環境が変化するなかで、どのように日本語学習を維持しているのか、さらに、アリがどのように日本語を意味づけているのかの詳細をたずねた。2016年12月30日には、上記の質問に加え、現在、どのようなコミュニティーに属して、どんな活動をしているかの詳細やシリアへの思い、将来をどう考えてるのかをたずねた。2017年1月21日、2018年3月5日には、これまでに得たインタビュー内容をもとに、それぞれの語りの意味を再度、詳細にアリに確認し、アリのシティズンシップの内実を浮かび上がらせることを目指した。

　以下では、アリが、紛争前から現在まで、いかに日本語をとらえ、いかなる環境で日本語を学んできたのか、さらにどのようなシティズンシップを生成しているのかを考察する。具体的には、まず、（1）インタビュー調査を文字化したデータから、日本語のとらえ方に関する箇所、日本語学習環境に言及している箇所、シティズンシップに関連する箇所をすべて抽出・分類し、その特徴をまとめた。（2）次に、（1）を時系列に並べ、それぞれの特徴を表す語りの部分に注目し、その内容を詳細に考察することで、それぞれの特徴間の関係性を明らかにした。これらの分析を踏まえ、彼がどのようなシティズンシップを生成しているのか、さらに、彼のシティズンシップ生成に日本語がどのように関わっているのかを考察することが、本研究の目的となる。

　本研究では、2011年3月〜2018年3月という長期にわたるインタビューデータを使用する。今回、アリ1名の語りに注目した理由は、紛争前から現在に至るまでの、アリの日本語学習環境の変化、日本語に対する意識の変化が詳細に追えると判断したためである。アリの語りを詳細に分析することにより、個人がどのようにシティズンシップを生成し、そこにどのような意味があるのかを明らかにしていく。

5. インタビューの結果と考察

　筆者は、2011年2月15日〜3月15日まで、ダマスカス大学日本語学科及び、ダマスカス大学付属言語研究所・日本研究センターを訪問し、日本

語学習環境の調査と日本語学習者へのインタビュー調査を行った。訪問時には、多くの日本語学習者が熱心に日本語を学んでおり、当時は、現在のような深刻な紛争状況に陥ることになるとは誰も想定していなかった。アリも同様で、アラブの春以降、近隣諸国でおきている混乱やシリア国内でのデモに意識を向けながらも、シリアが最悪の状態になるとは考えておらず、以下のように、日本語を自身の将来の仕事に役立てようと考えていた。

仕事のための日本語（2011年3月13日）

> アリ：私、日本語、勉強したけど、大体、仕事ためのことばとか勉強した。例えば、観光の仕事やった時、とても難しいことば覚えてきた。例えば、「祭壇」とか、できたけど。私も勉強のこと好きだったけど、大体、読んでたけど、仕事も欲しかったからね。できたら自分の会社できたら一番いいと思ったから。

　アリは、内戦前、ダマスカス大学付属言語研究所・日本研究センターで日本語を学んだ後、観光の仕事を得るために独学で日本語を学んでいた。2.でも示したように、シリアでは、1995年にホテル観光学校日本語コースが開講された。後に、1999年に閉鎖されることになるのだが、2000年以降も観光のための日本語コース開設の構想は何度も浮上した。当時のシリアでは、観光日本語のニーズは根強くあり、仕事につながるものとして期待されていた。シリア国内ではパルミラ遺跡をはじめとした世界遺産が散在しており、その地を訪れる日本人観光客の増加が期待されていたことが背景にある。ホテル観光学校日本語コースが閉鎖され、公的に観光のための日本語が学べる場が無くなった後も、独学で観光日本語を学び、フリーランスで日本語ガイドをする者もいた。アリもそのひとりであった。紛争前の2011年には、ダマスカスの旧市街では、外国人観光客をターゲットにしたホテルが多数オープンし、観光産業を発展させていこうという機運があった。

　このような背景のもと、アリは、シリアでの日本人観光客の増加を期待

し、観光ガイドとしての日本語を独学で学びながら、日本語を将来の仕事にいかしていこうと考えていた。

将来の日本語のチャンスも無くなった（2015年11月6日）

　アリ：残念だけど、アラブ人が兄弟だと言われてますけど、本当に兄弟じゃない。
　筆者：親切なアラブの国ある？
　アリ：そんなにいないと思う。親切な人いるかもしれないけど、政府としてはよくない。
　筆者：全然ない？　どこも。
　アリ：皆さん、私が親切だと言われていますけど、シリア人を求めなかった。湾岸とか。
　筆者：ヨルダンやエジプトは？
　アリ：歓迎されなかった感じ。（中略）結局、シリアでも、アラブでも私のしたい仕事もできなかった。それで、将来の日本語のチャンスも無くなって、本当にがっかりしたよ。

　シリアでは、現政権への不満から、2011年2月頃から各地で民衆が蜂起し、3月初旬になるとシリアの首都ダマスカス、南部の都市ダラーでその規模は拡大した。その後、紛争へと突入していった。その影響で、2.で記載したとおり、日本人の日本語教育関係者は帰国を余儀なくされることになった。シリアを訪れる日本人は一部の政府関係者やジャーナリストを除き、皆無となった。そのため、シリアでのアリの仕事も無くなった。
　言語や文化も近いことから、大半のシリア難民は、トルコやヨルダン、レバノンなどの中東地域に移住している。一方で、アラブ湾岸諸国がシリア難民受け入れに消極的であることが諸外国から批判されている。錦田（2017）によると、湾岸諸国は、難民支援への意識が低いこと、長期滞在の移民労働者にも国籍を与えない厳格な入国管理政策をとっていること、湾岸諸国自体、資金提供などの形で間接的にシリア紛争自体に関与してお

り、難民受け入れによる反動勢力の入国や治安悪化を懸念することなどが難民受け入れに消極的な理由に挙げられるとする。また、紛争前から多くのシリア人が湾岸諸国で短期契約労働者として働いていたが、依然として、長期滞在は認められにくい現状にある。アリは、このようなアラブ湾岸諸国の対応を「本当に兄弟じゃない」と批判している。

　アラブには「ウンマ」という概念があり、「ウンマ」とは、アラビア語で母と同義のことばである。現代では民族・国民・共同体などを意味する。その結合要素は様々だが、サーレ（1999）によると、ことば、地域、宗教によって結び付いている。このウンマの概念に基づいて、アラブ諸国は共同体とみなされ、同胞意識が育てられるとする。アリがアラブ諸国を「兄弟」というのはそのためだが、シリア難民に対して、湾岸諸国はその限りではなかった。また、アリは、スウェーデンの前には、ヨルダンやエジプトに難民として移住したが、そこでは自分が納得する仕事や生活を送ることができなかった。このような背景のもと、アリは、シリアでも近隣のアラブ諸国でも、自身の将来の可能性や日本語を学ぶチャンスが失われてしまったことに失望していた。

ただの難民ではなく、日本語ができる私（2015 年 11 月 6 日）

　　アリ：最初は、あの、ここに来てから、自分の昔も無くなったね、
　　　　何も私、知らない、ここ私の、ここの難民になるのに、なりまし
　　　　た。アリさんシリアにいて日本語とか勉強して大学を卒業し、誰
　　　　も知らない。ここに私、新しくしろ。私の歴史、誰も知らない場
　　　　所だけど、だからここに来てちょっと昔のことを見せたかった、
　　　　この場所で。やって見せるのはちょっと時間かかる。（中略）日
　　　　本語、続けます。私の問題、今、ここにすでに来た時、時間ある
　　　　と思ったけどそんなに時間なかった。私の数年後のこと、あの、
　　　　結構大きな上のレベルになってからもいかす日本語を続けるよ、
　　　　全然。私 1000 漢字ぐらいも覚えてきたけど、まあどうかな、も
　　　　う 1000 漢字もできるかも。今まで。JLPT のテストもやりたい、

全然やめないよ。やめない、だからこの本買った。これが私自身
を理解してもらうことの一つ、日本語ができる私ということ見せ
たい。ただの難民ではなく。

　シリア難民は 2012 年以降、増加した。国際介入による戦闘の激化や、
2014 年以降の「イスラーム国」の台頭を受けて国外への避難人数は加速
度的に増加した（錦田 2017）。アリが移住したスウェーデンは、難民に対
して「寛容」な国とされ、2015 年には、16 万 3000 人の難民を受け入れた。
スウェーデンでは、人種や文化的な背景にかかわらず、すべての人に平等
の権利、責務、機会を保障することを目的とする「インテグレーション政
策」のもと、労働市場政策、教育政策、反差別政策などが実施されてきた
（藤岡 2012）。しかし、急増する難民は福祉や医療の大きな負担になり、近
年、移民排斥を唱える極右政党であるスウェーデン民主党が、国内で急速
に勢力を高めており、特に、シリア難民の流入が急増した 2014 年 11 月以
降、その支持率は急速に高まり、2015 年 11 月には 19.9％にまで達した
（川瀬 2016）。
　このような背景のもとスウェーデンで暮らすアリの環境は、決して安穏
としたものではなかった。アリは、スウェーデンに来てから、自分の昔が
無くなり、難民になったと語った。日本語を学び、大学を卒業したという
自分の歴史を知る人がいないスウェーデンで、不特定多数の難民としてで
はなく、自分自身を理解してもらうためには時間がかかると考えていた。
そして、アリは、日本語を、自身を表すものとして意味づけ、難民として
ではなく、アリという個人として、「日本語ができる私」として理解して
もらうために学ぶことを決意している。

日本語で信頼をつくる（2016 年 12 月 30 日）

　アリ：それは変な話ではないけど、私、スウェーデンに来てから、
　　この間知ったかもしれないけど、そこに行ってから日本人知らな
　　くて、大変だった。自然に社会のなかに入るのがちょっと難しく

て、(中略) 日本人会の祭りでもパーティーでも参加したり、後で「今年はメンバーが変わらなきゃならない」と言われまして、急に、メンバーいなかったから、「アリさんがメンバーになったらどう」と言われまして、私はなった。

筆者：え、そうなんですか。

アリ：来週はね、ちょっと。今日は私、もう一回勉強してた、メールのこととか。お雑煮とか、餅つきとかのことばとか覚えて。(中略) お雑煮のつくり方とか、やばいですね。

筆者：そんなのみんな、あんまり知らないけどね。

アリ：だから私びっくりした。餅つき、皆さんつくれないみたいな感じね。私、杵の担当の人だから。

筆者：そうなんだ。杵の担当。

アリ：杵取りの人。

筆者：すごいですね。何人ぐらい来るの？

アリ：大体 130 ぐらい。

筆者：すごい、そんなに来るの。全部つくるの？　130 人のお雑煮。

アリ：参加する人は 130 人ぐらいで、準備できる人は 10 人ぐらい。みんなの分つくる。(中略) 前日もあるし、来週の土曜日ちょっと忙しい。そして来週の日曜日する。今のうち、メール読んだり、翻訳したり。好きじゃないことば、まだ漢字に慣れてないから、私も勉強したから、(中略) だけど、まだ新しいメールでちょっと困るところいっぱいある。例えば。(中略) お雑煮の漢字とか、お雑煮のことば、知っても、まだ漢字よく分からなかったから、今、知ってるけど。

筆者：すごく入りこんでますね。

アリ：信頼つくるのはちょっと難しかった。けど、何で日本人のなかに信頼つくれたか、それは、日本語でコミュニケーションして、この日本人が日本人の知り合いにこのこと教えたから。

「ただの難民」ではなく、「日本語ができる私」ということに意義を感じ

ているアリは、日本人との交流の機会を求めていた。パーティーに参加するなどして、日本人コミュニティーに積極的に接触していくなかで、日本人会のメンバーにまでなり、餅つきやお雑煮づくりに参加することになった。アリの語りからは、日本人会への参加をとおして、日本語の語彙や漢字を学んでいる様子がうかがえる。

　日本人会は、日本国外に長期滞在する日本人が交流する場である。基本的に日本人であれば誰でも入れるものであるが、シリア人のアリが入会し、メンバーとして活動に参加しているというのは非常に珍しいケースであると言える。上記の語り以外に、アリは、日本人会の会議の議事録をとることも任されていると誇らしげに語った。アリは、自身の日本語によるコミュニケーションにより、日本人からの信頼を得、国籍を超えた会への十全な参加を実現している。このように、アリは、日本語を学ぶことが困難な状況のなか、自ら日本人コミュニティーに積極的に関わり、関係を築き上げながら、日本語を学ぶ場を自ら構築していることが分かる。アリは、国境超越性をスウェーデンの日本人会に見出している。それを可能にしたのは、アリが日本人会のメンバーからの信頼を勝ち得たからであると言える。また、スウェーデンで疎外感を感じていたアリにとり、日本人のコミュニティーに受け入れられたという実感を得られたことは大きな意味を持つものであった。

シリアは家、友達（2017 年 1 月 21 日）

　　アリ：普通のシリアはもちろん悪いところあったけど、最初は自分
　　　の家があった。私いろんな国行ったけど、最後は自分の家の方が
　　　一番好きでしょ？　普通のシリアは家という意味。普通のシリア
　　　は友達という意味。例えば、たくさんの人に会ったり、遊んだり、
　　　そんなイメージがあった。もちろん、宗教の問題たまに話したけ
　　　ど、一番大事な問題じゃない。（中略）シリアは家、友達のある
　　　場所という意味。

書類の国籍、感じる国籍 (2017年1月21日)

> アリ：私、将来、仕事のため、スウェーデン市民になるつもり。ス
> ウェーデンの国籍とる（中略）別に国籍意味がないでしょう？
> 書類のことだけ。それは、感じることの国籍の方が大切だと思う。
> 筆者：感じることってどういう？
> アリ：例えば私、シリア人の感じがありますから、シリア人の国籍
> でしょう？
> 筆者：はい。
> アリ：（＃＃＃＃聞き取り不能）感じること。そんなことだと思う。
> けど他のは、それはただの書類と思う。

　アリは、将来の仕事のためにスウェーデンの国籍をとり、スウェーデン
市民になることを考えている。彼は、国籍を書類の国籍と感じる国籍と表
現し、感じる国籍の方が大切であると語った。感じる国籍とは「シリア
人」を意味する。また、彼にとってのシリアとは、自分の家であり、友達
といった個人的なつながりを包含する共同体を意味する。

　アラビア語にワタンということばがあるが、「ワタン」は、現在では
「国民／民族」や「国家」として翻訳されることが多い。サーレ（1999）
は、ワタンは、本来は、人が住んだり、やすらぎを得たりするところであ
り、また家畜が戻る場所という意味を持っていたが、エジプトのムスリム
啓蒙思想家、タフターウィとマルサフィがワタンを「祖国（patrie）」の訳
語として採用し、さらに、エジプトが半植民地化された1882年以降、『国
家』を『ワタン』と訳し、国民国家の議論を進めていったとする。このよ
うに、もともとあったアラビア語のワタンに国民国家の概念を重ね、意味
を転換していった。一方、サーレ（1999）は、タフターウィのワタンの概
念は多様であり、彼の著作のなかでのワタンは、人間が生まれ育った地域
や故郷の意味でもよく使われており、「人間が青少年期を過ごした場所」
「人間が生まれ育ちそこから巣立つ、そして家族の集いの場所である巣」
と記述されていることを指摘している。タフターウィは、国民国家の議論

を進めるために、ワタンの概念を「国家」と定義する一方で、生まれ育った地域、家族の集いの場所というように、狭義に意味づけてもいる。アリは、タフターウィの後者、自身が生まれ育った地として、個人的な経験を重ねた場としてのワタンにシリアを重ねている。書類上のスウェーデンという国籍は自身の将来を発展させるための戦略的な選択であり、自身の認める国籍はあくまでもシリアなのである。たとえ、国籍を変えたとしても、自身の故郷がシリアであると認識する限り、彼の「国」はシリアであり、その「国」とは、家があり、友達がいる、自身が生まれ育った場所＝ワタンを意味する。アリの語りからは、国家に規定されたものではなく、自らが価値をおく場に自身のアイデンティティを見出していこうとする彼のシティズンシップの主体的な選択が浮かび上がってくる。

ステレオタイプのイメージ（2017 年 1 月 21 日）

　　アリ：そう。それは一番大きい痛いことだと思う、スウェーデンにいるうち。例えば、マイノリティーっていうことね、難民で、もちろんどこでもいい人と悪い人がいますね。ひとりの悪いシリア人とか、他の悪い難民とか、何か悪いことしたら、皆さんの難民が悪いと思われています。今は、日本安全だから大丈夫だけど後で戦争があったら、例えば、ひとりのやくざの日本人誰かがアメリカ人殺したら、日本人アメリカ人殺すと思われます。皆さんの日本人悪いイメージになってくるみたいな感じ。そんな感じヨーロッパに結構あります。悪いシリア人、皆さんのシリア人悪いと思われてます。だからちょっと大変。

　　筆者：そうだね、全部同じステレオタイプというか、ステレオタイプで見られることよくありますか。

　　アリ：ある。それは一番嫌だ。けど、そのこと理解できるから、何かできると思う、頑張ります。

　　筆者：何かできるというのは？

　　アリ：例えば外国人に会うと、スウェーデン人でも会うと、最初は

ステレオタイプのイメージあっても、ちょっと私に話したら、それは思ったのと違うみたいな感じになってくる。

2015年11月におきたパリ同時多発テロ、2015年12月におきたケルンでの婦女暴行事件、2016年3月におきたブリュッセル空港・地下鉄テロ事件では、実行犯に中東諸国出身の移民や難民が含まれていたことから、彼等はテロリスト予備軍として、国内の治安を脅かしうる潜在的危険分子と見られ、警戒対象とされることとなった（錦田2017）。また、スウェーデンでは、2015年の難民危機以降、難民の受け入れに批判的な世論が増加し、2018年の総選挙では、移民の受け入れに反対する右派ポピュリズム政党・スウェーデン民主党が躍進した結果、中道左派・中道右派の両勢力が何れも過半数に届かない結果に終わっている（田中2018）。アリは、このような社会背景のなか、スウェーデンでは、自身がマイノリティーであると感じ、シリア難民が警戒対象とされていると認識している。そして、シリア難民の悪いイメージやステレオタイプを変えたいと考えている。

社会を変える（2017年1月21日）

アリ：私、弱かったら自分が手伝えないから、強かったら自分と他、手伝えるようになってくる。何かしなきゃいけないと思ってる。なんでもした方がいいと思う。メディアは今、とても大切で、メディアでたくさんのこと変えれると思う。

筆者：そうですね。それを今、考えてるんだね。

アリ：今、考えてる。

筆者：日本語で？　アラビア語で？

アリ：日本語でも。日本の国民は大体シリアのこと知らない。シリアだとISのイメージしかないから最近。それは残念だけど、だから私、日本語で何かビデオしたいと思う。（中略）もちろん。そのこととか、難民のイメージとか、その今までの私の人生ということ見せたいから。

アリは、「私、弱かったら自分が手伝えないから、強かったら自分と他、手伝えるようになってくる。何かしなきゃいけないと思ってる」と語り、難民として困難な生活を強いられながらも、常に強くあろうと努め、なんらかの行動をおこす必要があると考えている。それは、日本語でビデオをつくり、メッセージを送ることであると語った。このアリの語りからは、日本語によって難民のイメージを更新し、自身の人生を発信することにより環境や社会を変えていこうと志向する様子が見られる。また、日本語を、社会を変えうる媒体としてとらえていることが分かる。

広い世界で信頼をつくる（2017年1月21日）

　　アリ：シリア人にとても大変なことは、自分の悩みとても大きいから、他の人にシリア人のいいイメージつくるのが伝えられないと思う。
　　筆者：そうだよね。
　　アリ：他の世界の人、シリア人のことどうやって考えてるか、そんなこと考えないシリア人の頭のなか。そこまで考えられない。シリア人は、移民した国と元の国のことしか考えられない。考えられない。例えばここにいる人、いつでも家族に話したり、兄弟に話したり、そのことしか考えられない。
　　筆者：それも仕方ないよね。
　　アリ：仕方がないからもっと大変、普通のことより大変。（中略）だから私、いつでも他の人のことよく考えてる。イラク人の問題の時、シリア人、イラク人の痛み、そんなに感じられなかった。パレスチナ人の時でも同じ問題だった。（中略）今、自分の問題と他の世界、いろんな世界の問題、考えてる。そして、やっぱり変えないといけない。自分やシリアのことだけ、狭いところじゃなくて、広い世界で考える。広い世界でいろんな人と会って、信頼をつくること。そうやって信頼をつくる。日本人でも外国人でもスウェーデン人でも、実際に私と会って、難民のステレオタイ

プが変わった。一番難しいのは、信頼つくること。たくさんの人
　　会って、次の人もっと信頼できて、次の人もっと信頼できて、最
　　後の人、私にたくさん信頼があった。そうやって少しずつ、世界
　　を変えていかなきゃ。

　上記でアリは、シリアに流入したイラク難民とパレスチナ難民について
語っている。1948 年、パレスチナにイスラエルが建国したことによって
第 1 次中東戦争がおき、この戦争で、パレスチナ人が、ヨルダン川の西岸
及びガザに、また、周辺国であるレバノン、シリア、ヨルダンに避難し、
パレスチナ難民となった。また、2003 年 3 月にイラク戦争が勃発し、イ
ラク情勢が不安定化したことにより、難民が流出した。Japan Platform
(2019) によると、2006 年 2 月からイラクからの大量の難民がシリア国内
に流入し、当時、シリア総人口の約 10％に相当する 120 万〜150 万人が同
国に滞在していたということである。
　このような背景のもと、シリアにおいて、イラク難民やパレスチナ難民
の問題は身近なものであったが、アリは、「イラク人の問題の時、シリア
人、イラク人の痛み、そんなに感じられなかった。パレスチナ人の時でも
同じ問題だった」と語り、イラク難民とパレスチナ難民の問題をシリアで
はあまり深く考えられなかったと語った。アリは、このように狭い視野で
しか問題をとらえられないことを問題とし、広い視野でものごとを考える
必要があると述べた。また、広い世界に出ていろいろな人達と出会い、信
頼関係をつくっていくこと、そうすることによって難民に対するステレオ
タイプを変えていこうと志向している。アリの語りからは、広い視野でも
のごとを考え、多元的な世界に自己を開きながら社会を変えていこうとす
る様子がうかがえる。

私のなかに入っている（2018 年 3 月 5 日）

　　アリ：日本語をとおしていろんな人と出会ったし、たくさんの経験
　　をすることができたから。良い思い出、面白いことが多いかな。

スウェーデンは、まあ、生活のため、仕方ない。英語はまあ、もっとビジネスの感じ。日本語は、いろんな経験から、もうちょっと、なんか、もっと近い、私のなかに入っているって感じかな。

　アリは、英語やスウェーデン語は、ビジネスや生活のためのものとし、日本語は、より身近なもの、「私のなかに入っている感じ」と語っている。Norton（1995）は、従来の「学習動機」という概念の代わりに「投資」の概念を提起した。「投資」は、文化資本としての言語を獲得するためのものである。Nortonは、「学習者が第二言語に投資するのであれば、より広範囲の象徴的資源及び物質的資源が得られると認識しており、それがひいては、自身の文化的資本を増やすと考えている」（Norton 1995：37）とする[4]。アリは、2011年3月13日のインタビューでは、日本語を仕事のために学んでいると語っていることから、日本語を物質的資源として考えていたことが分かる。一方、2018年3月5日のインタビューでは、日本語を「私のなかに入っている」ものとして意味づけている。アリにとり、日本語は、自身と密接に結び付いた象徴的資源としても認識されている。このように日本語が自身と結び付けられるのは、「日本語をとおしていろんな人と出会ったし、たくさんの経験をすることができたから」である。アリの語る経験とは、内戦前から現在までの日本語に関する経験であり、その経験の記憶が、日本語に英語やスウェーデン語とは異なる文化資本としての意義を持たせていった。だからこそアリは日本語に「投資」し続けるのではないか。

6. 結論

　以上のアリの語りからは、アリにとっての日本語は、①自身の将来の仕事につながるもの、②国境を超えた関係性の構築を実現するもの、③社会や環境を変えていくもの、④自身と密接に結び付いたものであったことが分かる。

アリは、内戦前には、シリアでの日本人観光客の増加を期待し、観光ガイドとしての日本語を独学で学んでおり、①自身の将来の仕事につながるものとして意味づけていた。当時のアリは、将来に対する期待が持てる環境にあり、望めばいつでも日本語が学べる状況にあった。しかし、紛争後は、公的に日本語が学べる場は失われ、アリの夢は閉ざされることになる。一方で、難民としてスウェーデンに渡った後も、アリは、日本語を学ぶことをあきらめることはなかった。主体的に日本語を学べる場を探し、日本人会のメンバーとして、活動に参加するまでになった。餅つき大会に参加したり、会議の議事録をとるなど、会への参加をとおして、新しい日本語の語彙や漢字を学んでいった。その過程でアリは、日本語ができる自分に存在意義を見出していった。日本語は、アリにとって、自身の人生を切り開くための「生きがいのある日常をつくる媒体」（市嶋 2020：37）であったと言える。また、日本人会というメンバーシップの限られた場において、シリア人である自身の参加を認めさせ、日本語による、②国境を超えた関係性の構築を実現している。また、アリは、スウェーデンの国籍を戦略的に選択しようと志向しながらも、実際には、自身が生まれ育った場所としてのシリアに価値をおいていた。シリアへの思い入れは強く、たとえ、便宜上、国籍を変えたとしても、自身の心のなかの国籍は変わらないとする。アリのアイデンティティは、あくまでも、故郷であるシリアにある。一方で、難民となり、故郷を失った今、新たな居場所をスウェーデンの日本人会にも見出している。それは、日本語を学び、日本人会に参加する過程において築かれていった人間関係の上に成り立っている。また、アリは、メディアを通じ、日本語によりシリアのイメージを更新し、自身の人生を発信しようと考えており、日本語を、③社会や環境を変えていくものとして考えていた。また、アリにとり、日本語は、④自身と密接に結び付いたものとして認識されていた。それは、「日本語をとおしていろんな人と出会ったし、たくさんの経験をすることができたから」である。アリの語る経験とは、内戦前から現在までの日本語に関する経験であり、その経験の記憶が、日本語とアリを密接に結び付け、生活言語であるスウェーデン語や英語とは異なる意味を付加させた。

アリは、ある時は、国民国家の枠組みを超え、新たな関係性を構築し、またある時は、国民国家の枠組みを利用し、自身の将来の仕事に結び付けようと戦略的に考える。そして、アリの語る「感じる国籍」とは、国家に規定されたものではなく、自身の生まれ育った場所であるシリアを意味する。アリは、自身のおかれた環境の時々で、国の意味を柔軟に解釈しながら、困難な状況を臨機応変に生き抜いている。また、広い視野にたってものごとを考えることが必要であるとし、多元的な世界に自己を開き、社会を変えることを志向している。

　本事例は、アリが、母語であるアラビア語でも、使用範囲の広い英語でも、移住地で使われるスウェーデン語でもなく、シリアで学んだ外国語である日本語に意義を見出している点が特徴的である。内戦を経て、難民となったアリにとって、日本語は、自身の存在意義を認めさせるものであり、自身の将来を託すことのできるもの、社会を変えうる象徴的なもの、様々な経験と記憶が内在するものであった。Ricoeur（2004）は、人は単に見たもの、経験したもの、学んだものを思い出すだけでなく、むしろ何かを見、経験し、学んだ世界のなかの状況を思い出すのである、と述べている。そして、その状況には、自身の身体、他者の身体、生きてきた空間、出来事がおこった世界の地平が含まれているとする。アリの例で言えば、彼が想起するのは必ずしも日本語そのものではなく、日本語をとおして経験された場所や出来事に関わりを持った自身と他者であると考えられる。こういった具体的な文脈と結び付いて日本語が意味づけられている。彼にとって日本語は、様々な経験の記憶と結び付いており、その記憶と共に彼のなかに存在しているものであると言える。

　以上のことを踏まえ、従来のシティズンシップの論に新しい視座を加えるとするならば、外国語が、「個人と社会との関係のなかで生成する権利」としてのシティズンシップを構成するための重要な媒体になりうるということである。従来、難民の存在は例外的なものとしてみなされ、ホスト社会への段階的な同化（または排除）の対象とされてきた。また、難民の権利は、ホスト社会やマジョリティ側から付与されてきた。一方で、アリは、自身でシティズンシップを構築しながら人生を切り開いていった。言語や

国籍、人種の境界性をなくし、自身で共同体への帰属を選択している。このアリの事例からは、国籍に制約されることなく、共同体への帰属や言語を主体的に選択し、多元的な世界に自己を開くことで社会を変えていこうとするアリのシティズンシップの在り様が見えてくる。それは、外側から規定されたものではなく、自身のおかれた状況を生きるなかで、自ら生成した権利であると言える。

　現在、シリア出身の日本語学習者は、日本語学習を継続することが困難な状況にある。しかしながら、このように困難な状況におかれた日本語学習者の実態はほとんど議論されることはない。今後も、アリのような学習者の実態を明らかにし、言語教育として何ができるのかを考えていく必要がある。また、教室での学びを終えた後、学習者はその学びをどういかしているのかを考察することも言語教育として重要な課題であると考える。アリのシティズンシップは、教室での学びによって育まれたとは言い難い。学んだ日本語を自身のおかれた状況のなかでどういかしていくか、その実態は一人ひとり異なるものである。今後も、アリのような移動を余儀なくされた学習者に注目し、個々の学びを明らかにした上で、言語教育として何ができるのかを考えていきたい。そして、「人間の生の充実とそれを支えるための言葉の創造という日本語教育学的な知」（市嶋 2014：259）の構築へとつなげていきたい。

付　記

　本研究は、科学研究費補助金（基盤C）「シリア出身の日本語学習者の学習環境とアイデンティティ形成過程の動態について」（2019 年〜 2023 年度、課題番号：19K00727、研究代表者：市嶋典子）の研究助成による成果の一部である。また、本章は、市嶋典子（2019）「シリア出身の日本語学習者の日本語に関する意識とシティズンシップの動態——難民としてスウェーデンに渡った日本語学習者の語りから」『言語文化教育研究』17：71-87、https://doi.org/10.14960/gbkkg.17.71 をもとに加筆修正したものである。

注

1) Contemporary Middle East Political Studies in Japan.net（CMEPS-J.net）（2018）
では、シリア内戦によって国内避難民（internally displaced persons）となったシリ
ア人を対象とした世論調査の実施及び調査結果の集計をし、シリア市民にとって何が
必要かを明らかにしている。その上で、教育、住居、インフラ、医療等が保障されて
いないことが問題として挙げられ、市民として生きる上での権利が失われていること
が報告されている。

2) 国際協力事業団は、1974（昭和 49）年に設立されたが、独立行政法人国際協力機構
法（平成 14 年法律第 136 号）に基づいて、2003（平成 15）年 10 月 1 日に外務省所
管の独立行政法人国際協力機構となった（国際協力機構（JICA）、1999）。

3) アラブの春（Arab Spring）とは、2010 年から 2011 年にかけてアラブ世界において
発生した民主化運動の総称であり、2010 年 12 月のチュニジアでの「ジャスミン革
命」から、アラブ世界に波及した（総務省、2019）。

4) 投資の概念は、Norton が Bourdieu and Passeron（1977）の文化資本の概念に影響
を受け、提起されたものである。

引用・参考文献

秋山信一（2015）「内戦泥沼化、教師は退避 日本語教育危機に大学、学科募集を停止」
　　毎日新聞（2015 年 8 月 18 日夕刊）.

市嶋典子（2014）『日本語教育における評価と実践研究——対話的アセスメント：価値
　　の衝突と共有のプロセス』ココ出版.

市嶋典子（2016）「平和構築への市民性形成——シリアの日本語教師、日本語学習者の
　　語りをてがかりに」細川英雄・尾辻恵美・マリオッティ，M（編）『市民性形成とこ
　　とばの教育——母語・第二言語・外国語を超えて』くろしお出版、pp.151-188.

市嶋典子（2017）「内戦、国家、日本語——シリアの日本語学習の語りから」『現代思想』
　　（特集：いまなぜ地政学か——新しい世界地図の描き方）9 月号 = 45（18）青土社、
　　pp.236-245.

市嶋典子（2018）「海外における日本語普及政策の展望と課題」——A prospect and
　　obstacles on promotion policy of oversea Japanese-language education. *Journal of
　　Policy Studies*（総合政策研究）57：151-154.

市嶋典子（2020）「外国語の学びとアイデンティティ——シリアの日本語学習者による
　　語りをてがかりに」『複言語・多言語教育研究』8：39-54.

市嶋典子（2022）「内戦下、日本語とともに生きる——ことばを学ぶ意味」山本冴里
　　（編）『複数の言語で生きて死ぬ』くろしお出版、pp.129-149.

大野順子（2014）「シティズンシップ概念の変容——マーシャルのシティズンシップ概
　　念をめぐって」『京都ノートルダム女子大学研究紀要』44：89-100.

川瀬正樹（2016）「スウェーデンにおける移民の流入と居住分化——イェーテボリを事
　　例として」『修道商学』57（2）：96-120.

木前利秋・亀山俊朗・時安邦治（編著）（2011）『変容するシティズンシップ――境界をめぐる政治』白澤社.

国際協力機構（JICA）（2019）「シリア平和への架け橋・人材育成プログラム」https://www.jica.go.jp/syria/office/others/jisr/index.html（2022 年 8 月 12 日最終閲覧）

国際協力事業団（JICA）（1998）「シリア国 国立計測標準研究所フェーズ 2 巡回指導調査団報告書」http://open_jicareport.jica.go.jp/pdf/11527850.pdf（2022 年 8 月 12 日最終閲覧）

国際協力事業団（JICA）（1999）「国際協力事業団 25 年史 人造り国造り心のふれあい」https://www.jica.go.jp/about/history/index.html（2022 年 8 月 12 日最終閲覧）

国際交流基金（2017a）「日本語教育 国・地域別情報 シリア 2017 年度」https://www.jpf.go.jp/j/project/japanese/survey/area/country/2017/syria.html（2022 年 8 月 12 日最終閲覧）

国際交流基金（2017b）「日本語教育 国・地域別情報 エジプト 2017 年度」https://www.jpf.go.jp/j/project/japanese/survey/area/country/2017/egypt.html（2022 年 8 月 12 日最終閲覧）

国際交流基金（2018）『海外の日本語教育の現状――2018 年度 日本語教育機関調査より』

サーレ，アーデル・アミン（1999）『エジプトの言語ナショナリズムと言語認識――日本の「国家形成」を念頭において』三元社.

総務省（2021）「アラブの春とソーシャルメディア」http://www.soumu.go.jp/johotsusintokei/whitepaper/ja/h24/html/nc1212c0.html（2022 年 8 月 12 日最終閲覧）

田中理（2018）「視界不良のスウェーデンの次期政権――メインストリームの敗北とポピュリストの躍進はここでも」『EU Trends/マクロ経済分析レポート』.

難民支援協会（2015）「特集 シリア難民はいま 400 万人を超えたシリア難民。欧米諸国日本の受入れ状況は？」https://www.refugee.or.jp/jar/report/2015/09/01-0000.shtml（2022 年 8 月 12 日最終閲覧）

錦田愛子（2016a）「序章」錦田愛子編『移民／難民のシティズンシップ』有信堂、pp.3-11.

錦田愛子（2016b）「『再難民化』するパレスチナ人――繰り返される移動とシティズンシップ」錦田愛子編『移民／難民のシティズンシップ』有信堂、pp.154-178.

錦田愛子（2017）「中東地域からの移民／難民をめぐる動向と展望（特集 中東地域の現実と将来展望――「アラブの春」を越えて）」『アジ研ワールド・トレンド』256：46-47

藤岡純一（2012）「スウェーデンにおける移民政策の現状と課題」『社会福祉学部研究紀要』15（2）：44-55.

細川英雄（2012）『ことばの市民になる――言語文化教育学の思想と実践』ココ出版.

細川英雄（2016）「市民性形成をめざす言語教育とは何か」『リテラシーズ』18：44-55.

宮島喬（2002）「『新しい市民権』と地域市民権――フランスの移民新世代の国民化と市

民化」『応用社会学研究』44：1-13.

山﨑望（2016）「帝国におけるシティズンシップ」錦田愛子編『移民／難民のシティズ
ンシップ』有信堂、pp.226-247.

Bourdieu, P., & Passeron, J. (1977). *Reproduction in education, society, and culture.*
Sage Publications.

Contemporary Middle East Political Studies in Japan.net (CMEPS-J.net) (2018).
*Report of simple tally of "middle east public opinion survey (Syrian internally dis-
placed persons 2018)".* CMEPS-J Report No. 46. https://cmeps-j.net/wp-content/
uploads/2019/03/cmeps-j_report_46.pdf（2022 年 8 月 12 日最終閲覧）

Faulks, K. (2000). *Citizenship.* Routledge.［＝フォークス，キース（2011）中川雄一郎
（訳）『シティズンシップ――自治・権利・責任・参加』日本経済評論社］

Ichishima, N. (2022). Civil war, the state, and the Japanese language: Views of a Japa-
nese-language learner in Syria. In K. Higuchi (Ed.), *Overseas language diffusion and
the "localist" approach* (pp. 171-210). V2-Solution.

Japan Platform (2019)「イラク難民人道支援（シリア）」https://www.japanplatform.
org/programs/iraqi-refugees-syria/（2022 年 8 月 12 日最終閲覧）

Marshall, T. H., & Bottomore, T. (1992). *Citizenship and social class.* Pluto Press.［＝
マーシャル，T. H.・ボットモア，トム（1993）岩崎信彦・中村健吾（訳）『シティズ
ンシップと社会的階級――近現代を総括するマニフェスト』法律文化社］

Osler, A., & Starkey, H. (2005). *Changing citizenship: Democracy and inclusion in edu-
cation.* Open University Press, pp.9-16.［＝オスラー，A.・スターキー，H.（2009）
清田夏代・関芽（訳）『シティズンシップと教育――変容する世界と市民性』勁草書
房］

Norton, Peirce, B. (1995). Social identity, investment, and language learning. *TESOL
Quarterly, 29*(1), 9-31.

Ricoeur, P. (2004). *Memory, history, forgetting.* University of Chicago Press.

Schmal, P. C., Elser, O., & Scheuermann, A. (2016). *Making heimat, Germany, arrival
country.* Hatje Cantz.

Soysal, Y. N. (1994). *Limits of citizenship: Migrants and postnational membership in
Europe.* University of Chicago.

UNHCR (2022a). Operational data portal refugee situation. https://data.unhcr.org/en/
situations/syria（2022 年 8 月 12 日最終閲覧）

UNHCR (2022b). Syria fact sheet June 2022. https://reliefweb.int/report/syrian-arab-
republic/unhcr-syria-fact-sheet-june-2022-0（2022 年 8 月 12 日最終閲覧）

第 2 章

複数の文化・言語の中を生きる子どもたちにとっての「日本語」の意味

平和な社会づくりを目指した「継承日本語教育」

三輪聖

一番伝えたいこと

日本人の親をもつ子どもたちが「継承語」として日本語を学ぶのは何のためでしょうか。そもそも日本語を学ばなければいけないものなのでしょうか。子どもがどのような言語の習得、使用を選択したとしても、複数の文化・言語の中を生きるどの子どもたちも豊かな資源を持っていることは間違いなく、そのような状態をお互いに認め合い、個々人が自分の資源をフル活用して自己実現できるような場をつくっていくことが、ことばの教育の目指すべき一つの方向性ではないかと思っています。

なぜこのような実践・研究をしようと思ったか

私は小学 3 年生になってすぐ、両親の都合でドイツの小さい村に移住することになりました。現地校（小学校）に編入し、アルファベットさえ習ったことのない私は当然ドイツ語で挨拶さえすることもできず、学校など色々なコミュニティの中に入っていけなくて、夜も眠れなくなってしまいました。そのような経験もあり、私は移動する複数の文化・言語の中を生きる子どもたちが様々な抑圧から解放され、安心して自分らしく生活できるような環境づくりをしたいと思っています。

1. 平和な社会づくりと「継承語教育」

　移民の背景を持つ人の人口が、全人口の約24％（Statistisches Bundes-amt 2020）を占めるドイツ。2015年には30万人以上の難民がドイツに入国し、その子どもたちはドイツの学校に入学している。しかし、入学した学校ではドイツ語力や学習能力が不足していることで学校の勉強についていくことができず、登校拒否になったり中途退学を余儀なくされたりするケースも少なくない。また、ドイツ語力の問題だけでなく、価値観、文化的背景、積み重ねてきた経験が異なることで、ドイツの学校生活に馴染めないこともある。そのような子どもにとっては、「自分は何もできない」というレッテルを貼られるために学校に行くような状況になっていると言っても過言ではないだろう。取り残された子どもたちは、自分がこれまで積み重ねてきた経験を認めてもらえる機会がなく自己肯定感が全く得られず、学校に自分の居場所を見出すことができずにいる。このような子どもたちが幸せになるために、周りの大人には何ができるのだろうか。周りの大人はこのような子どもたちとどう向き合えばいいのだろうか。

　まずは、子どもが持っている総合的な力に光を当て、自己肯定感を育むことが大切なのではないだろうか。移住してきた子どもが持っている様々な経験に基づいた知識や能力は、マジョリティであるドイツの子どもたちにも何等かのポジティブな影響をもたらすものである。そのようなスタンスから移動を重ねてきた移民背景のある子どもたちの出自のことば、もしくは「継承語」と向き合うと、「継承語教育」のあり方に対する考え方も自ずと変わってくるだろう。

　そこで「継承語教育」が果たす役割や意味、そしてそもそも「継承語教育」は誰のためにあるのかについて再検討したいと思う。日本とつながりのある子どもの場合は「継承日本語」が問題となってくるわけだが、このことばは家族をつなぐ手段として非常に重要であるのは周知のことであろう。しかしそれだけではなく、「継承日本語」は他のあらゆることばも含めて子ども自身のアイデンティティを形成する要素の一つでもあり、生きる力となりうるものと考える。

本稿では、まずドイツにおける「継承日本語教育」の実態を確認し、抱えている問題を整理する。そして、ドイツにおける継承語教育に相当する「出自言語教育」、さらにドイツで教育全般の基盤となっている「相互文化的能力を育む教育」や「政治教育／民主主義教育」の理念と実践を概観し、未来のコミュニティや社会をつくっていく次世代の子どもたちに対することばの教育に必要なことは何かという観点から「継承日本語教育」の捉え直しを試みる。そのうえで、ヨーロッパの文脈で平和な社会づくりに資する「継承日本語教育」の可能性について考えたい。また、「継承語教育」では補習校や継承語クラブなどの教育機関における実践だけでなく、家庭での実践も重要となってくることから、本稿では様々な現場における実践の基盤となりうる考え方を示し、家庭で行える実践も一例として紹介したい。

2. ドイツの「継承日本語教育」の現状と課題

　「海外在留邦人数調査統計」（外務省 2020）によると、西欧（外務省による区分）における在留邦人の総数は 21 万 1987 人、そのうち長期滞在者（3 か月以上の海外在留者のうち、海外での生活は一時的なもので、いずれ帰国するつもりの邦人）は 13 万 4172 人、永住者は 7 万 7815 人となっている。また、「海外在留児童・生徒数・在外教育施設数」（文部科学省 2019）によると、現在 1 万 7770 人の学齢児童生徒がヨーロッパで生活しており、在外教育施設である日本人学校の在籍者は 2586 人、同じく在外教育施設の日本語補習授業校在籍者数は 4637 人にのぼっている。日本語補習授業校の在籍者数は 2017 年頃から日本人学校を上回ってきているが、これは、グローバル化に伴い国境を越えて移動する人たちや永住者数が年々増えてきているなか、平日はインターナショナルスクールや現地校に通い、日本語は補習授業校で週に一度学ぶというスタイルが選択される傾向が高くなっていることによると予想される。このような社会的な背景の変化とともに補習授業校で求められる教育内容も変わるのは当然のことと思われるが、なかなかそのように進まない現実もある。

筆者が在住するドイツにも補習授業校が複数あるが、在籍児童生徒の半数以上が定住予定者となっている学校も数多く見られる。人々の移動が活発化するなか、様々な生活背景を持つ児童が増えてきており、補習授業校に来る目的も様々であるのが現状である。

　そもそも補習授業校はどのような目的を持つ教育施設とされているのだろうか。文部科学省は補習授業校の設置目的を以下のように規定している。

　　　補習授業校は、現地校に通学する児童生徒が再び日本国内の学校
　　に編入した際にスムーズに適応できるよう、基幹教科の基礎的基本
　　的知識・技能および日本の学校文化を日本語によって学習する教育
　　施設である。

　　　　　　　　　　　　　　　　　　（文部科学省「CLARINETへようこそ」）

　また、同ウェブサイトには補習授業校の特徴として以下のように明記されている。

　　　補習授業校の設置目的からして、児童生徒はふたたび国内の学校
　　に編入することを目指していることを前提としているため、国内用
　　教科書を用い、学習指導要領に掲げられた学力を目指すこととなる。

　　　　　　　　　　　　　　　　　　（文部科学省「CLARINETへようこそ」）

　このように、補習授業校が対象としているのは依然として日本への帰国を予定している児童生徒となっており、同校は原則的に帰国後の再適応を目指した教育を行う教育施設であることがわかる。

　では、補習授業校のカリキュラムの基になる学習指導要領にはどのような内容が掲げられているのだろうか。補習授業校では主に「国語」の授業が行われているため、国語科に関する記述を見てみたい。文部科学省による中学校学習指導要領（平成29年（告示））には、国語教科の「目標」として以下のように記されている。

第一　目標

　言葉による見方・考え方を働かせ、言語活動を通して、国語で正確に理解し適切に表現する資質・能力を次のとおり育成することを目指す。

(1) 社会生活に必要な国語について、その特質を理解し適切に使うことができるようにする。

(2) 社会生活における人との関わりの中で伝え合う力を高め、思考力や想像力を養う。

(3) 言葉がもつ価値を認識するとともに、言語感覚を豊かにし、我が国の言語文化に関わり、国語を尊重してその能力の向上を図る態度を養う。

　在外教育施設は原則的に日本への帰国後の再適応を目指した教育が行われる仕組みになっているが、(3) のような目標は、在籍児童生徒が多様化している現実には合わないように思われる。現在のドイツにおける補習授業校では、国際家庭で育ち、ドイツで生まれて現地校に通う生徒の数が多くなってきている。そのような補習授業校において日本の国語教育と同じ方向性で授業を行うことは難しくなってきているという現実がある。生徒の背景が多様化している今、ヨーロッパで生きる子どもたちの文脈から日本語の学びのあり方を捉え直す時が来ているのではないだろうか。つまり、在外教育施設での中心的な教育内容を日本への再適応とするのではなく、「継承語」もしくは「多様な言語や文化の中の一つとしての日本語」という観点から見直す必要があるのではないかということである。さらに、滞在期間の長さにかかわらず、ドイツにおいて複数の文化・言語に囲まれて生きている子どもたちにとって、例えば「国語を尊重する」というのはどのような意味を持つのだろうか。そのような視点からの再考も必要かもしれない。

3. 子どもたちに必要なことばの力──ドイツの教育を例に

　これまでドイツにおける「継承日本語教育」の現状と課題について概観してきたが、子どもたちの現状に合ったことばの教育の方向性を模索するにあたって、子どもたちの生活の拠点となっている地域での教育的な取り組みを知る必要があるだろう。本節では、出自の言語を学ぶ「出自言語教育」およびドイツの学校教育の基盤となっている「政治教育／民主主義教育」を中心に概観し、「継承日本語教育」のあり方を見直したいと思う。

(1) ハンブルク州の「出自言語教育」の指導要領

　ドイツでは、いわゆる「継承語教育」に相当すると言える「出自言語教育／出自言語の授業（Herkunftssprachlicher Unterricht：HSU）」が公的に提供されている。ドイツへの移住者がドイツで生活するために必要なドイツ語教育として「第二言語としてのドイツ語」（Deutsch als Zweitsprache）の授業があるが、同時に「出自言語の授業」も正式に用意されている。これまで多数の「出稼ぎ労働者」を受け入れてきたことによって、労働者家族の子どもが出身国に戻った後に再適応しやすくなることを目的とした授業を求める声が各所から出てくるようになり、1977年に発表されたヨーロッパ共同体理事会指令の規定[1]によって「出自言語教育／母語教育」が正式な授業として開講されることとなった。

　しかし、「出稼ぎ労働者」の大多数はドイツに留まるようになり、出身国に戻った後の再適応を目指して導入された「出自言語教育／母語教育」の授業のあり方は問い直されなければならなくなった。この状況は先述した補習授業校のような在外教育施設における現状と課題と重なるところがあるため、現在の「出自言語教育」の指針を概観し、どのような方向性へ転換したかを明らかにしたいと思う。

　ドイツは連邦制をとっており、教育は各州の管轄とされているため[2]、出自言語教育も州によってその形態や運営は多様で、出自言語教育自体を行っていない州もある。また、いくつの出自言語の授業を提供するかも州によって異なる。この授業を開講しているノルトライン＝ヴェストファー

レン州においては 19 の言語の授業が提供されており、少なくとも 15 人の生徒が常時授業に参加できるグループであれば、初等教育から授業を開講することができ、出自言語の授業の成績は通常の成績表に加えることも可能となっている。さらに、同州では出自言語教育と教科教育を関連づけることが目指されており、教師間の連携が促されている。

　出自言語教育の指導要領は、ドイツ各州から個別に出されている。本項では一例として、出自言語の授業が開講されているハンブルク州およびノルトライン＝ヴェストファーレン州における指導要領を取り上げ、「出自言語教育」がどのような教育方針のもとに実践されているかを概観する。

　　ギムナジウム（主に大学進学を希望する生徒が通学する中高一貫校）
　　における出自言語の授業では、子どもたちの様々な生活の中で獲得
　　された様々な言語の能力に結びつけて、話す、聞く、読む、書く、
　　言語について考えること、そして仲介といった全ての基礎的な能力
　　を伸ばしていくことを目指す。

（ハンブルク州、出自言語教育指導要領, 11
（括弧書きの付記は筆者が追加）、筆者抄訳）

　同指導要領では、出自言語をドイツ語や他の言語と関連づけて扱っていくことが勧められている。つまり、子どもが生きていく中で自分の中に取り込んできた複数のことばを交差させていくことが奨励されているのである。それによってメタ言語的能力を育成することが目指されている。

　さらに、同指導要領には相互文化的能力（Interkulturelle Kompetenzen）を育てることも明記されている。

　　出自言語の授業では、子どもの個人的な経験について話せるよう
　　な雰囲気と時間をつくり、（子どもたちから出てきた話の）情報を比
　　較させたり、色々な国や地域の事情に関する知識を教えたり、様々
　　な言語的、民族的、宗教的、社会的、文化的な要因に対応していけ
　　るようなサポートを行う。加えて、子どもたちが自身の家族の歴史、

コラム ❶ ドイツの学校制度

　ドイツの学校制度は州ごとに異なるうえに、学校の種類もさまざまで、一言で説明するのは難しい。教育政策および実施に関しては州政府がその役割を担っており、学校制度のデザインに関しては州政府が独自に決める権限を持っている。そのため、州によって学校システムは異なっているのが現状である。

　基本的な制度としては、初等教育が4年、中等教育は学校の種類によるが、最短で5年、長くて8〜9年となっている。しかし、初等教育もベルリンの学校のように6年のところもある。入学年も一応決まっているが、希望により入学を早めたり、遅くすることも可能である。

　中等教育には，大学進学を目指す「ギムナジウム（Gymnasium）」、職業訓練を行う「基幹学校（Hauptschule）」やその中間に位置する「実科学校（Realschule）」がある。小学校修了時に、子どもの能力や希望する進路によって上記のいずれかの学校に振り分けられる。ただし、中等教育における学校種別間の移動は可能で、大学入学資格（Abitur）は様々な方法で取得できるようになっている。

　それに加え、今は「基幹学校（Hauptschule）」と「実科学校（Realschule）」と「ギムナジウム（Gymnasium）」の3タイプの学校が統合された「総合学校（Gesamtschule）」もある。

　「ドイツの学校制度」はこのように多様性に富んでいるのである。従って、第2章のテーマとなっているドイツの「出自言語教育」のあり方も州によって異なっており、全ての州において子どもたちが出自の言語を学ぶ場が公的に保障されているわけではない。現状としては、むしろ補習授業校や在留邦人の有志によって立ち上げられたプライベートの日本語クラブのような教育機関が中心となっているところが多い。　　　　（三輪）

そして同じルーツを持つ集団の伝統や規範、価値観についても考えられるようにする。それによって、文化的な仲介者として主体的に行動し、異なる文化の間に起こった誤解や摩擦にうまく対応できる能力をつける。

（ハンブルク州、出自言語教育指導要領 14-15, 筆者抄訳）

　様々な文化や経験、価値観、宗教を知り、それらを関連づけて比較し、考えることで、メタ的な思考が進むと同時に、異なるものへの理解を示す態度や寛容性が育ち、複文化能力に自覚的になれる。また、複数の言語・文化の中における自分の位置づけを認識するきっかけとなり、自身のアイデンティティについて深く考えることにもつながるだろう。さらに、指導要領の「文化的な仲介者」という表現から読み取れるように、日本語を出自言語として学ぶことは、複数の文化の間の仲介者として主体的に行動し、摩擦や誤解に対処できる能力を育むことにもつながる。これは様々な問題を解決に向かわせ、相互理解を図る平和なコミュニティや社会を築き上げていく力となっていくだろう。このような教育指針は子ども自身のリアルな文脈から出発しており、子どもの力をホリスティックに捉えた発想であると言えよう。帰国後の出自国の教育に再適応できることを目指したかつての指針から大きく変化した様子が見受けられる。

　次に、ドイツのノルトライン＝ヴェストファーレン州における「出自言語教育」の指導要領に目を向けよう。同州の出自言語教育の指導要領は、移民背景のある子どもたちが生活する環境の観点から現実の世界をモデル化し、「出自言語教育」の実践の目的を説明している（図1参照）。

　同指導要領では、出自言語を学ぶことは「文化的に複数の生活世界（eine kulturell plurale Lebenswirklichkeit）」の中で主体的に行動できるよう準備することであるとされている。移民背景を持つ子どもは「ドイツでの生活環境」と「出自国（日本）での生活環境」と「ドイツ社会における『移民・移住者』としての生活環境」の間を越境し、行き来しながら生活を送っていると言える。そして、その生活環境内で子どもたちは人とのつながりを形成している。さらに、身近で個人的なつながりに留まる領域か

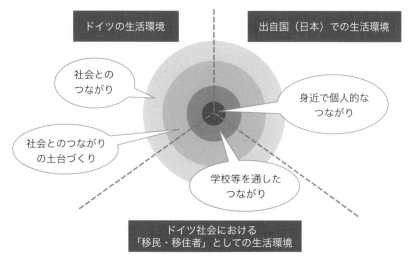

図1　子どもたちの環境と生活領域
（ノルトライン＝ヴェストファーレン州、出自言語教育指導要領 9、筆者抄訳）

ら徐々に外に広がり、社会への参加とつながっていく。そのような子ども
の発達段階や実際に関わっている現実世界の広がりを考慮した「出自言語
教育」のあり方は非常に示唆的である。

　また、「出自言語教育」では複数の生活環境を越境するのに求められる
「相互文化的行動能力（interkulturelle Handlungsfähigkeit）」の育成を初等教
育から重視している。ノルトライン＝ヴェストファーレン州の指導要領は、
相互文化的能力を育む学習の目標として、次のような点を挙げている。

- 自分自身や自分の家族を異なる観点から見ることができる。
- 文化の相違による相互理解の難しさを予測したり、回避したり、
　修復したりできる。
- 自分のプロフィールが他の子どもと違う理由を知り、その理由を
　自身のプロフィールから導き出すことができる。
- 自分が属する集団の文化的伝統を家族の出自国における生活環境
　と関連づけ、歴史的な観点から説明できる。

- 獲得したストラテジーを用いて、期待、関心、規範の対立の中で自らの道を模索し、交渉できる。
- マイノリティーへの差別に対して、人権を守るために立ち向かうことができる。

　これらの「相互文化的行動能力」は先に見たハンブルク州の指導要領に書かれているねらいと一致している。ハンブルク州の指導要領には「子どもが自身の個人的な経験について話せる」「様々な民族的、宗教的、文化的な要因に対応していける」「自らの家族の歴史、同じルーツを持つ集団の伝統や規範、価値観についても考えられる」「文化的な仲介者」といった「目指すべき子どもの像」が描かれている。複数の文化と言語に囲まれて育っている子どもの出自言語の教育では何を目指せばいいのかという問いは、子どもの現実の生活世界を見つめ、子どもの将来像を考えることにつながるだろう。そうした時、子どもの複言語能力、仲介能力、相互文化的（行動）能力を育むことが教育の目的と考えるのは自然なことのように思える。この能力は子どもの主体的に生きる力となり、平和な社会を築き上げていく力となるであろう。

　以上概観したように、ドイツの出自言語の授業は母語教育として元来出身国に戻った後の再適応を目指して導入されたものであったが、社会的な背景や当事者である子どもたちの生活環境の変化に伴って、教育内容がより子ども自身の生きる力につながるように出自言語を学ぶ意味や価値が再構築されてきた。帰国予定者、永住予定者のどちらかに焦点を当てるような解決方法を選択してしまうと、必ずどちらかが救われなくなってしまうおそれがあるが、現在の出自言語教育では多様な背景を持つ子どもたちを誰一人残さず取り込めるような教育の方向性が見出されていると言えよう。このような出自言語教育の変遷と現在の教育内容は、ドイツにおける継承日本語教育の今後のあり方に大きなヒントを与えてくれているように思う。

(2) 相互文化的能力を育む教育

　ドイツの言語教育においては、Byram（1997）による相互文化的能力を

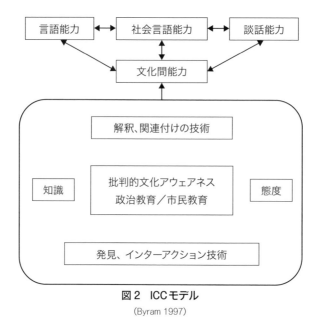

図2 ICCモデル
(Byram 1997)

育む教育の「ICCモデル」がよく参考にされている（図2参照）。

　これは、相互文化的コミュニケーション能力（intercultural communicative competence）の育成を目指した教育モデルであるが、このモデルでは「批判的文化アウェアネス（critical cultural awareness）」が重要な軸になっている。物事と批判的に向き合う姿勢、自他文化および自身が持つ複数の文化の明示的および暗示的な価値に気づき、複数の文化を相対的に見る意識の必要性が強調されている。そのうえで、相互文化的なやりとりにおいて自身が持つ知識、技術、態度、規範を駆使してインターアクションや仲介を行い、共通の基準を探し、合意を調整し、互いを受容する交渉能力が重要とされている。

　平和なコミュニティづくりには、コミュニティの構成員とともに今ある習慣およびやり方を異なった側面から分析し、新たな価値を生み出すために討議を行う能力が欠かせない。佐藤他（2018）が指摘するように、既存の体制や習慣、主流のディスコースを理解することは大切だが、学習者に単に適応・同化することを奨励するのではなく、自らの立場が不利な状況

に置かれた場合や、コミュニティの一員として改善すべきだと考える点は改善していけるような主体としての意識を培うことが言語教育の実践で行われるべきなのではないだろうか。

　先に見たように、「出自言語教育」という文脈においても主体的に生きる力として「相互文化的行動能力」が挙げられていたが、それには「これまで当たり前に思っていたこと」や「偏見」に気づき、問い直すことが必要になってくる。そのような経験を積み重ねることによって、子どもたちの寛容性が育まれていくのではないだろうか。

　図2のモデルの「批判的文化アウェアネス」と並んで見られる「政治教育」については次項で詳述する。

(3) ドイツの「政治教育（politische Bildung）／民主主義教育」

　「継承日本語教育」について考えるにあたり、ドイツの「出自言語教育」やドイツの中等教育でよく参考にされているByramの相互文化的能力を育む教育について概観してきた。本項では、言語教育という枠を超え、子どもたちがドイツの現地校で受けている教育を紹介する。ドイツの学校教育で目指されている子どもの将来像はどのようなものであろうか。この問いに答えるために、本項では図2のByram（1997）による「ICCモデル」にも見られるドイツの「政治教育」を概観する。

　ドイツは第二次世界大戦後、二度と歴史的に同じ過ちを繰り返すまいと民主主義の強化、平和な社会づくりを目指して様々な教育的試みを行ってきている。その試みとして特筆に値するのが「政治教育」である。「政治教育」が目指していることは「民主主義教育」と大体重なるものと言えよう。両者の出所は異なるが、柳澤（2014）が「ドイツにおける民主主義教育の源泉をたどれば、ドイツ統一以前から旧西ドイツ地域で取り組まれてきた政治教育に遡ることができる。この政治教育には様々な成果が残されており、民主主義教育は政治教育の成果を受け継いでいる」と指摘しているように、現在広く学校教育に浸透している「民主主義教育」の理念は「政治教育」を引き継ぐものであると言える。

　先に述べたように、ドイツでは今、難民の子どもたちを含め多様な背景

を持つ子どもたちが共に学んでいる学校が増えている。筆者は同じ関心を持つ仲間とそのような学校を見学する機会があった。本項ではその時見た教室での実践を紹介する。

　2017年の春、ドイツ西部のアーヘンという町の近郊にあるギムナジウムの授業に入らせてもらった。いくつかの授業を見学したが、ここでは「政治教科」の授業見学の様子を伝えたい。見学した「政治」の授業には、難民として来独して数年経っている上の学年の生徒が、自分たちの経験を語るためにゲストとして迎えられていた。授業はあるテーマについて子どもたちが討論し、クラスの総意を決定するものであった。討論のテーマは「難民の子どもたちは特別クラスに入ったほうがいいか、あるいは通常クラスに入ったほうがいいか」というもので、生徒たちが現在議論すべき課題として事前に設定したものであった。子どもたちが自ら自分たちの学校生活における切実な問題を取り扱っていたのが印象的であった。

　まず、個人作業で双方の利点と不利な点を書きあげていった後に、意見を共有し、教室の前で立場の異なるグループに分かれてそれぞれの立場から意見を表明し、討論を進めていく。教師は、全員一度は前に出て討論するように促していた。最後に、どちらの方法がいいか、個人の考えをそれぞれ投票し、クラスの総意を決定する。総意が決定したら、子どもたちはその総意に対する意見を述べ合う。その際、クラスの総意にはならなかった少数派の意見に投票した子どもの意見もバランスよく聞かれており、子どもたちは少数派の意見も尊重することの大切さを学んでいたように見受けられた。その後、クラスにいる難民の子どもたちはこの討論と最終的な総意およびコメントを受けて、どちらのほうがいいと思ったかについて自身の経験も混ぜながら自分の意見を表明していた。当時、同校では難民の子どもたちは「特別クラス」にまとめて入れられていたが、クラスの総意と難民の子どもたちの意見は「通常クラスに入ったほうがいい」というものであった。

　また、実に興味深かったのは、授業で議論された結果はクラスの代表によって生徒会に持ち込まれ、全学年の代表が集まって協議されるシステムになっていたことである。最終的に学校運営委員会で教師、親、生徒の三

者によって最終決定がなされる制度が整えられていた。授業での議論が学校のシステムに現実的に反映されるようになっているのである。

　子どもたちがこの制度を利用して学校を動かした興味深い例がある。学校がオランダと国境を接している町にあるといった地域性から、子どもたちは普段からオランダ語が身近にあるものと感じているようなのだが、学校ではオランダ語の授業が開講されていなかった。そこで、子どもたちはオランダ語の授業を提供してほしいと提案し、その結果学校運営委員会で協議されることになった。教員側としては、教員の確保など難しい問題が山積みだったらしいが、子どもたちの熱意に押され、親もその意義を理解して子どもたちの活動を支援し、遂にオランダ語の授業が開講されることになった。

　このように、見学したアーヘンの学校では、子どもたちが自分たちで物事を判断し、自分たちの学校（コミュニティ）をつくりあげていく経験を積み重ねていくことができるような仕組みになっていた。自分たちの議論を通して実際に何かが変わった、何かを実現することができたという実感が得られることは非常に重要である。自分たちの手で実際に何かを変えられる可能性があるとわかれば、子どもたちは意思決定プロセスにも責任を持って参加するようになってくるだろう。

　ドイツの学校教育では、このような「政治教育（politische Bildung）」が政治教科だけでなく全ての教科学習および授業外活動の基盤となっている。ナチス独裁体制を経験したドイツは「『政治教育』という手段により、人々の実際の政治についての理解を促進し、民主主義の意識を確かなものとし、政治に参加する用意を強化する」（近藤 2009：13）ことで、平和な社会をつくることを目指している。「政治教育」と呼ばれる教育活動は、「民主主義教育」やヨーロッパで展開されている「民主的シティズンシップ教育（Education for Democratic Citizenship）」とねらいは共通しており、市民性教育の一部として位置づけられる。

　この「政治教育」の基本原則となっている「ボイテルスバッハ・コンセンサス（der Beutelsbacher Konsens）」を見ると、「政治教育」で何が大切にされているかがよくわかる。この合意内容は1976年に発表され、戦後

ドイツの「政治教育」

　ドイツでは、民主主義社会を促進するために「政治教育（politische Bildung）」という教育活動が行われている。これは、民主的シティズンシップ教育と同様のアプローチであり（ドイツの「政治教育」は欧州評議会が推進する民主的シティズンシップ教育とは異なる歴史的経緯を持つ）、ドイツの学校教育の基盤となっている理念である。「政治教育」は「政治」科目の授業だけでなく、その他の科目の授業や授業外活動でも実践されており、いわゆる国家レベルで政治家たちによって動かされている「政治」を学ぶだけではなく、自分自身が政治、つまり社会とどう関わっていくかということを考え、学んでいくことに主眼が置かれている。ヴァイマル共和国からナチス独裁体制を経験したドイツは、戦後、ナチの過去に対する反省に立脚し、「政治教育」という手段によって民主主義社会を促進することを目指している。近藤（2009）は「政治教育」の目的を以下のように説明している。

　　　政治教育が目指すのは、なによりも個々の市民による政治的能力
　　の獲得を通じて民主主義を確固たるものとすることにある。

（近藤 2009：10）

　「政治的能力」というのは、政治について理解し、批判的に思考したうえで対話を重ね、社会および政治に参加することができる力を指す。このような能力を身につけるために市民は教育機関において「政治教育」を受ける権利を持っていると言うことができる。

　「政治教育」と呼ばれる教育活動は、近藤（2009）がその大きな特徴として「民主主義は、ひとたび制度を創設すれば自動的に更新されていくというものではなく、絶えず教育を通じてそれを支える力を供給していかないと崩壊してしまうものだとの認識が、政治教育を要求するのである」（近藤2009：10）と述べている。つまり、「政治教育」は民主主義を守り、

促進していくことを目的としていると言える。また、欧州評議会（2017）
は、「政治教育」を生涯必要な教育としたうえで、その根本的な目的を以
下のように定義している。

　　「政治教育」および「人権教育」の基本的な目的は、学習者が、
　　知識、能力、理解力を身につけることのほかに、人権、民主主義、
　　法治主義の価値を認め、守るために社会において積極的に行動しよ
　　うとする意思と行動力を持つことができるようにすることである。
　　　　　　　　　　　　　　　　　　　　　　　　（欧州評議会 2017）

　ここから、「政治教育」で育成される「政治的能力」として、知識や能
力に加えて意思（姿勢）や行動力も重視されていることが見てとれる。
　しかし、この「政治教育」は歴史的に十分に機能していたわけではない
ようだ。冷戦中はイデオロギー対立によって「政治教育」が分裂状態に陥
り、政権によって教育内容が大きく変わるような状況が引き起こされた。
そのような状況から「政治教育」を救ったのがボイテルスバッハ・コンセ
ンサス（der Beutelsbacher Konsens）である。これによって 3 つの原則を明
確にし、「政治教育」を「教化」と区別し、ある特定の政治的立場から
「政治教育」の課題を設定してはいけないことをはっきりと示したのであ
る。このボイテルスバッハ・コンセンサスは、今日もドイツにおける「政
治教育」の基本原則とされている。　　　　　　　　　　　　　　（三輪）

ドイツで「政治教育」が実際に機能し出す契機となったと言える。

(1) 圧倒の禁止

　生徒を期待される見解をもって圧倒し、自らの判断の獲得を妨げることがあってはならない。これが正に政治教育と教化[3]の違いである。教化は、民主主義社会における教師の役割規定、そして広範に受け入れられた生徒の政治的成熟という目標規定と矛盾する。

(2) 論争のある問題は論争のあるものとして扱う

　学問と政治において議論のあることは、授業においても議論のあるものとして扱わなければならない。多様な視点が取り上げられず、別の選択肢が隠されているところでは教化が始まる。

(3) 個々の生徒の利害関心の重視

　生徒は、政治的状況と自らの利害関係を分析し、自らの利害関心にもとづいて所与の政治的状況に影響を与える手段と方法を追求できるようにならなければならない。

（訳 近藤 2009）

　まず、「圧倒の禁止（Überwältigungsverbot）」という原則があり、教師は生徒を期待される見解を持って上から押し付けて圧倒したり、生徒の自らの判断の獲得を妨げることがあってはならないとしている。答えは一つではなく、子どもが自ら自分の答えに到達できるようにするのである。このようなスタンスは教師の役割に関わるもので、「権力」を持つ教師として留意すべき重要な指針である。

　次に、一つの意見を絶対的なものとして扱わない「論争のある問題は論争のあるものとして扱う」という原則である。多様な意見を知り、ある意見はその中の一つであるということを意識することが大切なのである。教師にも生徒にも、その多様性に対する寛容性が求められよう。多様な視点

が取り上げられず、別の選択肢が隠されているところでは教化が始まってしまう。

　最後に、生徒は政治的状況を分析し、自らの知識とスキルを活用し、自身の関心に合った判断を下し、行動できる能力が必要とされている。社会的課題を自分のこととして捉え、社会へ主体的に参加していけるような行動力が求められているのである。

　以上の原則は、子どもたちの考える力、意思決定することができる力につながる根本的な指針である。どの現場においても、教育に関わる大人たちにとって示唆的な内容であると言えよう。様々な意見があることを知り、それを尊重したうえで自分の位置づけを考えるプロセスは、複言語・複文化主義の発想やドイツの出自言語教育で大切にされていることとも共通する。従って、この「土台」の上に「継承日本語教育」の実践も載せ、子どもが様々な現実の生活世界で得た能力と経験をつなげていく教育の可能性を探る価値は十分にあると思われる。

4. ヨーロッパの文脈における「継承日本語教育」の　　実践ツールの紹介

　ドイツの出自言語教育や平和な社会づくりを目指した教育的試みである民主主義教育の理念に通じる子どもたちの継承日本語教育の実践例として、本節では家庭における親子の対話を促す実践ツールを紹介したい。

　同ツールは、ドイツで「家族のことばの一つ」として日本語を使用している子どもたちを対象とした『わたし語ポートフォリオ』というものである [4]。『わたし語ポートフォリオ』とは、「複言語キッズ」が自分の中や外にあることばや文化を内省し、親子で対話をしながら記録していくツールで、ドイツで活動する〈チーム・もっとつなぐ〉[5] によって開発された。「複言語キッズ」とは、複数の言語や文化に囲まれて育ち、それらを主体的に自分の中に取り込んでいっている子どもたちを指す。

（1）『わたし語ポートフォリオ』の理念

「わたし語ポートフォリオ」は欧州評議会が提唱している言語教育政策の理念に則っている。欧州評議会はヨーロッパ市民同士の相互理解の意識を強めるべく言語教育政策を打ち出し、以下を促進することを目指している（Council of Europe 2006：4）。

・複言語主義
・言語的多様性
・相互理解
・民主的市民性
・社会的結束

欧州評議会が提唱する複言語主義は、個人の内部に複数の言語が共に存在している状態に焦点を当てている。個人の中に複数の言語が混ざった状態で共存しており、それらを総動員してコミュニケーションができたり、多様性を積極的に受け入れ、全ての言語に同等な価値があることを認める姿勢を含めた力が複言語能力である。個々人にこのような複言語能力があれば、多言語社会への民主的な手続きへの参加が容易になり、個人同士をつないだり、個と社会を関係づけたりすることが可能になる。さらに、個人がこういった自らの複言語・複文化能力に自覚的になることも大切である。

また、言語教育においては欧州評議会が提唱した「Common European Framework of Reference for Languages: Learning, teaching and assessment（ヨーロッパ言語共通参照枠：以下CEFR）」が広く参照されているが、CEFRでは、「母語話者」や「母文化保持者」を理想的なモデルとしないこと、学習者は社会の中で主体的に行動する「社会的存在」であること、ことばを使って何かをすることが言語学習であるといった行動中心アプローチを重視すること、部分的能力を積極的に認めること、自律学習・生涯学習を促進するといった指針が打ち出されている。『わたし語ポートフォリオ』はこれらのCEFRの理念に基づいて作成されており、「母語話

者」や「母文化保持者」を目標とはせず、部分的であっても子どもたちの得意なことを大切にし、子どもたちの「できること」を積極的に評価していくことで「わたしのことば」を育んでいくことを目指している。そして、「わたしのことば」の学びおよび成果について親子で対話をしながらポートフォリオに記録していくことで、子どもたちの「自分で生涯学び続ける」自律学習能力の促進につながることが期待される。

さらに、CEFRは「未知の存在や知識など、主体から物理的、心理的、認知的に距離のあるものと主体を結びつける機能を持つ」（西山 2018）「仲介能力（メディエーション）」の必要性も強調している。これは、新たな知識を獲得したり、異なる言語や文化との衝突を乗り越えて人間関係を構築したりしていくための重要な複合的能力であり、複数の文化や言語に囲まれて育つ子どもたちはまさに日々「仲介能力」を駆使して行動している存在であると言えよう。『わたし語ポートフォリオ』にもこの仲介能力が発揮できる活動を盛り込んでいる。

(2)『わたし語ポートフォリオ』の内容

『わたし語ポートフォリオ』は、欧州言語ポートフォリオ（以下 ELP）の構成と内容を参考にしている。ELPは、欧州評議会の言語政策部門（Language Policy Unit, Council of Europe）が学習者の自律性、複言語性の育成を支えるツールとして提唱したもので、自らのことばの学びの体験と成果を記録する手法である。

ポートフォリオのタイトルにある「わたし語」とは、個人の内部に複数の言語が共に存在している状態のことで、家族のことば、住んでいる国や地域のことば（方言など）、学校で習った外国語など、自分の内部に取り入れた複数のことばが混ざり合った総体を指す（奥村 2019）。

同ポートフォリオは、7歳から11歳の子どもたち（主にドイツの初等教育期間に相当）を主な対象とし、三部構成となっている。まず、ポートフォリオ本体である「わたしのプロフィール」「できることファイル」「わたしの作品集」に加えて、大人向けに理念やポートフォリオの活用方法を解説した「活用ガイド」が用意されている。ポートフォリオ本体には、ド

イツ語話者の親も共に取り組めるように、簡単なドイツ語訳も併記されている。

1)『わたし語ポートフォリオ』：わたしのプロフィール

まず、ポートフォリオ本体の「わたしのプロフィール」を紹介したい。そのねらいやテーマなどに関しては以下のようになっている。

【ねらい】
「わたし語」を可視化し、自分の「中」と「周り」にある言語と文化への気づきを促す。
【テーマ】
「〈わたし〉のこと」「わたしと〈ことば〉」「わたしと〈日本語〉」「わたしと〈場所〉」（図3）
【子どもたちへの問いかけの例】
どんな時に、誰と、何語（どんなことば）で話しているかな？（図4左）
どんなことばが、どんなふうに、体の中で混ざりあっているかな？（図4右）
日本語で、どんなことをするのが好き？
日本語で読んでいて分からない時、どうしてる？
これまでに行ったことのある日本／ドイツ／世界の町は？

2)『わたし語ポートフォリオ』：できることファイル

次に、同じくポートフォリオ本体の「できることファイル」を紹介する。同冊子のねらいやテーマは以下のとおりである。

【ねらい】
日本語を使って「できること」があること、日本語を使って自分が周りの人・もの・社会とつながっていること、自分が人と人、社会と社会をつなげられることを意識化する。さらに、日本につ

いて知っていることを集めたり考えたりすることで、自己肯定感やアイデンティティを育む。

【テーマ】
「わたしの居場所」「わたしの生活」「わたしの趣味」「学びと仕事」「共に生きる」（図5）

　「できることファイル」では、各テーマの下にいくつかのトピックが設定されており、それぞれのトピックごとに2枚の活動シートがある。1枚目のシートでは主に言語行動に着目し、日本語を使って「できること」をどんどん集めていくようになっている。2ページ目には家族インタビューや親子の対話がはずむような問いかけが掲載されており、日本やドイツについて知っていることを集めたり、比較して考えたりすることができる（図6）。図6の2ページ目のシートでは、日本やドイツにおける四季折々の年中行事として知っていること、したことがある行事などを書き出していき、それらを比較し、日本とドイツで違うことや類似していることなどについて親子で話し合えるようになっている。各トピックにおける2ページ目のシートでは、コミュニケーションを支える知識（言語的知識と非言語的知識）や態度、スキル、様々な戦略といった様々な力、相互文化的能力、仲介能力などに着目した活動に親子で取り組んでもらうことが目指されている。これらのシートは定期的に取り組んで記録していくと効果的である。

　「できることファイル」の作成段階でテーマやトピックを設定するにあたり、先に見たドイツのノルトライン＝ヴェストファーレン州の「出自言語教育」の指導要領を参考にした（図1）。先述のとおり、同指導要領においては子どもたちの3つの生活環境とつながった領域の広がりをもとにテーマが設定されているが、「できることファイル」もそれを参照してテーマおよびトピックを選定した。日本が出自国である子どもたちがドイツ、日本、そしてドイツ社会における「移民・移住者」としての生活環境の間を「越境」し、「仲介」しながら行き来していることを想定し、子どもたちの人や社会との関わりを段階的に広げていった。

図3 「わたしのプロフィール」の目次

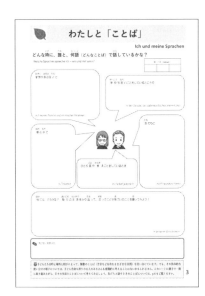
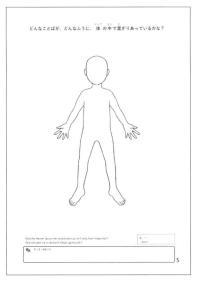

図4 言語使用状況（左）／言語ポートレート（右）
（「わたしのプロフィール」に収録）

図 5 「できることファイル」の目次

図 6 トピック「特別な日」のシート(「できることファイル」に収録)
(左:1ページ目、右:2ページ目)

(3)「継承日本語」の学びとは？

　以上概観したように、『わたし語ポートフォリオ』は複言語主義の理念に基づいた継承日本語の学びを支援する素材であり、子どもたちの「わたし語」を育んでいくことを目指している。子どもの中の様々な言語や文化のレパートリーを総動員して、それらを関連づけたりしながら総合的に育てていく視点を重視している。さらに、ドイツの「出自言語教育」で重点が置かれていた「子どもが自身の個人的な経験について話せる」「様々な民族的、宗教的、文化的な要因に対応していける」「自らの家族の歴史、同じルーツを持つ集団の伝統や規範、価値観についても考えられる」「文化的な仲介者として自覚を持って行動できる」というポイントも各種の活動シートに組み込まれている。

　「継承日本語教育」と言えば、補習授業校などの教育機関での実践について議論されることが多く、家庭での「継承日本語教育」の支援について具体的に話し合われることはあまりないように思う。また、家庭での実践を支援するツールは多く見かけられないため、新たな「継承日本語教育」の方向性を示す『わたし語ポートフォリオ』が、家族で「子どものことば、家族のことば」と向き合う一つのきっかけとなることを期待している。日本語などのことばの習得や使用についてどう考えるか、家族での言語使用のあり方をどうするか、そしてそれを実現するためにどう計画し、管理していくかといったことを家族で話し合い、当事者である子どもの視点を反映させて家族の方針をプランニングすることは、子どもの言語習得に多大な影響を及ぼす重要な活動である（cf. Family Language Policy）。

　家庭という実践の場に限らずどの実践においても大切なことは、子どもたちの「ことばの力」をホリスティックに捉え、知識、態度、技能や仲介能力、相互文化的能力を含めて子どもの「できること」に気づき、肯定的に評価し、子ども自身が「できること」をもっと増やしたいと思えるようにすること、そして、それによって子ども自身の自己肯定感を促すようにすることではないかと考えている。それは、ドイツで生活するにあたって今は日本語は必要ないと判断し、家族のことばとして取り入れないように計画した家庭や子どもたちに関しても同じである。今は「ことばの力」に

日本語は入っていないかもしれないが、例えば日本に関する文化的な知識は、家族や親戚を通して吸収しているかもしれないし、他のことばで「できること」もたくさんあるだろう。周りにいる大人にできることは、子ども自身が豊かな資源を持っていることに気づき、自己肯定感が感じられるような「場」を提供してあげることではないだろうか。親子で取り組む『わたし語ポートフォリオ』がその一助となればと願っている。

　さらに、『わたし語ポートフォリオ』を通して個々人の複言語能力が育まれ、人と人をつなぎ、人と社会を関係づけたりすることで、平和な人間関係を築き、平和な社会を形成することが可能になるだろう。次世代を担う子どもたちが幸せになり、平和な社会をつくるための生きる力を育む環境を整えることが私たちの課題なのである。

5. おわりに

　以上、補習校や継承語クラブなどの教育機関や家庭での「継承日本語教育」の実践のあり方を考察してきた。複言語・複文化主義に基づいた言語教育の理念やドイツの出自言語教育で目指されていること、さらにドイツの現地校でしっかりと育まれている「考える力」や「自分の考えを表明する力」および「民主的に意思決定を行い、共にコミュニティをつくっていく／変えていく力」といった子どもが持つあらゆる能力を活かした「継承日本語教育」の可能性が見えてきた。子どもが様々な現実の生活世界で得た能力と経験をつなげていく教育の可能性を探る価値は十分にあると思われる。現在の子どもたちの生活環境から出発して考えると、ドイツの学校で大切に育まれている「わたし語を尊重する姿勢」「考えて意見を表明する力」「仲介して問題解決する力」「民主的に意思決定を行い、共にコミュニティをつくっていく／変えていく力」は、平和な人間関係、平和な社会を身近なところから構築していける大切な力である。このような平和に資する力を発揮した活動に、日本語のレパートリーも入っていけるようなトータルな継承日本語教育が現在のニーズに合っているのではないだろうか。『わたし語ポートフォリオ』はそのような実践の土台となる素材であ

り、親子の対話を通して、ことばや様々な価値に意識的になり自己肯定感を促すことで学びや人生の次のステップへとつなげていくものなのである。

　「継承語」として日本語を学ぶ子どもや親が持つ「何のために子どもたちは日本語を学習するのか」「周りの大人は子どもたちの日本語の学びとどう向き合えばいいのか」という疑問は「継承日本語教育」の大きな課題ではあるが、本章での提案がその質問に対する答えの一つとなれば幸いである。

注

1）Amtsblatt der Europäischen Gemeinschaften, Richtlinie des Rates（77/486/EWG）http://eur-lex.europa.eu/legal-content/DE/TXT/?uri=CELEX%3A31977L0486（2022 年 8 月 5 日最終閲覧）

2）ドイツの教育制度に関してはコラム❶を参照されたい。

3）ここでの「教化」という表現は「indoctrination」を訳したものである。特定の信条や態度を押し付けて信じ込ませることを指す。

4）2021 年 4 月に複言語ファミリーをつなぐポータルサイト『つなぐ』が開設された（ケルン日本文化会館と〈チーム・もっとつなぐ〉の共催で制作・運営）。『わたし語ポートフォリオ』の公開版も 2021 年 3 月に完成し、同サイトから無料でダウンロードできるようになっている。
　　複言語ファミリーをつなぐポータルサイト　https://tsunagu-jki.de/（2022 年 8 月 5 日最終閲覧）

5）〈チーム・もっとつなぐ〉は 2015 年より活動しており、成人教育機関、中等教育機関、高等教育機関、インターナショナルスクール、日本語補習授業校、継承語クラブ、日本の高校における母語支援教室といった様々な現場における日本語教育の経験を有するドイツと日本在住の日本語教師 5 名の集まりである（『わたし語ポートフォリオ』開発チームはうち 4 名）。

参考文献

糸永真帆・勝部和花子・札谷緑（編）（2014）『つなぐ——わたし・家族・日本語』日本文化言語センター.

奥村三菜子（2019）「欧州における継承日本語教育と欧州言語共通参照枠（CEFR）」近藤ブラウン妃美・坂本光代・西川朋美編『親と子をつなぐ継承語教育——日本・外国にルーツを持つ子供』くろしお出版.

勝部和花子・札谷緑・松尾馨・三輪聖（2017）「ドイツ発〈チーム・もっとつなぐ〉の子ども Can Do ポートフォリオ制作プロジェクト——複文化・複言語キッズの『でき

ること』を家庭で、親子で、記録しよう」日本語教育学会. http://www.nkg.or.jp/wp/wp-content/uploads/2017/06/sekai-germany0606.pdf（2022年8月5日最終閲覧）

川上郁雄（2013）『「移動する子ども」という記憶と力——ことばとアイデンティティ』くろしお出版.

近藤孝弘（2009）「ドイツにおける若者の政治教育——民主主義社会の教育的基盤」『学術の動向』10月号、pp.10-21、日本学術会議.

佐藤慎司・長谷川敦志・熊谷由理・神吉宇一（2018）「内容重視の言語教育再考」佐藤慎司・高見智子・神吉宇一・熊谷由理（編）『未来を創ることばの教育をめざして——批判的言語教育（Critical Content-Based Instruction：CCBI）の理論と実践【新装版】』ココ出版.

中野千野（2013）「複数言語環境で成長する子どもの『複数言語性』を考える——ある海外定住児童への『まなざし』から」『ジャーナル「移動する子どもたち」——ことばの教育を創発する』4：21-42、早稲田大学.

中山あおい（2010）「シティズンシップ教育をめぐるヨーロッパの動向——リスボン戦略とEUの取り組みについて」『大阪教育大学紀要 第Ⅳ部門 教育科学』58(2)：119-129、大阪教育大学.

西山教行（2018）「CEFRの増補版計画について」『言語政策』14：78、日本言語政策学会.

細川英雄・西山教行（2010）『複言語・複文化主義とは何か』くろしお出版.

三輪聖・奥村三菜子・札谷緑・松尾馨（2016）「親子のための『子どもCan Doポートフォリオ』の開発——複言語・複文化主義の観点から子どもの力を捉える」『母語・継承語・バイリンガル教育（MHB）研究会2016年度研究大会予稿集』pp.68-69、母語・継承語・バイリンガル教育（MHB）研究会.

柳澤良明（2014）「ドイツにおける民主主義教育の実践枠組」『香川大学教育学部研究報告第Ⅰ部』141：43-57、香川大学教育学部.

吉島茂・大橋理枝他（訳・編）（2004）『外国語教育Ⅱ——外国語の学習、教授、評価のためのヨーロッパ共通参照枠』朝日出版社.

Byram, M.（1997）. *Teaching and assessing intercultural communicative competence*. Multilingual Matters Ltd.

Byram, M.（2008）. *From foreign language education to education for intercultural citizenship*. Multilingual Matters Ltd.

Byram, M.（2013）. Foreign language teaching and intercultural citizenship. *Iranian Journal of Language Teaching Research*. Urmia University.

Council of Europe（2001）. *Common European framework of reference for languages: Learning, teaching, assessment*. Cambridge University Press.

Council of Europe（2018）. *Common European framework of reference for languages: Learning, teaching, assessment,* Companion Volume with New Descriptors. Council of Europe.

Council of Europe, Language Policy Division (2006). *Plurilingual education, language policy division.* Council of Europe.

Council of Europe, Language Policy Division (2007). *From linguistic diversity to plurilingual education: Guide for the development of language education policies in Europe.* Language Policy Division, Council of Europe.

Dürr, K. (2000). *Project on "Education for democratic citizenship. Strategies for learning democratic citizenship".* Council of Europe Publishing.

Freie und Hansestadt Hamburg Behörde für Schule und Berufsbildung (2011). Herkunftssprachen des Bildungsplans Gymnasium Sek. I. Landesinstitut für Lehrerbildung und Schulentwicklung.（ハンブルク州、出自言語教育指導要領）https://www.hamburg.de/steigerung-der-bildungschancen/14243862/herkunftssprachenunterricht/

Ministerium für Schule und Weiterbildung des Landes Nordrhein-Westfalen (2016). Kernlehrplan für den Muttersprachlichen Unterricht in der Sekundarstufe I und für den Unterricht in der Muttersprache anstelle einer zweiten oder dritten Pflichtfremdsprache für die Klassen 7-10. Ritterbach Verlag.（ノルトライン＝ヴェストファーレン州、母語教室指導要領）https://www.schulentwicklung.nrw.de/materialdatenbank/material/download/3759

Sander, W., & Steinbach, P. (2014). *Politische bildung in Deutschland: Profile, personen, institutionen.* Bundeszentrale für politische Bildung.

Statistisches Bundesamt (2020). Bevölkerung und Erwerbstätigkeit, Bevölkerung mit Migrationshintergrund—Ergebnisse des Mikrozensus 2020—, Statistisches Bundesamt.

参考URL

外務省「海外在留邦人数調査統計」(2020) https://www.mofa.go.jp/mofaj/toko/tokei/hojin/index.html（2022 年 8 月 5 日最終閲覧）

文部科学省「CLARINET へようこそ」http://www.mext.go.jp/a_menu/shotou/clarinet/main7_a2.htm（2022 年 8 月 5 日最終閲覧）

文部科学省「学習指導要領『生きる力』」http://www.mext.go.jp/a_menu/shotou/new-cs/1383986.htm（2022 年 8 月 5 日最終閲覧）

文部科学省「海外在留児童・生徒数・在外教育施設数」(2019) https://www.mext.go.jp/b_menu/toukei/002/002b/1417059.htm（2022 年 8 月 5 日最終閲覧）

Statistisches Bundesamt (Destatis) (2020) Migration und Integration: Bevölkerung mit Migrationshintergrund. https://www.destatis.de/DE/Themen/Gesellschaft-Umwelt/Bevoelkerung/Migration-Integration/Publikationen/_publikationen-innen-migrationshintergrund.html（2022 年 8 月 5 日最終閲覧）

継承語って継承しないといけないの？

三輪聖・奥野由紀子（聞き手）

近年、継承語の重要性がようやく日本でも認識されるようになってきた感がありますが、三輪論文を読み、たしかに継承語は継承すべきものありきで語られることが多いのではないかということにも気づかされました。本論の中で「継承語教育」とは誰のためにあるものなのかについて再検討がなされていますが、そもそも継承語って継承しないといけないものなのか？ということについて、執筆者の三輪と聞き手の奥野とで語ってみました（三輪はドイツで継承語教育に関わりながら邦人家庭で子育てをしており、奥野は日本で様々な外国ルーツの家庭と関わっている立場で話しています）。

奥野：継承語って継承しないといけないのか、というテーマですが、色々なケースにより違うでしょうし、なかなか難しいテーマですよね。

三輪：そうですね、ヨーロッパで私たちが今、目にしている子どもたちにとっての日本語は、少数言語を守るっていう意味での継承語ではないですよね。私は、継承しなければならないのか？と問われると、まず、継承しなければならないとしたら、それは何のために？誰のために？と問いたくなるんですよね。それは環境や人によってさまざまだと思います。例えば日系のブラジルの子ども達とかはまた全然違う文脈があり、歴史があり、コミュニティのあり方も全然違うなど、その地域や環境によっても異なるので本当に一概には言えないですよね。だから私が言えることは、私が接している子ども達に関してという風に、注釈付きで自分の

意見を言った方が良いのかなと思うんですよね。

奥野：なるほど、三輪さんが普段接している子どもっていうのはドイツの
　　　中で、どちらかが日本のお父さんやお母さんっていう国際家庭が多いん
　　　ですか。

三輪：そうですね。やはり国際家庭のほうが多くて、うちは私と配偶者が
　　　両方とも日本国籍の邦人家庭なんですけど、少ないですね。継承語とい
　　　うと、やはりどうしても国際家庭の子ども達の話っていうふうに思われ
　　　ちゃって。「三輪さんのところはご両親共々日本人なんだから問題ない
　　　よね」っていう感じで、ちょっと線引きをされてしまうところとかある
　　　んですよね。確かにうちではコミュニケーションの言語は日本語のみで
　　　すし、国際家庭に比べると条件は違いますが、子どもの目線から言うと、
　　　同じようにドイツの現地校に通って、生活の基盤はドイツだと考えると、
　　　やはり抱えている問題は同じところもあると思います。

奥野：なるほど、日本語を継承していくって邦人家庭でも大変な部分もあ
　　　るのですね。日本にいる国際家庭を見ていても、両親ともその現地の言
　　　葉（この場合は日本語）ができる場合とそうでない場合でもまた違うよ
　　　うな気がして。

三輪：それはすごく違いますよね。日本のことにもとても興味があるんで
　　　すよね。日本ではやっぱり日本語があんまりできないご両親っていうか、
　　　そういうご家庭がどちらかというと多いのでしょうか。

奥野：もちろんどちらのケースもありますが、私の周りだとむしろ外国出
　　　身の親でも日本語がよくできるケースが多いです。例えば中国出身の私
　　　の学生は日本人の男性と結婚しましたが、彼女は日本語に関しては全く
　　　問題なく博士論文も書いており、家庭内言語も日本語です。お子さんに
　　　中国語を覚えてほしい気持ちもあるようですが、お父さんがわからない

ので気をつかうようです。子どもは保育園でも日本語ですし、なかなか中国語を継承するとなると難しいようですね。同様に、日本語が流暢なインドネシア人のお父さんと日本人のお母さんの国際家庭でもやはり日本語のみですね。しかし家庭内や生活面での不便は特にないので、そういうケースの家庭を見ていると継承すべきだと一概にも言えないのかなあとも思います。

三輪：もちろん私の周りにもそういう家庭は多くて、私はそのような選択を家庭でしたのであれば、もちろんいいかなと思うんですよ。でもそのような家庭に対して批判的な立場の方もやはりいるんですよね。子どもが小さい時に選択肢を増やしてあげるべきだ、将来やはり日本語ができて良かったって思うに違いないと強く信じている親御さんがいて、そうやって育ったお子さんが大きくなり、今日本語ができてすごく感謝しているという声を聞くと、親は確信に変わるわけで。そして、それがその人の信念となって他の日系のご家庭にも語り継がれていっているところがあるように思います。

奥野：やはり住んでいる国で話されている言語と違う言語を継承するには、かなり強い意志がないと、その親にも子どもにも。

三輪：はい、確かに強い意志とゆるぎない信念みたいなのがないと、でも、子どもがどうしたいのかっていうところを、小さいときに、もう少し尊重してあげるようなこともできるのではないかと私は思っていて。そういう子どもたちは小さいときからインプットの機会は多いので、日本語をやりたいと思えばいつでもできるような気がするんですね。大学生になり思い立って日本学を学びに来ている学生とかも見ているので。私はもう少し子どもを信じて子どもの選択を尊重してもいいのではないかと。日本語がその子にとって必要じゃない時期もあるかもしれないし。子どもが勉強する目的も分からないまま、親子バトルを繰り広げながら長く勉強を続ける経験を積むのが果たして全ての子どもたちにとってよいこ

となのだろうかという疑問が私にはあります。

奥野：自分にルーツのある言葉や文化だから学びたいと思った時に学べるようなチャンスがある、ということが重要なのかもしれませんね。（中略）今までは国に帰ることを前提とした補習校での教育が、今は共にドイツで過ごしていくことが前提となり、その上で出自言語も尊重し、複言語で豊かな人生を送れるようにという出自教育、継承語教育やサポートに変わってきているということなのでしょうか。

三輪：カリキュラムを見ている限りでは、そうですね。ドイツの学校で学ぶ内容と子どもが既に持っている言葉や文化、知識などをリンクさせる必要性を強調しています。必ずある一つの言葉や文化だけを見るのではなく、ほかの言葉や文化と比較させて、その出自の国の文化も客観的に見てみる。また、そのクラスの子ども達のそれぞれの違いを引き出し、それをみんなで共有し、関連付けて、分析的にみてみようということがカリキュラムにも書かれています。

奥野：なるほど。複数のルーツを持つ子どもは、やはり子どもの時からそのような自分の中の多様な文化を客観的に見られるような力を持っていますよね。そしてそれを現地の子どもにもいい意味で気づかせることができる。そういうことがカリキュラムとしてあり、社会でサポートしていこうというシステムになっている点が、日本と全然違うなと思うんですよ。日本にはそれがないので、言葉の継承も家庭だけに任されてしまう。その中で継承していく難しさっていうのはすごく感じますね。（中略）私は、複言語、複文化をルーツに持っていることで、異なる文化や言語を客観的にみる能力が高い子どもが多いと思うので、やはりそのような汎用的能力が高いということは、平和な社会に貢献できるような人材になるのではないかなと思っているのですが。

三輪：まさに同感です。そういうところをもっと大人が注目して伸ばして

あげるようなことができたらいいなと思います。どうしても文化を継承というと日本文化を体験させて、日本だけを取り出した世界を作ろうとしてしまうのですが、そうではなく、俯瞰してものごとを見られることとか、それこそ間を取り持つ仲介能力とか、本当に身近なところから平和な人間関係をつくっていける、そのような子どもたちの力を見ていきたいですね。

　と、この後もドイツでデモに参加する子どもの話、日本でのシリア人家庭での継承語の話、ミャンマーやアフガニスタンからの避難民、難民内での継承語の問題など話と話はつきませんでした。話していて改めて感じたのは、「継承語」と一言で括れないということです。国際家庭、邦人家庭（邦人に限らず同じ国籍や言語を持つ両親が他国で子育てをする家庭）、国際家庭であっても双方の親の現地語能力の違い、帰国の予定の有無など、家庭によって事情もさまざまです。親の思い、子どもの思い、熱量もさまざまです。「継承語は継承すべき」という考えありきではなく、親も子も色々な言語、文化、ルーツを持つことによって獲得する色々な見方や考えや選択肢があることをプラスに捉え育んでいくことが重要だと思います。継承語は子どものもつ一部であり、それを他の要素も含めて親や社会、周りが尊重し、子どもの主体性を重んじながら進める教育が大切なのだと感じました。またその子どもたちの力を信じ、その子どもたちが創る未来を信じることが大人に求められる姿勢なのだろうと思いました。　　　　　　　（奥野）

第3章

コミュニケーション論から考える 「ことばの教育と平和」

日本における英語の教育はいつまで
「英語教育」でなければならないのか

榎本剛士

一番伝えたいこと

　私たちが「平和」という言葉で想い描くことに働きかけるための方法は、色々とあるはずです。この章で一番伝えたいことは、その中にきっと、「コミュニケーション」について深く考えながら、「ことばの教育」を語るための言葉を理論・理念と実践の両側から、様々な領域で紡いでいくことが含まれる、ということです。ここでは特に前者の視座に立ちつつ、日本の学校教育のコンテクストで頻繁に、しばしば無批判に使われる「英語教育」という言葉を再考し、「その先」を問うてみたいと思います。

なぜこのような実践・研究をしようと思ったか

　大学院生の頃、「英語教育」という言葉が実は歴史的に出てきたものであり、明治期以降の日本の国語・国民国家創出過程と不可分の関係にあることを知って、大変な衝撃を受けました。「英語教育」という言葉は、私たちが気づかないうちに何かを呼び込み、私たちの思考を枠づけてはいないだろうか？　もしそうであるならば、私たちはどうすればそこから自由になれるのか？　このような問いが、私の研究の原動力になっています。

1. はじめに

　言語使用、言語習得、言語教育の社会・文化的側面が指摘されて久しい
（e.g., 佐藤・ドーア 2008; 佐藤・村田 2018; Atkinson 2011; Block 2003; Gumperz
& Hymes 1986 ［1972］; Heath 1983; Kramsch 1993; Schieffelin & Ochs 1986）。
今日、これらが決して「無色透明」で「中立」なプロセスなどではなく、
アイデンティティや権力関係、イデオロギーといった事象と密接に結びつ
いていることは、否定しがたいと思われる。そうであるならば、「ことば
の教育」は、特定の言語を（コンテクストから取り出した形で）教える・学
ぶことに終始してしまうのではなく、そのような行為・実践自体がどのよ
うな社会・文化的、歴史的コンテクストに根ざしているのか、どのような
社会的効果・帰結をもたらすのか、という「メタ・レベル」の問い、把握、
自覚にいっそう開いていく必要があるのではないか。

　特に本書を手に取る諸賢にとって、上記のことはすでに前提となってい
る、と言ってもよいのかもしれない。しかし、日本の学校英語教育を研究
の対象としてきた者が、あらためて「ことばの教育と平和」という壮大な
テーマを前にすると、「自分は一体、何を考え、書くことができるのか」
と自問を繰り返さずにはいられない。それでも考え抜くことを目指しなが
ら、「ことばの教育」と「平和」との間に何らかの橋を不完全ながらも自
分なりに架けることができるのかもしれない、と感じるようになってきた
時、筆者の念頭には、「英語教育」という言葉に歴史的に刻み込まれた権
力性、そして、それに対する異議申し立てを原理的に投げかけ得る枠組み
としての「コミュニケーション論」があった。

　さて、学習指導要領を一瞥すれば分かる通り、日本の学校教育のコンテ
クストにおいて、「外国語」といえば「英語」であるが、このような「一
外国語主義」「英語一辺倒」は、日本のコンテクストに深く根を下ろした、
歴史的・社会的所産である（下 2022; 寺沢 2014）。また、明治期以降の近代
化の流れの中で、入試や学校教育などの制度とも密接に関わりながら、日
本では「英語教育」という極めて特殊な言葉が生まれ、その使用は現在ま
で続いている。もちろん、「英語教育」が何を指すのか、どのようなコン

テクストを喚起するのかは、その言葉が使われるその時々で異なるはずである。しかし、大きな流れで見た場合、この言葉の出現を可能にした根源的な構造は、しっかりと生き永らえているように思われる。

　本稿の基本的な構えは、日本における「ことばの教育」の一部分が特定の歴史的流れの中でたまたま纏った（に過ぎない）一つの姿として、「英語教育」をまず捉えることである。そして、（少なくとも概念上）それをどのように突き崩していくことができるのか、「コミュニケーション論」を経由することによって、一つの可能性を指し示すことを試みる。日本の英語教育の中で「コミュニケーション」が叫ばれて久しいが、徹底した「コミュニケーション論」の視座から考える時、「英語教育」という言葉それ自体が相対化され、溶解していくのではないか[1]、その段階になってようやく、私たちは英語の教育において「ことばの教育」と「平和」を実質的に繋ぎ合わせる契機をつかむことができるのではないか、このように論じたい。

2.「コミュニケーション」をどう理解するか：　三つのモデル

　前節の導入をうけて、本節では、コミュニケーションを重視した英語教育を展開する、「ことばの教育」を通じた批判的思考力の育成を目指す、さらには、「英語教育」を相対化する、いずれの場合においても基底的な役割を果たすと思われる「コミュニケーション論」（コミュニケーションについてのモデル的理解）を扱う。具体的には、「情報伝達」に焦点を当てたモデル、ロマーン・ヤコブソンの「六機能」モデル、そして、「出来事」を中心とした記号論的モデル、以上の三つのコミュニケーション・モデルを示すことで、第3節・第4節で「平和」と「ことばの教育」を「コミュニケーション論」から考えるための布石とする。

(1)「情報伝達」としてのコミュニケーション

　コミュニケーションを「情報伝達」や「意思疎通」として捉える見方は

広く一般にも受け入れられていると思われる。そのような見方の根底にあるのが、文字通り「情報伝達」に焦点を当てたコミュニケーション・モデル（以下、「情報伝達」モデル）である。このモデルは、例えば以下のように、「棒人間」を（間にやや間隔を設けて）二つ描き、両者の間に双方向の矢印をひく、あるいは、一方（または、両方）から出る「吹き出し」を設定し、それぞれによって「言われていること」をその中に記す、といった形で簡潔に図示できるだろう。

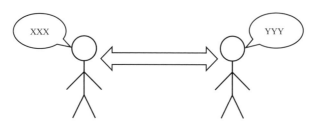

　では、「情報伝達」モデルが前提としているコミュニケーションのプロセスは、どのようなものだろうか。ＡとＢの二人がいるとしよう。Ａには、Ｂに「伝えたいこと」がある（その「伝えたいこと」はしばしば、Ａの「頭の中」にあるとされる）。しかし、Ａは（テレパシーなどを使って）「伝えたいこと」をＢに直接伝えることができないため[2)]、「伝えたいこと」をＢと経験的に共有できる形に変える必要がある。そこで、Ａは何かしらの「コード」（特定の言語の文法など、慣習化された一定のルール）に則して「伝えたいこと」を「メッセージ」に変換し、Ｂと共有できる形にしたうえで、それを声に出すなどして、Ｂに送る。Ｂに宛てて送られたメッセージは、空気の振動、通信回線など、両者間の接触を可能にする何らかの回路（メディア）を伝って、あたかも両者の間に「導管」が通じているかのように（cf. Reddy 1979）、Ｂに到達する。そして、それを受け取ったＢが、Ａが用いたのと同じコードを共有している場合、Ｂはそのメッセージの形から内容を取り出す（メッセージを解読する）ことができる。結果、Ｂの頭の中にＡの「伝えたいこと（に近いこと）」が再現され、コミュニケーションが「成立（成功）」する。

　このようなプロセスを措定する「情報伝達」モデルは、概ね次のように

特徴づけることができるだろう。このモデルにおいて、コミュニケーションにとって重要な情報は、特定のコードに則したメッセージの中に含まれている。すなわち、このモデルは、メッセージの「言及指示内容」（言われていること）を中心としたモデルであり、それゆえ、「言及指示」をそもそも可能にする（社会的に共有された）「コード」を核心に据えたモデルである。また、このことから、メッセージの言及指示内容を不明瞭にしたり、そのスムーズな伝達を妨げたりする可能性がある要素（回路を阻害する要素）は、できるだけ除去すべきもの、その存在自体が好ましくないもの（ノイズ）として理解される。

　さらに、「情報伝達」モデルは、コミュニケーション参加者についても、一定の想定をしている。上記の説明に明瞭に表れている通り、コミュニケーションに参加する者（上の説明ではＡ・Ｂ）は、コミュニケーションに先立って、コミュニケーションとは関係なく存在するものとして、まず措定されている。そして、そこから発せられるメッセージもまた、そのような送り手の（頭の）中で完成しており、ただ単に送られるものとして位置づけられている。コミュニケーションの参加者たちは基本的に、「言われていること（情報）」の送受信のみを行う「送り手」と「受け手」であり、コミュニケーションのコンテクストの影響を受けないような、それ自身で完結した「個人」である。

　このように、「情報伝達」モデルは、上記のような個人間で起こる「情報の行き来・送受信」として「コミュニケーション」を理解するモデルである。

（2）ヤコブソンによる発話出来事の六要素と言語の六機能

　次に示すのが、ロマーン・ヤコブソンによって提示されたモデル（以下、「六機能」モデル）である（Jakobson 1960）。

　「情報伝達」モデルでは、メッセージの「言及指示内容」と「コード」に重きが置かれていたが、ヤコブソンは、実際の（言語によって媒介される）コミュニケーションにおける言語の機能が「言及指示的機能」だけに限定されないことに着目し、コミュニケーション（ヤコブソンの用語では

"speech event"）を構成する要素を特定するところから出発する。

　そこで、言語を使ったコミュニケーションの構成要素としてヤコブソンによって特定されたのが、1.送り手（addresser）、2.受け手（addressee）、3.言及対象（context）、4.接触回路（contact）、5.コード（code）、6.メッセージ（message）の六つである。そして、これらのどの要素を志向するか、どの要素に焦点を当てるか、どの要素に注意を向けさせるかに応じて、コミュニケーションにおける言語は以下の六機能を帯びることになる。

　　　1′　表出的（emotive）機能
　　　　　「送り手」の態度や感情、社会・文化的特性に焦点を当てる
　　　2′　動能的（conative）機能
　　　　　「受け手」に働きかける（メッセージの「真偽」を問うことが困難）
　　　3′　言及指示的（referential）機能
　　　　　何かについて、何かを述べる（メッセージの「真偽」を問うことが
　　　　　容易）
　　　4′　交話的（phatic）機能
　　　　　コミュニケーションを開始したり、維持したり、終了したりする
　　　5′　メタ言語的（metalingual）機能
　　　　　メッセージを作るための慣習的ルールについて述べたり尋ねたり
　　　　　する
　　　6′　詩的（poetic）機能
　　　　　「繰り返し」を通じて、メッセージそれ自体を際立たせる

　これらの機能は、複数、同時に生起するのが通常である。ヤコブソン自身、言及指示的機能が言語の主だった機能であることを認めており、その意味では、「情報伝達」モデルと「六機能」モデルとの間に共通点がないわけではない。しかし、実際に使われる言語の多機能性に着目する点において、ヤコブソンの「六機能」モデルと「情報伝達」モデルとの間には大きな違いがある。

　さらに、より根本的なところで、「六機能」モデルが「情報伝達」モデ

ルと一線を画する点を挙げるとするならば、「コミュニケーションの要素を指し示す」という原理に基づき、メッセージを中心として言語の機能が特定されていること、そして、メッセージの生成プロセスが射程に収められていることである。

　「情報伝達」モデルと対比しながら、これらの点について考えてみよう。二つのモデルにおいては、コミュニケーションのプロセスの起点が大きく異なる。「情報伝達」モデルでは、送り手の頭の中にある伝えたいこと（情報）、そして、それがコードに則してメッセージに変換されるところが、コミュニケーションのプロセスの始まりである。他方、「六機能」モデルにおいては、まずコミュニケーションの要素が特定されるが、それらの要素に焦点を当てるプロセスの基点となっているのは、実際に使われた言語、すなわち、メッセージである [3]。つまり、「情報伝達」モデルと「六機能」モデルは、コミュニケーション・モデルとして、そもそも「発想が逆」と言える。

　加えて、「情報伝達」モデルにおいて、メッセージは「送り手」の（頭の）中で完成しており、ただ単に送られるものとされているが、「六機能」モデルにおいては、メッセージはコミュニケーションを通じて作られるものとして位置づけられている。六つの機能のうち、このことと最も関係が深い機能が、「等価の原理を選択の軸から結合の軸に投影する」詩的機能である（Jakobson 1960）。「等価の原理が選択の軸から結合の軸に投影される」とは、換言すれば、コミュニケーションの中で類似したものが繰り返し生起すること、すなわち、「反復」である。また、上述の通り、詩的機能はメッセージそれ自体に焦点を当てる機能で、ヤコブソン自身が例として挙げている "I like Ike[4]"、「密閉・密集・密接」、「かっぱらっぱかっぱらった」[5] といった、（政治）スローガンやキャッチフレーズ、詩などの韻文に顕著に見られる。これらの身近な事例をつぶさに観察すれば分かるように、詩的機能は、より強固な「まとまり」や「結束性」をメッセージに付与し、そのことを通じて、メッセージはより強い程度の具象化を被り、高い認識可能性・触知可能性を獲得する。つまり、詩的機能は、メッセージそれ自体を「ユニット」として浮き立たせる（鮮明に目立たせる）機能

であり、よって、それを受け取る者にとって、詩的機能を帯びたメッセージは、注意を向けやすかったり、覚えやすかったり、印象に残りやすかったりする。このようなメッセージの生成プロセスは、「情報伝達」モデルにおいては完全に後景化していると言ってよい。

　以上、ヤコブソンによる「六機能」モデルを示した。誤解を恐れずに端的に言うならば、「情報伝達」モデルがコンテクストを捨象したモデルであるのに対し、「六機能」モデルは、コミュニケーションに関連する要素（すなわち、コンテクスト）と使われる言語とのつながりにコミュニケーションのプロセスを見出すモデルである。ここから、次項で示す「出来事」を中心としたコミュニケーション・モデルが派生する。

(3)「出来事」としてのコミュニケーション

　ヤコブソンの「六機能」モデルは、言語が実際に使われるところ、コンテクストとのつながり、メッセージの生成プロセスを射程に収める点において、「情報伝達」モデルとは大きく一線を画するものである。しかし、Duranti（1997）が指摘するように、それはコミュニケーションの最も基本的な要素を基盤としたモデルであるとも言うことができ、社会・文化的な側面をやや欠いていたことは否めない。

　このような観点から、コミュニケーションに関わる要素をさらに社会・文化的に拡張してモデル化したのが、ハイムズ（Dell Hymes）である。1960 年代中盤以降、「コミュニケーションの民族誌」という文化人類学的プロジェクトを牽引する立場にあったハイムズは、ヤコブソンの「六機能」モデルに明示的に依拠し、その要素をより精巧にする形で、(1, 2) コミュニケーションの参加者（participants）、(3) 接触回路とその使用様態（channels and their modes of use）、(4) コード（codes）、(5) コミュニケーションが起こる場面・環境（setting）、(6) メッセージの形態とジャンル（the forms of messages, and their genres）、(7) メッセージの内容（topics and comments, attitudes and contents）、(8) 出来事自体（the events themselves）という八つの要素を特定し（Hymes 1964, 1974）、その後、SPEAKING として表されるモデルを提示した。

SPEAKINGはアクロニムであり、それぞれ、Setting/Situation（場面・状況）、Participants（参加者）、Ends（結果・目的）、Act sequence（行為の連鎖）、Key（調子）、Instrumentalities（メディア・媒体）、Norms（行為者・記述者・解釈者の規範）、Genres（ジャンル）を表している（Hymes 1986/1972）。また、Hymes（1986/1972）では、speech act（発話行為）、speech event（発話の規範やルールによって統制された出来事・活動）、speech situation（（ジャンル化された）状況）、language/speech field（言語変種や発話のルールに関して個人が持っている知識が参加・通行可能にするコミュニティの範囲）、speech community（行動のルールや発話解釈の規範を共有する共同体）といった形で、言語使用を基盤とする様々な「社会的ユニット」も提示されている。このような、多様なコンテクストとのつながりの中にあって、言語は多様性を示し、言語の使用もまた、コンテクストに照らして適切であったり、新たなコンテクストを生み出したりする社会・文化的な行為・実践として理解される。

　さらに、「六機能」モデルを社会・文化に接合する形で拡張したハイムズによるコミュニケーション・モデルは、ヤコブソンに師事したシルヴァスティン（Michael Silverstein）によって、パース記号論における類像、指標、象徴、タイプ／トークンといった概念に接合され（Silverstein 1976）、コミュニケーションの基本的なあり様を、生起する記号を基点とするコンテクストの前提的・創出的指標（指し示し）プロセスとして捉えるモデルに結実する（Silverstein 1993）。理論上、記号として解釈され得る出来事は無数に、無秩序に起きており、それ自体では無限の解釈可能性を持つ。しかし、同じく無数にあり得るコンテクストのうち、ヤコブソンの「六機能」モデルやハイムズのSPEAKINGにも含まれるような特定のコンテクストが、生起する出来事によって指し示され、特定のコンテクストが関連づけられることによって、その出来事は、社会・文化的に認識・解釈可能なものになる。このような、特定のコンテクストが指し示され、関連づけられるプロセスは「コンテクスト化」、「コンテクスト化」を通じて社会・文化的に認識・解釈可能なもの（テクスト）が生まれるプロセスは「テクスト化」と呼ばれる（Bauman & Briggs 1990; Silverstein 1992, 1993）。

「テクスト」には、「何が言われているか」に関わる「言及指示的テクスト」と、「何が為されているか」「何が起きているか」に関わる「相互行為のテクスト」の二種類がある。例えば、生起した（誰かが発した）特定の音が「（語彙部を含む）文法」というコンテクストを指し示し、「文法」が関連づけられた時、その音は単なる音声ではなく、言及指示的な内容を持った「文（の断片）」として解釈可能なものとなり、そこに「言及指示的テクスト」が生まれる。また、生起する出来事が「文法」とは異なる社会・文化的コンテクストを指し示し、そのようなコンテクストが関連づけられた時、そこには、コミュニケーション参加者のアイデンティティや権力関係、出来事のジャンルに関わるような、「今、ここで何が為されて／起きているか」に関わる「相互行為のテクスト」が生み出される。これらのテクストは一定不変ではなく、後続する同様のプロセスを通じて強化されたり、後景に追いやられたり、変容を被ったりする。

　このように、コミュニケーションは、決して終わることのない、生起する出来事とコンテクストとの間の相互作用として、最終決定性を欠いた「コンテクスト化」と「テクスト化」のプロセスとして、理解されるに至る。このプロセスは刻一刻と変容し、私たちの意志や意図の影響を受けるものではあるが、それによって完全にコントロールできる（意志や意図に還元できる）ようなものではない。つまり、それは偶然性に満しており [6]、私たち自身、そして他者もまた、そのようなプロセスに巻き込まれる（参加する）ことで、「コンテクスト化」と「テクスト化」のプロセスの中から、現れ、浮かび上がる（Silverstein & Urban 1996）。ヤコブソンの「六機能」モデルが社会・文化的に拡張され、さらに、パース記号論への接合を通じて理論的に精緻化された結果生まれたこのようなコミュニケーション理解、コミュニケーション・モデルが、「出来事」としてコミュニケーションを捉える「出来事」モデルである [7]。

　以上、本節では、「情報伝達」モデル、「六機能」モデル、「出来事」モデルという、コミュニケーションに関する三つのモデル的理解、すなわち、「コミュニケーション論」を示した。本節を準備段階として、次節では、「コミュニケーション論」を「平和」につなげることを試みる。

3. 「出来事」中心のコミュニケーション論がもたらす 「平和」への契機

　前節で示した「情報伝達」モデル、「六機能」モデル、「出来事」モデルについて、いずれかが正しい、いずれかが間違っている、といった判断をしたくなるところである。しかし、モデルの「もっともらしさ」は、モデルそれ自体に内在しているのではなく、モデルがもっともらしく見えることを可能にするコンテクストに依存していることに留意する必要がある。

　前節で示したコミュニケーション・モデルは、特定のコンテクストの中で生まれたり受容されたりする原理的な説明モデルであり、どのようなコミュニケーションが望ましいか、「ことばの教育」においてどのようなコミュニケーションが目指されるべきか、といった価値判断を即座に導くものではない。このことを押さえたうえで、本節では敢えて一歩踏み出し、最終的に「出来事」モデルに寄り添う形で、私たちが生きているこの時代・社会の中から、「平和」につながる「ことばの教育」の基盤となり得るような、「コミュニケーション」に関する知見を追求する。

(1)「情報伝達」モデルに宿る抑圧性

　まず、「出来事」モデルの対極にある「情報伝達」モデルから出発しよう。前節で示した通り、「情報伝達」モデルの核心に据えられているのは、伝達される（べき）情報を「メッセージ」に変換するために不可欠な、社会的に共有された「コード」である。また、コミュニケーションの目的（テロス）がメッセージの送受信による情報伝達であることから、メッセージの言及指示内容を不明瞭にしたり、そのスムーズな伝達を妨げたりする可能性がある要素（回路を阻害する要素）は、できるだけ除去すべきもの、その存在自体が好ましくないもの（ノイズ）として認識される。さらに、「情報伝達」モデルが前提としているのは、コミュニケーションに先立って、コミュニケーションとは関係なく存在している「個人」、メッセージの「送り手」と「受け手」として「言われていること（情報）」の送受信のみに従事する、コミュニケーションのコンテクストの影響を受け

国民国家と言語

　「国民国家」は、英語で"nation-state"と表記される。"Nation"のもともとの基本的な意味は「民族集団」であるが、この単語に「国家（state）」を表す政治的な用例が現れたのは16世紀、さらに、"nationality"（国民性、国籍）に「国民感情」や「民族意識」といった近代の政治的な意味が出現したのは18世紀末から19世紀初頭にかけてのことである（ウィリアムズ2011）。

　西川（1995）が木畑洋一の仕事を引きながら論じるところによれば、「国民国家」とは、「国境線に区切られた一定の領域から成る、主権を備えた国家で、その中に住む人々（ネイション＝国民）が国民的一体性（ナショナル・アイデンティティ＝国民的アイデンティティ）を共有している国家」である。原理上、国民国家は、伝統や宗教といった旧来の共同体の絆を断ち切ったところに成立する、平等な個人の集合体である。そのため、国民国家は、本来的に欠如している共同性を再構築し、国民を統治・統合することを可能にする、交通網、土地制度、戸籍、統一の貨幣・度量衡・時間・暦、議会、警察、軍隊、裁判所、学校、メディア（出版・放送網）、国旗、国歌、文学（古典）といった、様々な「装置」や「制度」を有し、そのような「装置」や「制度」に関わる人々が「国民」として見なされることになる（西川1995, 2001）。しかし、このような「装置」や「制度」は、そこから排除されたり、その周辺に追いやられたりする人々（例えば、外国人、子供、女性、病人、犯罪者など）を不可避的に生み出す。このような正統性を与えられた支配（と排除）の観点から、萱野（2005）は、（国民）国家を「暴力が社会の中で行使されるあり方のひとつ」としている。

　さて、こうした国民統治・統合の「装置」として極めて重要な位置にあるのが、言語的装置、すなわち、「国語」である（安田1999）。「国語」としての言語を支える理念の特徴を、佐野（2012）は以下のように指摘する。

(1) 言語（「国語」）が存在するという認識は、言語が書記化され、「文法化」され、印刷されることによって成り立つ。

(2)「国語」としての言語は、一定の具体的な地理的範囲を持っていると見なされる（ある領域は本来的にある言語に排他的に所属し、同一領域内に複数言語があることは基本的に想定されない）。

(3) 個々人は、ある単一の第一言語＝母語への排他的な所属が求められる。

(4) ある言語の話者集団と同一視される「民族＝国民」は、全て同等な政治的権利があると見なされる。

　さらに、上記のような理念的特徴を有する近代の「言語」が、「国民」として実現される（自由な主体としての）「人間」を担保する概念であった、という砂野（2012）の指摘も極めて重要である。「人間」＝「国語」＝「国民」という等式のもと、「言語／国語」は、「人間／市民」の批判的思考と活動の基盤となる理性的なものとして構想され、そのような「主体」として措定された「人間／市民」のモデルは、経済的に自立し、「言語／国語」の読み書き能力を持つ都市住民（ブルジョワジー）であった（同上）。（そして、ここまでに述べてきたことが、「情報伝達」モデルの「もっともらしさ」を支えている基本的なコンテクストに他ならない（上記の諸要素が全く前提とされないところで、「情報伝達」モデルは果たして、どれほどの「リアリティ」を持ち得るだろうか）。）　　　　　　　　　　　　　　　　（榎本）

ない、それ自身で完結した「個人」であった。

　これらを確認したうえで、では、「情報伝達」モデルには、どのような社会的含意、どのような社会との親和性があるのだろうか。小山（2008）が指摘するように、このモデルの背後には、社会的同意によって人為的に構築される、規約（約束事）の体系としての「コード」、また、人間が交わす契約に基づいて構築されるものとしての社会、そして、そのような社会の構成員となれるような（自由意思を持つ）「主体」として所与とされる「（近代的）人間」が隠れている。そこで志向される「コード」は、情報伝達（すなわち、言及指示的機能）に最適化するために、地域、階級、ジェンダーといったコンテクスト的な要素を指し示してしまう側面を消し去った、標準化された、すべての人に平等なコードである。

　このことの帰結として、そのようなコードを使用して行われる「コミュニケーション」においては、曖昧さや冗長性の除去、偽りのなさ、明確さ、平明さが良しとされるが、このような言語・コミュニケーションに関する思想（イデオロギー）の起源は、17世紀イングランド、ジョン・ロックに求めることができる（Bauman & Briggs 2003）。つまり、「情報伝達」モデルは、上記のような、近代的な社会体制や人間のあり方、そして、その代表格ともいえる、文化的一枚岩を成す国民・標準語を基盤とした「国民国家」と極めて親和性が高いモデルである（コラム❸）。このモデルの枠内においては、「平和」的な状態の創出・維持は、それ自体で完結した主体である自立した「個人」が、互いに合理的な、誤解のない意思の疎通（コミュニケーション）を行うことによって可能となる、という理解がなされるだろう。

　このように、「情報伝達」モデルは、特定の社会観、人間観を歴史的に含みこんでいるが、近代的な主体である（と同時に「国民」でもある）「個人」が合理的で誤解のない、「情報伝達」モデル的に理想的なコミュニケーションに従事したとして、それは「平和」に直結していくのだろうか。例えば、フェミニズムの視点、つまり、近代的な主体を批判・相対化する視点に立つと、必ずしもそうとは言えない。なぜなら、「情報伝達」モデルが前提とする近代的な主体としての「個人」そのものに、暴力性・抑圧

性がすでに宿っているからである。

　岡野（2012）は、近代的な主体としての「個人」、および、それによって構成される「国民国家」の自由が、「その内部に存在する異なり・多様性を一つの意志によって統制することによって達成される」ものであることを指摘する。このような（自由な）主体は、「さまざまな欲望・要望・傾向性を意志の力によって統制・抑圧し、かつそれを忘却することによって生起する」ものである。そして、そのような（多様性を統制（抹消さえ）する）主体の生起・出現そのものを可能にし、支えているものこそ、「外的な状況に対してであれ、他者に対してであれ、依存する存在を自由で責任ある構成員ではないものとして扱う、とする主権国家」である、という（同上）。

　このように、一般に受け入れられている「情報伝達」モデルは一見、コミュニケーションのあり様を過不足なく、透明に映し出しているかのように見えるかもしれないが、そこで前提とされている（コミュニケーションの主体となる）「個人」は、決して中立的ではなく、そのあり方自体に他者の抹消と標準化への志向性、抑圧性を宿している。そして、そのような個人（および、コード）のあり様そのものが、特定の社会のあり様と密接に結びついているのである。

（2）「出来事」モデルとケアの倫理

　前項では、一般に広く受け入れられている「情報伝達」モデルが、単にコミュニケーションについての説明モデルであるだけでなく、特定の個人、社会のあり様と密接に結びついたものであり、その内に抑圧性を宿したものであることを確認した。これに対して、倫理的にも、コミュニケーション論的にも問いを投げかけ、近代的主体としての「個人」間の合理的な「情報伝達」や「意思疎通」を基盤とするのとは異なる形で、「平和」を追求するアプローチを構想することはできないのだろうか。本項では、引き続き岡野（2012）が提示するフェミニズムの視座、特に「ケアの倫理」（コラム❹）を参考にしながら、その可能性について考えてみたい（以下、引用は同書）。

　徳永（2021）は、「ケアの倫理」を「(キャロル・)ギリガンの『もうひとつの声』(1982)と（ネル・)ノディングスの『ケアリング』(1984)を始まりとする新しい哲学の潮流のことで、現代の正義論への批判あるいは修正的補完として、また、男性原理の哲学に対置する女性原理の哲学として、ケアしケアされる人間関係を軸に語る人間哲学」と暫定的に定義している。

　ケアの倫理は、ジョン・ロールズらに代表される正義論を、以下の二点において批判する（徳永 2021）。まず、正義論は「自立」し「自律」した自由な「主体」を前提としているが、それは強者の理屈であり、依存者や依存者をケアする人々を不自由な存在として排除している。そして、「自立」し「自律」した「主体」が交換や分配の正義を考える時、そこで想定されている人間は、暗黙の了解として、「男性」である。

　フェミニズム理論を源泉とするケアの倫理が批判する自律的な主体は、コラム❸で扱った「国民（主権）国家」と分かち難く結びついている（岡野 2012）。他者に依存しない、自律的で、自由意志を持つ主体は、国民国家を構成する理想的な市民像である。そして、そのような市民が「平等」と見なされる公的な政治的領域では、依存者や依存者をケアする人々は無視され、不可視となる（キテイ 2010）。では、そのような存在は私的な領域に押しやられてしまったのかというと、そうではなく、私的な領域が、個人が最も自由な領域として措定されることで、依存する存在や依存関係は、私的な領域からも排除されてしまうのである（岡野 2012）。

　実際は私たちの基本的なあり方であるにもかかわらず不可視化されてしまった、依存関係やケアに光を当てる場所・実践として岡野（2012）が着目するのが、「家族」である。確かに、家族には、国民国家の「装置」としての側面があり、そのようなものとしての家族は、性別役割分業を通じたジェンダー構築、異性愛主義の貫徹、市場経済が要請する労働力の再生産、未成年者の社会化・国民化といった役割を果たしてきた。他方で、家

族は、そもそも一人では生きていけない無力な存在として生まれてくる私たちが、自ら選択したわけではない他者によってまず迎えられ、応答され、身体性から発するニーズを充たされ、その中でコミュニケーション能力を獲得していきながら、人と人との間でこそ自己のアイデンティティが形成されることを（身をもって）経験する場でもある。

　このような、新しい人を無条件に受け入れ、他者の存在を願う家族の実践は、自立し、自律した自由な主体によって構成される公的な領域、そのような主体が最も自由であるとされる私的な領域の双方において忘却されてきた。しかし、そのような忘却を可能にする国民国家の檻から家族を解放することで、フェミニズム理論に定位するケアの倫理は、「一定の人々と共に、ある規範を共有しながら実践し、各人の営みを互いに支え合ってきたからこそ、その結果として人々の間に、社会的つながりが生まれる」という論理を掬い出し（岡野 2012）、ケアしケアされる関係を公的分野に取り入れることを目指すものである（キテイ 2010）。　　　　　　（榎本）

フェミニズムの視座から見た時、社会の始まりに位置づけられるのは、上に見たような近代的主体として所与とされる、それ自身で完結した「個人」ではなく、「放っておけばその生が維持できない、傷つきやすい、他者に依存しなければ生きていけない存在」である。そして、そこからは、「個人の脆さ、わたしたちの関係性の壊れやすさ、わたしたちを取り巻く世界や自然のはかなさをケアすることを巡る、実践や価値」に基づいた人間像が育まれる。

　このような思考の方法の源泉には、「ひとの身体性、予測不可能性、偶然性、他者性との対峙が常に要請されてきた母親業」がある。この「母親業」からくる「知」について、岡野は以下のように論じる。

　　　母親業という実践を通じて、（中略）自分とは別個の独立した、刻々と変化を遂げる他者の身体に積極的に関わるなかで、他者との境界との関わり方が学ばれていく。そして、その実践から生まれる知のあり方を特徴づけるのが、環境にさらされ、刻々と変化し、意志を超えたところに存在する身体の依存性／偶然性への注視から生まれた謙虚さであり、自らの能力の限界と他者の個別性に対する感受性である。その知の在り方は、主権国家の論理と対照的である。なぜならば、主権国家は、はっきりとした境界線の峻別、自他の領域の絶対的な不可侵性の論理によって、自己の内部における、他なるものや理解し得ないものを排除し、領土を固守するからである。

　さらに重要な点が、「ケア」は決して理想化された調和を意味するものではなく、そこには常に「軋轢」が存在していることである。また、この軋轢を完全に拭い去ることは不可能であり、むしろ、その「根絶を試みることは自他を滅ぼすこと」につながる。だからこそ、自他の間には常に「ケアの倫理」が要請されるのであり、そのような実践は、「他者からの否応ない呼びかけによって自己が翻弄され、時に圧倒的に弱い他者を圧殺してしまいそうな誘惑に駆られつつ、だからこそ強い倫理が課された実践」として理解される。

このような「ケアの倫理」をもとに、岡野は「主権国家」の論理による「安全保障」ではない「平和」を構想する。

　　　ケア実践においては、時には自らの存在を脅かすような他者に対してなお、非暴力的な応対を試みなければならない。そして、相手が圧倒的に無力であろうとも、支配するのでもなく、パターナリスティックに価値を押しつけるのでもなく、かといって相手の言いなりにもならず、注意と関心と労力を注ぎつつ、相手の存在が現れてくるのを歓待しようとすること、そうしたことを命じるケアの倫理の中に、わたしたちは平和論の鍵を見出せるのではないだろうか。

　さて、上記のような倫理を有するケア実践は紛れもなく「コミュニケーション」を通じて現実のものとなるが、「情報伝達」モデルでは、そのようなコミュニケーションのごくごく一部しか捉えることができないだろう。換言すれば、近代的主体としての「個人」の間で行われる合理的な「情報伝達」「意思疎通」を基盤とするのとは異なる形で「平和」を追求するアプローチを構想するためには、「情報伝達」とは異なる「コミュニケーション論（モデル）」が必要である。「個人の脆さ」「わたしたちの関係性の壊れやすさ」「わたしたちを取り巻く世界や自然のはかなさ」「ひとの身体性」「予測不可能性」「偶然性」「他者性との対峙」「相手の存在が現れてくるのを歓待しようとすること」「繕いの行為」といった、ケアの倫理の核心部分を構成する諸概念の居場所は、「情報伝達」モデルの中にはない。むしろ、決して終わることのない、生起する出来事とコンテクストとの間の相互作用として、最終決定性を欠いた「コンテクスト化」と「テクスト化」のプロセスとしてコミュニケーションを、そして、私たち自身や他者を理解する「出来事」モデルにおいて、それらは正当な位置を獲得することができるのではないか。

　以上、本節では、コミュニケーション・モデルが、あくまで原理的な説明モデルであり、コミュニケーションに関する価値判断を即座に導くものではないことを確認したうえで、敢えて一歩を踏み出した。「情報伝達」

モデルが、近代的主体としての「個人」、および、それを担保する「国民国家」との親和性が高い、それ自体に抑圧性を含み込んだコミュニケーション論であるならば、そこから（あるいは、そのようなコミュニケーション・モデルを前提とした「ことばの教育」から）「平和」を構想することは恐らく、原理的に困難である。しかし、そうではない、異なる形で「平和」を考えることも可能であり、そのための一つの方途が、「ケアの倫理」、そして、それとの親和性が高いコミュニケーション・モデルとしての「出来事」モデルを経由することではなかろうか。このことを踏まえて、次節、いよいよ「英語教育」という言葉を問う。

4. 「英語教育」はそもそも「平和」を拒む 思考の枠組みなのか？

　ここまで、三つのコミュニケーション・モデルを確認したうえで、特に「情報伝達」モデルと「出来事」モデルを取り上げ、それぞれがどのような人間観や社会のあり様との親和性を持つかを確認した。そのうえで、「ケアの倫理」と結びつけながら、この時代に「平和」を望む「ことばの教育」においてより寄り添うことができるモデルとして、「出来事」モデルを再認識した。

　このような視点（スタンス）から見た時、日本の「英語教育」とは一体、何なのだろうか。そして、この問いに一定の回答を与えたうえで、どのように「その先」を見据えることができるのだろうか。本節では、さらにこれらの点に切り込んでいく。

(1) 奇妙な類似？
　以下の五つのテクストに目を通してみてほしい。異なる時代に出されたものであるにもかかわらず、奇妙なほどに似た響きがする。

　　1) 時代に取り残されたくなければ、我々は内容豊かで、その勢力を拡大しているヨーロッパの言語を採用しなければならない。こ

のことの必要性は主に、日本が商業国であることから生じる。（中略）もし我々がアジア、および他の商業的世界で支配的である英国の言語のような言語を採用しなければ、日本の文明の発展は必然的に不可能である。

2）英語の実用的価値は如何と云ふに、英語を媒介として種々の知識感情を摂取することである。換言すれば欧米の新鮮にして健全な思想の潮流を汲んで我國民の脳裏に灌ぎ、二者相幇けて一種の活動素を養ふことである。

3）英語国民の家庭生活と社会生活のうちで、価値ある要素の理解と、また重要な部分が英語国民のなかで発達した全世界の国民の民主的遺産を理解させることによって、英語は社会的能力の発達に大なる寄与をすることができる。

　多くの職業、特に商業は、英語を習得しないでは不可能であり、英語が重要な程度にまで世界の商業語となったので、英語は職業的能力に寄与することができる。

4）経済・社会等のグローバル化が進展する中、子ども達が21世紀を生き抜くためには、国際的共通語となっている「英語」のコミュニケーション能力を身に付けることが必要であり、このことは、子ども達の将来のためにも、我が国の一層の発展のためにも非常に重要な課題となっている。

5）グローバル化が急速に進展する中で、外国語によるコミュニケーション能力は、これまでのように一部の業種や職種だけではなく、生涯にわたる様々な場面で必要とされることが想定され、その能力の向上が課題となっている。

それぞれ、いつ、どこ（誰）から発せられたものか、想像がつくだろうか。これらの出処は、次の通りである。

1）1872（明治5）年に森有礼がホイトニーに宛てて書いた手紙の中で、日本の言語として（簡易）英語を採用すべき理由（背景）を

述べた部分（森 1978 [1872], 英語原文拙訳）

2) 「英語教育」という言葉を生み出したとされる岡倉由三郎が、1911（明治44）年に上梓した『英語教育』において、英語の「実用的価値」を論じた部分

3) 1951（昭和26）年に改訂された「中学校・高等学校学習指導要領 外国語科英語編」の「一般目標」において論じられている、「中等教育の目標から派生しこれに統合されるものとしての英語教育課程の目標」の中の二つ（cf. 江利川 2018）

4) 2002（平成14）年に出された「『英語が使える日本人』の育成のための戦略構想の策定について」の趣旨冒頭 [8]

5) 2017・2018（平成29・30）年に改訂された学習指導要領の解説、「中学年の外国語活動の導入の趣旨」「外国語科導入の趣旨」（小学校 [9]）、「改訂の趣旨」（中学校 [10]・高等学校 [11]）冒頭

　この時代に「平和」を望む「ことばの教育」において、より寄り添うことができるモデルとして、また、「ケアの倫理」と結びついたコミュニケーション的価値観として、「出来事」モデルを再認識した視点から見た時、日本の「英語教育」とは一体、何なのか。この問題にアプローチする際、上に示した150年近いスパンにまたがるテクストに見られる奇妙な類似性の根源に着目することが有効であると思われる。

(2) 「英語教育」の可能性の条件とその帰結

　「国民国家」も「国語」も未だ前提とできなかった森有礼の時代以降、日本が「西洋」に範を求めて近代化を行ったことは周知の通りである。この時代は、「英学」「英語教授」の時代であり、「英語教育」という概念は未だ存在していなかった。特に学校において英語を教える・学ぶことが「英語教育」という枠組みの中に位置づけられるのは、2）の岡倉の時代以降であるが、岡倉が提唱した、学校における課業について語る言葉としての「英語教育」は、「『近代日本』という文化地政学的に特殊な時空間の中で創出された一つの『国民教育』実践のための一種の思想」、「『英語』と

いう『教科』によって、裏から『国語』を『強化』し、『国語』という思想を『国民』に『教化』するための『国民教育』を確立する」ための思想（言語イデオロギー）としての一面を有するものであったことを押さえておく必要がある（小林・音在 2009）。

　このことを踏まえたうえで、上に示したテクストの類似性を可能にしている基本的な枠組みは何か。苅谷（2019）の言葉を借りて言えば、それはまさしく、後発型近代化という事実、および、それに根を下ろした「キャッチアップ（追いつき）型近代化」という自己認識（そして、その喪失）から生み出される、先進的・優越的・普遍的外部（ヨーロッパ、英国、アメリカ、グローバル社会）と、その陰画として浮かび上がってくる「欠如態」としての内部（日本（人））、という構造である [12)]。

　「英語教育」においては、（それ以前、森が望んだ「文明」を含む）「新鮮にして健全な思想の潮流」や「民主的遺産」から、「英語が使える日本人」が活躍する舞台としての「グローバル化が（急速に）進展している」どこかに至るまで、一貫して、参照点は「外部」にある。一方、「内部」を特徴づけているのは、そのような要素が欠如した日本、それにふさわしい精神や能力が欠如している日本人である。そして、「欠如態」である日本や日本人は、英語を我が物にすることで、その欠如を克服し、ひいては、西洋に伍し、経済競争に勝ち、時代を生き抜くのである。

　このように理解すると、「英語教育」は「落ちこぼれ」（落伍者、排除される者）を構造的に必要としている。中村・峯村（2004）は、「国際化」→「英語を身につけること」→「英語を話せる人」→「国際人」という論理構造が、「非国際人」＝「英語が話せない人」＝「落第人間」＝「非国民」というイデオロギーによって裏から支えられていることを指摘している。

　加えて、ここには、「消去」の原理も働いていると思われる。Irvine & Gal（2000）は、言語の差異化が生じる際のプロセスとして、「アイコン化（iconization）」「フラクタルな再帰（fractal recursivity）」「消去（erasure）」という三つの段階を提示している。実際、このプロセスは、日本における「英語教育」にもよく当てはまる。まず、英語（国語）が近代・優・先進性の、日本語（方言）が前近代・劣・後進性のアイコンとなる（アイコン

化）。そして、「西洋 vs. 日本」と同様の（権力）関係が、「東京（都市）vs. 地方」、また「英語ができる日本人 vs. 英語ができない日本人」の間にも 措定され（フラクタルな再帰）、日本語や方言、英語ができない日本人が打 破・無視・軽視の対象となる（消去）、というプロセスである。さらに、 このプロセスは、日本国内における「日本人 vs. 日本人以外の人々」を生 み出し、ここから、日本国内における言語的多様性、日本に住む多様な言 語的アイデンティティを持った人々とのコミュニケーションも、消去され てしまう。

　「英語教育」は、日本や日本人を「欠如態」として名指し続け、客体化 し続けるとともに、日本国内に存在する多様な言語的アイデンティティを 消し去る構造を歴史的に内在化している、と言っても過言ではないのでは ないか。誤解を恐れずに強い言葉で言えば、特に明治期以降の日本の歴史 の中で、「ことばの教育」の一部が担わされた、「国家のいじめ装置」の役 割を体現したものが「英語教育」であるかのようである。「英語教育」の 枠内で、どれだけ戦争の悲惨さや異文化理解が語られようとも、ここに示 したような、「英語教育」そのものに内在する固定化された構造とその抑 圧性 [13] にメスを入れなければ、「平和」はその手をすり抜け続けてしま うのではないか。

（3）「英語教育」ではない英語の教育の可能性

　前項を通じて、私たちが何気なく使っている「英語教育」という言葉が、 明治期以降の日本の近代化プロセスの中から歴史的に出てきたこと、そし て、その背後には、日本や日本人を「欠如態」として名指し続け、客体化 し続けるとともに、日本国内に存在する多様な言語的アイデンティティを 消し去る構造があることを見た。

　この「構造」は、前節で触れたような「国民国家」という社会のあり方 とともにあるが、そのような構造の中で今日「整理」される「外国語によ るコミュニケーションにおける見方・考え方」は、以下の通りである。

　　　外国語で表現し伝え合うため、外国語やその背景にある文化を、

社会や世界、他者との関わりに着目して捉え、コミュニケーション
を行う目的・場面・状況等に応じて、情報や自分の考えなどを形成、
整理、再構築すること [14]

　ここにおいては、「文化」を「社会や世界、他者との関わり」（つまり、
コミュニケーション）に着目して捉える視点が確かにあるが、「形成、整理、
再構築」されるのは、「情報や自分の考え」であり、そのプロセスは「コ
ンテクスト」や「アイデンティティ」にまでは及んでいない。このことか
ら、直近の英語教育においても、「外国語によるコミュニケーションにお
ける見方・考え方」は、言語に関わる「コード」に、文化に関わる「コー
ド」を接ぎ木した類の「情報伝達」モデルを基盤としているように見える。
つまり、今日の日本の英語教育の根底には、未だ「情報伝達」モデルがあ
り、このことはすなわち、日本の英語教育が、「情報伝達」モデルが内包
する他者の抹消と標準化への志向性、抑圧性を今もなお原理的に抱えてい
ることを指し示している。
　日本における英語の教育をどうしていくのか、その判断は私たちの手に
委ねられているとともに、上に示したような「英語教育」の経路依存性に
よって「がんじがらめ」にもなっている。このことを認識したうえで、ど
のように「その先」を構想することができるのだろうか。
　一つの道として、小林（2010）は、「日本人が社会の秩序を保ちつつ常
に変化し続けるために、言語文化地政学の中ではある意味で非常に『有
効』に機能してきた開放系（動的・流動的）システム」として「英語教育」
を再評価したうえで、より高い付加価値をつけた新しい日本型「英語教
育」の再創出を目指すことを提起している。そこでは、（1）20 世紀の中
央集権型「英語教育」から 21 世紀の地方分権型の「英語教育」へモデル
チェンジし、また、（2）これまで他の外国語教育との関係性から切り離さ
れてきた「国語」教育を、他の外国語との関係性の中で理解される弾力的
な「日本語」教育へと開放して、（台頭する近代「中国語」を含む）隣接す
る外国語の文脈の中で「英語」教育も同時に再定義することが必要、とさ
れている。

このような道には大きな可能性があると思われるが、同時に、小林（2010）によって提示される道が、「あくまでもEnglishも国際コミュニケーション時代における言語文化地政学上の『リスク管理スキル』の一つとして捉える世界観を生徒の中に形成する」という見方、さらに言えば、「台頭する」パワーにまず対（順）応しながら、意志によって自己変容を統制するような見方を基盤としていることに留意したい。つまり、「英語教育」の核心にある基本構造は保存しつつ、それを今の時代に適応できる形にした時、「英語教育」の表面上の形が変わる、という発想である。しかし、そもそもそのような発想で良いのか、と問うことができる。

　小林の見方は現実的といえば現実的で、そのような視座を完全に欠いてしまうことには相応の問題があることは否めないだろう。それでも筆者は、地政学上の「リスク管理」として「英語教育」がアップデートされることよりも、前節で示した「個人の脆さ」「わたしたちの関係性の壊れやすさ」「わたしたちを取り巻く世界や自然のはかなさ」「ひとの身体性」「予測不可能性」「偶然性」「他者性との対峙」「相手の存在が現れてくるのを歓待しようとすること」「繕いの行為」を基盤とする「ケアの倫理」、そして、それを支えるコミュニケーション論としての「出来事」モデルを通じた、「英語教育」の奥深くにある基本構造の溶解に、「平和」へつながる英語の教育の「あり得る」道の希望を賭けたい。地域に住む日本語を第一言語としない人々の言葉、手話や点字も含めた、もっと私たちの近くにいるはずの他者との関係を繕うところから始まっていく「ことばの教育」の中に、英語の教育を、その一部に過ぎないものとして位置づけることはきっと、不可能ではない[15]。「コミュニケーション論」を一定の視点（ケアの倫理）に結びつけたところから「ことばの教育と平和」を考える時、日本における英語の教育はいつまで「英語教育」を司っているオペレーティングシステムを保持しなければならないのか、というこれまで全く不問に付されてきた問いが確かに、くっきりと浮き彫りになってくる。ここが、本稿が指し示す端緒である。

5. おわりに：再帰的反省を推進力にして

　ここまで、「英語教育」は日本における「ことばの教育」が歴史の中で纏った一つの姿に過ぎないとする（つまり、「英語教育」を所与としない）構えをまず定め、「コミュニケーション論（モデル）」、特に「出来事」モデルに寄り添いながら、それが「ケアの倫理」を通じて「平和」とつながることを導き出し、その視座をもって、「英語教育」という言葉を、それを可能にしている構造にまで踏み込んで、問い直した。本稿は「問い」を導く試論であり、実証性に乏しい部分は否めない。「英語教育」（の核心にある基本原理）によるのではない英語の教育は実際にどのように可能なのか、またそれは既存の枠組み・体制に問いを投げかけるだけでなく、どのように実質的に働きかけることができるのか、そこにはどのような限界があるのか、経験的に、実証的に検証していく必要がある[16]。この点を含めた本稿の議論をすべて踏まえ、以下のことを結びとして書き残しておきたい。

　「出来事」モデルから導かれる通り、本稿自体が、紛れもなくコミュニケーション過程の一部である。そうである限り、ここでの試みが一定のコンテクスト的制約を受けていること、一定のリアリティを持ちながら特定の時代、社会・文化の中で生きている者の業であることを、どうしても認めざるを得ない。

　小山（2011）は、イデオロギーを分析の対象とするイデオロギー論について、「もしイデオロギーというものが、意識的な信条、言説、理論であると定義されるならば、当然、イデオロギー論も、また、イデオロギーである、イデオロギーに過ぎない、というテーゼを認める必要があることは明らかだろう」と論じている。このような視座は、「自分は一体、批判的な言葉をどこから発しているのか」「自分が行っている批判は、自分が必ずしも与しない思想やイデオロギーと実は深いところでつながっている（実は基盤を共有している）のではないか」といった、自分自身に向かってくる問いを容赦なく突きつける。

　こうした「再帰的反省」は、「批判的応用言語学（critical applied linguistics)」においても重要な位置づけにある。Pennycook（2001）は、常に懐疑的な態度を保ち、「所与」を絶えず問題化する姿勢を保持する必要があるならば、そのような問題化のスタンスは、自らに対しても向けられねばならない、としている。すなわち、（たとえ私たちの思考や実践が何らかの参照点から始まることしかできないとしても）自らの正しさを保証されたものとみなしたり自らを権威化したりすることなく、謙虚さと差異への感覚をもって自らの知の限界を見据え、今の現実に取って代わるような（あるべき）新たな現実よりもむしろ、新たな問いを示し続けていく営為が、「批判的」でいることの重要な一部を成しているといえる（同上）[17]。もう少し一般化してさらに筆者なりに言えば、批判は自らが批判の対象となることを特権的に免れるものではない。むしろ、私たちが、自身の思考や実践に「批判的（クリティカル）」という言葉を当てることに安住し、自らの批判的思考や批判的実践そのものを可能にしているコンテクストに対する批判的反省を欠いた時、まさにその時、私たちの批判が、批判したはずの対象の基盤をさらに強固にしてしまうこともあるのではないか。

　私たちが「平和」という言葉で想い描くこと（希望）に働きかけるための方法はきっと、色々とあるのだろう。日本の英語教育のコンテクストの中からこのことを目指す際の出発点は、（1）「英語教育」という言葉を思考の枠組みとしてまず捉え、そのうえで、（2）それがそれ自身の出現を可能にした歴史的・社会的構造との親和性を示す限り、私たちがその言葉を無批判に使いながら（特に学校教育における）英語の教育を語る時には、そのような構造が暗黙の裡に呼び込まれ、さらに、そのような構造は「平和」を原理的に拒むものであるかもしれない、ということに気づくことではなかろうか。

　もちろん、「英語教育」という言葉に働きかけ、その内容を概念的に組み替えたとしても、それが既存の英語教育の複雑で多層的な問題を一気に解決することなどあり得ない。また、仮に本稿で試みたことに理があり、それを（一部）基盤として何らかの「ことばの教育」が計画・実施されたとしても、それが教育の場におけるコミュニケーションやその社会的帰結を完全にコントロールできるものではないことは、「出来事」モデルに依

拠した研究を通じて、筆者自身が身をもって知るところである（榎本 2019）。

　それでも、本書所収の論考の著者たちによってまさに行われているような実践を「その場（人）限り」にせず、それを様々な人と共有したり、後世に伝えたり、はたまた、そのエッセンスを理念・方針・政策などのよりマクロなレベルに引き上げたり、ひいては、既存の学問の枠組みに挑戦するものにするためには、抽象的な言葉の多様性が必要であると筆者は強く考える。

　日本において、「平和」を望む英語の教育は、「英語教育」の中でどのように可能／不可能なのか、理論・理念（抽象）と実践（具体）の両側から、様々な領域で、「再帰的反省」とともに考え始め、考え続けよう。

注

1）当然ながら、「英語教育」という言葉を使用するのか、しないのか、といった（表面的な）「言葉狩り」が目的ではない。この言葉を（特に学校教育のコンテクストにおいて）使った時、どのようなことが暗黙裡に前提とされ、どのような「語り方」や「発想」が纏わりついてくるのか、そして、そのことをひとたび認識してもなお、私たちは「英語教育」という言葉に何の違和感も覚えず、それを無批判に使用し続けることに満足するのか、この点を問いたい。
2）ここでいう「直接」は、「人づてにではなく」ということではなく、「（言語、表情、ジェスチャーなどの）いかなる経験的媒体にもよらずに」という意味である。
3）したがって、「六機能」モデルは、すぐれて語用論的なモデルである。
4）"Ike" は、アイゼンハワー元アメリカ合衆国大統領の愛称。
5）谷川俊太郎「かっぱ」より。
6）もちろん、解釈の社会・文化的パターンを特定することは可能である。
7）紙幅の都合上、次節につながる要点を押さえた形で説明したが、「出来事」モデルに関するより詳細な解説については、榎本（2019）や小山（2008, 2012）を、このようなコミュニケーション論をベースとした具体的な言語・コミュニケーション的事象の分析については、Agha（2007）、浅井（2017）、Wortham & Reyes（2021）などを参照されたい。また、「出来事」モデルとも親和性が高い、哲学、社会学、心理学における言語・コミュニケーション論については、西口（2020）などを参照。
8）https://www.mext.go.jp/b_menu/shingi/chousa/shotou/020/sesaku/020702.htm
9）https://www.mext.go.jp/component/a_menu/education/micro_detail/__icsFiles/afieldfile/2019/03/18/1387017_011.pdf

10) https://www.mext.go.jp/content/20210531-mxt_kyoiku01-100002608_010.pdf

11) https://www.mext.go.jp/content/1407073_09_1_2.pdf

12) 大谷（2007）が示す「40 年周期の往復運動」も、この構造の中での動きとして理解できる。

13) 仲（2021）が指摘する、「教授法」の中に潜んでいる排除の原理にも注意が必要である。

14) 2016（平成 28）年 12 月 21 日 中央教育審議会「幼稚園、小学校、中学校、高等学校及び特別支援学校の学習指導要領等の改善及び必要な方策等について（答申）」https://www.mext.go.jp/b_menu/shingi/chukyo/chukyo0/toushin/__icsFiles/afieldfile/2017/01/10/1380902_0.pdf

15) 基本的な認識の出発点を提供するものとして、福永（2020）、野沢・田中（2021）などの論集がある。

16) さらに、本稿で示した「英語教育」の基本構造に対する異議申し立てを日本の英語教育の中から歴史的に特定しながら、苅谷（2019）が言う「内部の参照点」を帰納的に掬い出していく作業も不可欠である。

17) ここに引用した言葉がある Pennycook（2001）のセクションは、"Self-reflexivity"（自己再帰性）と題されている。加えて、小山（2008）による下記の言葉も重要である。「現在の文化人類学や言語人類学」という学問分野が名指しされているが、本稿のコンテクストに即せば、そこには「社会言語学」や「（批判的）応用言語学」も入ってくるだろう。

> 学問が、その研究対象の世界の中に吸い込まれ、批判的な距離（超越論的理念）を失う時、その学問は現下の体制の一部となっているのであり、現状を超えていく力を失う。新自由主義やグローバリゼーションを批判する一方で、アイデンティティ・ポリティクス、ローカリゼーション、脱ナショナリズムを賞賛する傾向の強い現在の文化人類学や言語人類学は、これらのプロセスの相互依存性、相互関与性を、より明瞭に認識し、これらの過程が全体としてどこに向かっているのかを突き放して観察・分析できるような、批判的な（超越論的な）視座、理論的枠組を獲得するよう、より真剣に試みるべきではあるだろう。

参考文献

浅井優一（2017）『儀礼のセミオティクス――メラネシア・フィジーにおける神話／詩的テクストの言語人類学的研究』三元社.

ウィリアムズ, R.（2011）『完訳 キーワード辞典』（椎名美智・武田ちあき・越智博美・松井優子 訳）平凡社.［原著 = Williams, R. (1983) *Keywords: A vocabulary of culture and society* (Revised version). HarperCollins.］

榎本剛士（2019）『学校英語教育のコミュニケーション論――「教室で英語を学ぶ」ことの教育言語人類学試論』大阪大学出版会.

江利川春雄（2018）『日本の外国語教育政策史』ひつじ書房.

大谷泰照（2007）『日本人にとって英語とは何か──異文化理解のあり方を問う』大修館書店.

岡倉由三郎（1911）『英語教育』博文館.

岡野八代（2012）『フェミニズムの政治学──ケアの倫理をグローバル社会へ』みすず書房.

萱野稔人（2005）『国家とは何か』以文社.

苅谷剛彦（2019）『追いついた近代 消えた近代──戦後日本の自己像と教育』岩波書店.

キテイ，E. F.（2010）『愛の労働あるいは依存とケアの正義論』（岡野八代・牟田和恵 監訳，佐藤靜・山本千晶・金友子・久保田裕之他 訳）白澤社.［原著 = Kittay, E. F. (1999) *Love's labor: Essays on women, equality, and dependency*. Routledge.］

小林敏宏（2010）「言語文化地政学の中に見る日本型『英語教育』のかたち」『人文・自然・人間科学研究』23：94-118.

小林敏宏・音在謙介（2009）「『英語教育』という思想──『英学』パラダイム転換期の国民的言語文化の形成」『人文・自然・人間科学研究』21：23-51.

小山亘（2008）『記号の系譜──社会記号論系言語人類学の射程』三元社.

小山亘（2011）『近代言語イデオロギー論──記号の地政とメタ・コミュニケーションの社会史』三元社.

小山亘（2012）『コミュニケーション論のまなざし』三元社.

佐藤慎司・ドーア根理子（編）（2008）『文化、ことば、教育──日本語／日本の教育の「標準」を越えて』明石書店.

佐藤慎司・村田晶子（編）（2018）『人類学・社会学的視点からみた過去、現在、未来のことばの教育──言語と言語教育イデオロギー』三元社.

佐野直子（2012）「すべての言語は平等である。しかしある言語は、ほかの言語よりさらに平等である──ヨーロッパの『多言語状況／多言語主義（Multilingualism）』と少数言語」砂野幸稔（編）『多言語主義再考──多言語状況の比較研究』pp.50-83、三元社.

下絵津子（2022）『多言語教育に揺れる近代日本──「一外国語主義」浸透の歴史』東信堂.

砂野幸稔（2012）「多言語主義再考」砂野幸稔（編）『多言語主義再考──多言語状況の比較研究』pp.11-48、三元社.

寺沢拓敬（2014）『「なんで英語やるの？」の戦後史──《国民教育》としての英語、その伝統の成立過程』研究社.

徳永哲也（2021）『正義とケアの現代哲学──プラグマティズムから正義論、ケア倫理へ』晃洋書房.

仲潔（2021）「英語教授法をめぐる言説に内在する権力性」柿原武史・仲潔・布尾勝一郎・山下仁（編）『対抗する言語──日常生活に潜む言語の危うさを暴く』pp.239-272、三元社.

中村敬・峯村勝（2004）『幻の英語教材――英語教科書、その政治性と題材論』三元社.

西川長夫（1995）「序 日本型国民国家の形成――比較史的観点から」西川長夫・松宮秀治（編）『幕末・明治期の国民国家形成と文化変容』pp.3-42、新曜社.

西川長夫（2001）『［増補］国境の越え方――国民国家論序説』平凡社.

西口光一（2020）『第二言語教育のためのことば学――人文・社会科学から読み解く対話的な言語観』福村出版.

野沢恵美子・田中富士美（編著）杉野俊子（監修）（2021）『「つながる」ための言語教育――アフターコロナのことばと社会』明石書店.

福永由佳（編）（2020）『顕在化する多言語社会日本――多言語状況の的確な把握と理解のために』三元社.

森有礼（1978 [1872]）「ホイトニー宛書翰」川澄哲夫（編）・鈴木孝夫（監修）『資料日本英学史2――英語教育論争史』pp.47-51、大修館書店.

安田敏朗（1999）『〈国語〉と〈方言〉のあいだ――言語構築の政治学』人文書院.

Agha, A. (2007). *Language and social relations.* Cambridge University Press.

Atkinson, D. (Ed.). (2011). *Alternative approaches to second language acquisition.* Routledge.

Bauman, R., & Briggs, C. L. (1990). Poetics and performance as critical perspectives on language and social life. *Annual Review of Anthropology, 19,* 59-88.

Bauman, R., & Briggs, C. L. (2003). *Voices of modernity: Language ideologies and the politics of inequality.* Cambridge University Press.

Block, D. (2003). *The social turn in second language acquisition.* Georgetown University Press.

Duranti, A. (1997). *Linguistic anthropology.* Cambridge University Press.

Gilligan, C. (1982). *In a different voice: Psychological theory and women's development.* Harvard University Press.

Gumperz, J. J., & Hymes, D. (Eds.). (1986/1972). *Directions in sociolinguistics: The ethnography of communication.* Basil Blackwell.

Heath, S. B. (1983). *Ways with words: Language, life, and work in communities and classrooms.* Cambridge University Press.

Hymes, D. (1964). Introduction: Toward ethnographies of communication. *American Anthropologist, 66*(6), 1-34.

Hymes, D. (1974). *Foundations in sociolinguistics: An ethnographic approach.* University of Pennsylvania Press.

Hymes, D. (1986/1972). Models of the interaction of language and social life. In J. J. Gumperz & D. Hymes (Eds.), *Directions in sociolinguistics: The ethnography of communication* (pp. 35-71). Basil Blackwell.

Irvine, J. T., & Gal, S. (2000). Language ideology and linguistic differentiation. In P. V. Kroskrity (Ed.), *Regimes of language: Ideologies, polities, and identities* (pp. 35-84).

School of American Research Press.

Jakobson, R. (1960). Closing statement: Linguistics and poetics. In T. A. Sebeok (Ed.), *Style in language* (pp. 350-377). MIT Press.

Kramsch, C. (1993). *Context and culture in language learning*. Oxford University Press.

Noddings, N. (1984). *Caring: A feminine approach to ethics and moral education*. University of California Press.

Pennycook, A. (2001). *Critical applied linguistics: A critical introduction*. Lawrence Erlbaum Associates.

Reddy, M. J. (1979). The conduit metaphor: A case of frame conflict in our language about language. In A. Ortony (Ed.), *Metaphor and thought* (pp. 284-310). Cambridge University Press.

Schieffelin, B. B., & Ochs, E. (Eds.). (1986). *Language socialization across cultures*. Cambridge University Press.

Silverstein, M. (1976). Shifters, linguistic categories, and cultural description. In K. Basso, & H. A. Selby (Eds.), *Meaning in anthropology* (pp. 11-55). University of New Mexico Press.

Silverstein, M. (1992). The indeterminacy of contextualization: When is enough enough? In A. Di Luzio, & P. Auer (Eds.), *The contextualization of language* (pp. 55-76). John Benjamins.

Silverstein, M. (1993). Metapragmatic discourse and metapragmatic function. In J. A. Lucy (Ed.), *Reflexive language: Reported speech and metapragmatics* (pp. 33-58). Cambridge University Press.

Silverstein, M., & Urban, G. (1996). The natural history of discourse. In M. Silverstein & G. Urban (Eds.), *Natural histories of discourse* (pp. 1-17). The University of Chicago Press.

Wortham, S., & Reyes, A. (2021). *Discourse analysis beyond the speech event* (2nd ed.). Routledge.

第2部

「ことばの教育と平和」取り組む編

第4章

自らのコミュニケーションを振り返り、他者にかかわる

Facebook による日米大学生の交流実践

嶋津百代・佐藤慎司

＿＿一番伝えたいこと＿＿

　この章で一番伝えたいことは、コミュニケーションの複層性、そして、その面白さと難しさです。多くの方は経験上そのことをわかっていると思うのですが、外国語教育になると、語彙や表現を覚え、それが正確に使えるようになれば、コミュニケーションがスムーズにできるというビリーフがあるような気がします。この章ではさまざまな外国語学習・教育にまつわるビリーフを考え、もう一度コミュニケーションという活動を見つめ直したいと思います。

なぜこのような実践・研究をしようと思ったか

　最近、ヘイトクライムや誹謗中傷などのような、あからさまに不寛容な、あるいはマイクロアグレッションのような気づきにくい形でのことばの「暴力」が問題になっています。私たちはことばのクラスを担当しているので、そのようなことが起こるのが残念でなりません。自分たちのことばの使い方、その多様な解釈の可能性、そして、自分のことばの使い方が相手や社会に与える影響などを学生たちと考えてみたいと思い、このような実践を始めました。

1. はじめに

　「平和」は「1）戦争や紛争がなく、世の中がおだやかな状態にあること、2）心配やもめごとがなく、おだやかなこと、また、そのさま」と定義されている（広辞苑）。この２つの定義は次元が異なっているようにみえるが、両者は相互に関連づけられている。つまり、戦争や紛争がなく世の中がおだやかな状態の基盤となっているのが、日常の心配やもめごとのないおだやかな状態であると言える。

　本章は、コミュニケーションにおける「心配やもめごとのないおだやかな状態」に注目する。そこでまず、いくつか問いを提起したい。例えば、少人数のグループで課題達成に向けて活動を行っている際に、「心配やもめごとがなく、おだやかな」状態とは、どのような状態なのか。「心配やもめごとがなく、おだやかな」状態であれば、コミュニケーションがうまくいっていると言えるのだろうか。仮にコミュニケーション上の問題を感じたとして、自分以外のグループメンバーもその問題を認識しているのだろうか。だれも認識していないのであれば、それはなぜだろう。そもそも、コミュニケーションがうまくいっているというのは、どのような状態なのだろうか。そして、だれがどのように「これが良いコミュニケーションである」と決めるのか。このようなコミュニケーションに関するさまざまな疑問は、自らのコミュニケーションを振り返りながら相手とかかわっていく活動では、繰り返し問われることになる。

　こうした問いへの答えを探るべく、本章では、アメリカの大学の日本語初級クラスの学生と日本の大学で日本語教師養成関連の科目を受講している学生がFacebookを用いて行った交流活動を取り上げ、ことばの教育におけるコミュニケーションについて考察する。オンラインを活用した国際交流活動は、活動での共通言語が学習者のために設定されることがよくあるが、本章では、特に共通言語の母語話者である日本の大学生の視点から、オンラインの交流実践におけるコミュニケーション観を明らかにすることで、国際交流活動のあり方について提言する。

2. ことば・文化の教育と平和に関する研究

2.1 多文化共生と異文化理解

　ことばの教育と「心配やもめごとがなく、おだやかな」状態である「平和」の関連性を考えるには、「多文化共生」の枠組みが1つの切り口になりえるだろう。ことばの教育と「多文化共生」に関しては、これまでさまざまな議論がなされている（宇都宮他 2016）。それらの議論では、「マジョリティが教え、マイノリティが学ぶ」、「ネイティブからノンネイティブが学ぶ」といった二項対立的な発想の問題点、また、「困っている可哀想な外国人」を助けるという発想に基づく外国人支援の問題点が挙げられている。

　これらの問題点に関連するのが、「やさしい日本語」（庵他 2011）である。安田（2013）は「やさしい日本語」を批判的に検討する論考をまとめた上で、日本では「多文化共生」が望まれているが、「多言語社会」については語られることがないことを指摘している。安田は、庄司（2012）の「日本語能力、識字能力の欠損を頭から負とみなし、すべての移民への識字教育を唯一の選択肢とすることの是非と、その効果もかんがえる必要があろう」（p.19）という観点を引用し、日本における日本語優位社会の持つ構造を問題視している。そして、具体的な「多言語状況」を把握して、どのような日本語（例えば、ローマ字書きにする、漢字を増やすなど）が必要とされているのか（あるいは、いないのか）を見極めることも必要であると述べている。

　しかしながら、具体的な「多言語状況」を把握して、コミュニティごとにバージョンの異なる「やさしい日本語」を創り出したとしても、どのコミュニティにでも使用できる実体としての「やさしい日本語」を創り出すことは不可能であろう。また、そもそもことばは相手にやさしく、わかりやすくあって当然だとすれば、わざわざ「やさしい」と断らなければいけない理由も明瞭ではない。この「やさしい日本語」の議論の中で、安田は、日本語を「やさしく」しても、日本に住むだれもが使用しなければ「やさしい日本語」の存在意義はなく、それは配慮という名の差別であると主張

している。そうだとすれば、一体だれが「やさしい日本語」を必要としているのだろうか。佐藤（2017）も問題提起しているように、「日本語能力、識字能力が欠損している」外国人は社会に同化されるべき存在なのか、社会を創るのはだれなのか、社会とはだれにとってのだれのためのだれによる社会なのかという問いを改めて考える必要があろう。

　異文化理解に関しては、国籍や言語が異なる者同士のコミュニケーションによる理解だけでなく、性別・社会階級・人種・世代が異なる人、障害や病気を持つと考えられている人、マイノリティと呼ばれる人、自分とは異なる背景を持つ人、信条や立場が異なる人など、あらゆる「他者」とのコミュニケーションによる理解として捉えられよう。しかし、そもそも異文化という発想で捉えることの問題点、すなわち、明確な境界枠を持った異なる文化の存在を認めることの問題点を、佐藤・熊谷（2013）が指摘している。佐藤らは、文化を単位としてどう捉えるかに注力することよりも、言語使用の場に参加する者がお互いを尊重し合い、新たな「第三の空間（the third space）」（Bhabha 1990）のような時空間で、自分や相手の位置取りをしていくことの方が大切であることを主張している。

　多文化共生と平和の関係を考えるのに、ここで「平和」の定義を再度さらっておきたい。「日常の心配やもめごとがないおだやかな状態である」というように、「平和」を「状態」として捉える場合と、序章でも取り上げられている「他者とともに生きられる関係性を作っていくこと」（小田・関 2016）というように「過程」と捉える場合がある。そのような定義づけを説明する中で、小田・関（2016）は、ここで言う「ともに生きられる」には、友好関係だけでなく打算的な利害関係も含まれていることを指摘している。そして、「人々はいかに『平和している』のか」を考える「平和生成論」の基本的な問いには、「平和の原因や条件は何か」「その平和の実践で活用される資源にはどのようなものがあり、それらはいかに用いられているのか」「いかに人々の平和の能力とその条件を活性化することができるのか」などを挙げている。この小田・関（2016）では、戦争や紛争が起こっている、あるいは、起こっていた地域のフィールドでの様子が人類学的視点から報告されている。しかしながら、そのような戦争・紛

争地域だけでなく、日常の草の根的な現実の誤解やすれ違いをミクロ的視点で分析し、そのような実践で活用される資源にはどのようなものがあり、それらはいかに用いられているのか、いかに人々の「平和の能力」とその条件を活性化することができるのかを考察していくことも、平和を考えていく上では大切なことであろう。

2.2 平和とことばの教育に関連した概念

　平和の1つの定義である「ともに生きられる」ことに関連して、熊谷・佐藤（2021）は、ウェルフェア・リングイスティクスと生態学的視点からことばの教育を捉え直している。ウェルフェア・リングイスティクスは徳川（1999）の作った造語であり、「『人々の幸せにつながる』『社会の役にたつ』『社会の福利に資する』言語コミュニケーション研究」と定義されている（p.90）。ここで大切なことは、「だれが何をもって『幸せ』を決められるのか」「だれがだれのどんな行為を社会の役にたつ、もしくは社会の福利に資していると決めることができるのか」などの問いに関して考えていくことである。さらに言えば、どのような研究や教育実践がどのように「人々の幸せ」「社会の役にたつ」「社会の福利」といった概念自体を変えることができるのかについても考えていくことである（尾辻・熊谷・佐藤 2021）。

　ハインリッヒ（2021）は、ウェルフェア・リングイスティクスを「ことばを教えることによる、社会の変化に取り組むアプローチ」であると定義している。具体的には、「(1) コミュニケーションに対する抑圧と排除を起こす社会構造、制度、慣行を識別し、(2) 抑圧、排除されたグループと個人に力を与えるために、(3) 抑圧と排除に対処する方法を促進し、(4) 最大限の社会言語的福祉と個人的な幸福をもたらすために (5) 第二言語学習と第二言語使用の新しい実践を促進するアプローチ」(p.27) であるとしている。さらに、ウェルフェア・リングイスティクスは、「強者（支配的な話者）がかれらの優勢を再生産することをやめさせるアプローチ」であり、そうすることで「弱者（支配される話者、言語学習者）だけでなく、強者を含む社会全体が利益を得ることができる」(p.33) アプローチである

ことを強調している。

　宇都宮（2021）は、生態学の観点からことばと環境に関する相互作用を分析し、現行のことばの教育が抱える課題を指摘している。特に、ことばにまつわる事象が流動的に変容し、それらが互いに密接な関係を維持していることを議論している。例えば、「社会」という存在を固定化し、一方的に社会への適応を強要したり、ネイティブスピーカーを規範とした言語能力を身につけることを目標としたりする言語教育は、ことばがあたかも環境から独立して存在しているかのように捉えているとし、そのようなアプローチは生態系（ことばと環境、学習者と環境などの相互作用）を考慮していないと主張する。そして、さまざまな意味や価値、基準や規範を流動的に捉え、「マイノリティ」を等閑視しない生態学的観点に則ったことばの教育を提唱する。それは、さまざまな要素を相互的に捉え、学習者に向けて学習の内容や方法を一方的に押しつけるのではなく、個々人の目的や状況をしっかり考慮することで、多様性を重要視し、均衡性を保ち、そして、持続可能性のあることばの教育であるとする。

　このような視点からことばの教育を捉えた場合、それらが私たちに強く提案していることは、従来当然視されていること（例えば、規範、言語能力といった概念など）を疑問視・問題化すること、言語の枠や規範を流動的に捉えること、「マイノリティ」「弱者」のエンパワーを目指すことで社会的公正（social justice）をことばの教育の重要な側面としてみるということではないだろうか。安田（2013）も指摘しているように、「外国人にとって住みやすい社会は日本人にとっても住みやすく、逆に、外国人にとって住みにくい社会は、日本人にとっても（いずれ）住みにくい社会になる」（p.339）とも言える。ともに生きるためには社会的公正という視点は欠かせないのである。

　社会的公正とことばの教育の関係をより具体的に考えていくには、「トランスランゲージング」（Garcia & Li Wei 2014）の議論を押さえておく必要がある（熊谷・佐藤 2021）。外国語教室の活動では、学習した項目を用いて、可能な限り学習言語だけで目的を遂行することを学習者に求める傾向にある。一方、教室外のコミュニケーションにおいては、言語使用者は

コミュニケーションの目的を達成するために、その言語に関する知識をどの程度持っているかは関係なく、利用可能なあらゆる言語資源を用いる。つまり、「多言語話者」がどの言語を用いて（あるいは混ぜて）どうコミュニケーションしていくかは、双方の持つ資源（言語資源、言語レベル、漢字の知識など）、様々な文化的知識、コミュニケーションの目的などによる（久保田 2018; 佐藤・佐伯 2017; Jørgensen et al. 2011; Pennycook & Otsuji 2015）。

　ただ、外国語教育においては、双方の持つ資源を積極的に用いるよう促すことはあっても、複数の言語を混合させて用いることはよしとされない場合が多い。結果として、学習言語を使った教室外でのコミュニケーション活動は、ある程度学習言語ができる中級レベルまで待つことになる。Tollefson（2007）は、第二言語の教室内では「目標言語のみの使用」「標準語の使用」「母語話者言語の使用」などに教育的価値を置く指導がこれまで行われてきていることを問題視している。第二言語教育の場の多くは、それ以外の言語使用を認めず、学習者の言語の多様性を排除するイデオロギーが潜んでいることが報告されており、日本語教育においても同様の指摘がすでになされている（嶋津 2021; 義永 2021）。

　Garcia & Li Wei（2014）も論じているように、トランスランゲージングは、2つの異なる言語に関することでも、異なる言語実践を統合することでも、言語のハイブリッドな混合体のことでもない。むしろ、トランスランゲージングにおいて大切なことは、多様な言語使用が行える「多言語話者」のコミュニケーションの複層性を目にみえるものにし、近代に生まれた固定的な国家・民族・言語観（例えば「日本＝日本人＝日本語」など）を問題視することである。つまり、ウェルフェア・リングイスティクスや生態学的視点が私たちに示してくれているように、トランスランゲージングも同様に、これまで当然視されてきた言語能力や言語話者の概念自体を疑問視し、言語の枠や規範を流動的に捉えるものである。そして、ウェルフェア・リングイスティクス、生態学的視点、トランスランゲージング理論のどれもが強調しているのは、先述の「第三の空間」と呼ばれるような場で「マイノリティ」「弱者」のエンパワーメントを目指すことを通して、社会的公正を実現していくことである。そこで用いられることばは、実体

を伴うような（そして同時に差別の対象ともなりうるような）「やさしい日本語」ではないが、人々にやさしいことばであることに疑いはない。このようにみた場合、トランスランゲージングとは、新しいランゲージング（動的な言語行動）の現実であり、新しい生き方である。それは、人々が異なる社会的、文化的、政治的文脈で主体的に言語行動を行い、新しい社会現実に自らの「声」を与えることでもある（Garcia & Li Wei 2014）。

　また、テレコラボレーションの分野においても、同様の問題が指摘されている。ほとんどのテレコラボレーションの実践は、議論を呼ぶテーマや難しいトピックは避ける傾向にあり、どちらかと言えば、つながる可能性の少ない学習者たちがコンピュータを媒介にコミュニケーションを行っただけというものが多かった。つまり、批判的な分析や議論の深まりなどはなく、単に情報交換をしたり、表面的な意見交換をしたりするだけの活動に終わることが多い。O'Dowd（2016）は、そのような問題を乗り越えるために「クリティカル・テレコラボレーション」を推奨している。「クリティカル・テレコラボレーション」における活動では、その教育の可能性を最大限に引き出すために、言語コミュニケーション教育の元来の目的であった「物事を批判的に分析し、かかわり、未来を創っていく」という視点を取り戻すことが必要であると主張している。

　先述のウェルフェア・リングイスティクス、生態学的視点、トランスランゲージング理論に基づくことばの教育のビジョンを持つ場合、「多様性」が鍵となる。言語教育者が考えていかなければならないことは、第二言語の教室内だけでなく、どこにでも存在している多様性を排除するのか、積極的に向き合っていくのか、向き合うとしたらどのように向き合うのかといった点である。そのためには、学習者を巻き込んだ教育実践において、未来の人々の言語観や言語教育観の形成に深くかかわっていることを再度認識し、教育実践を行っていく必要があるだろう。

　以上のような、これまでの先行研究における議論を踏まえ、本章では、学習者は学習言語以外にもさまざまな資源を持つ多言語話者であると捉え、この理念に基づいて設計した交流実践を報告する。この実践では、日本語を「正しく」使うことだけにとらわれず、双方の持つ資源やさまざまな文

化的知識、コミュニケーションの目的などによって適切だと考えられる「第三の空間」でのコミュニケーションを模索していけるような機会を提供している。本研究では、この実践の中で「平和」、つまり「心配やもめごとがなく、おだやかな」状態を生み出すための原因や条件は何か、その平和の実践で活用される資源にはどのようなものがあり、それらはいかに用いられているのか、教育活動の中でいかに人々の平和の能力とその条件を活性化することができるのかなどについて、友好関係だけでなく打算的な利害関係も含めて考える。そして、自らのコミュニケーションの振り返り、他者へのかかわりの意義、平和との関係を再確認したい。

3. 日米大学生による交流実践：Facebook を用いた コミュニケーション

3.1 日本語初級学習者と「日本語教育演習」受講生による活動の概要

　筆者らが設計した交流実践の活動は、2017 年秋学期、アメリカの大学の日本語初級クラスの学生 54 名と、日本の大学で日本語教師養成関連科目（日本語教育演習）を受講している学生 39 名が Facebook を用いて行ったのが最初である。それ以来、毎年秋学期に両大学の学生による共同プロジェクトを続けている。

　本章で取り上げる 2017 年の交流実践は、学期前半と後半で異なる活動を取り入れてデザインした。学期前半の活動は、以下の手順で行った。

1. 各大学からの学生 2 〜 3 名による、計 4 〜 5 名のグループを作る。
2. 各々の大学の授業で、Facebook で最初に自己紹介する際に気をつけることを考える。アメリカの大学生は、日本語クラス全体の Facebook に、自分の考えを投稿する。
3. さらにアメリカの大学の学生は、クラスメイトの投稿をいくつか読んで振り返りを行った後、日本の大学生との Facebook グループに自己紹介を投稿する。
4. Facebook グループ内で交流を開始し、双方の大学の学生の共通

点（専攻・学年・趣味など）を見つける。

5. アメリカの大学の学生は、Facebookの他のグループのコミュニケーションの仕方をみて自分のコミュニケーションを振り返り、クラス全体のFacebookに気づいたことなどを投稿する。

6. Facebookグループ内でメンバー間の共通点を、さらに探し出す。

7. 各グループで、双方の学生が参加するビデオチャット（30分程度）の日時を決める。

8. ビデオチャットで自己紹介をし、共通点を探すなどの会話を行い、その後、グループリーダーを決め、Facebookグループのカバー写真を選ぶ。

　この手順で交流実践の活動を進めた学期前半は、各自グループメンバーを知ることを目的としていた。交流においては、双方の大学の学生が持つあらゆる資源を最大限に活かすように、また、写真やビデオなどのマルチモーダルな媒体も活用するように伝えた。日本語は、かれらが利用可能な共通資源の1つであるため、できるだけ日本語を使用することを推奨した。また、コミュニケーションを振り返る機会を授業中に設け、そこで取り上げられた問題は解決方法を考え、次のコミュニケーションの際にその方法を試してみることも促した。

　学期後半は、ビデオプロジェクトの共同作業が中心となった。ビデオプロジェクトが始まる前にグループメンバーをよく知るよう、学生たちに伝え、共同作業に向けてメンバー間の関係性の構築を促した。最終成果物としてのビデオはグループごとに作成し、社会やコミュニティに向けて発信することを念頭に、作成したビデオが必ず「だれかの役に立つ」ことを目的とした。

　本章では、学期全体を通して収集したFacebookでの学生たちの投稿、各グループの活動の録画ビデオ、授業中の振り返りや学期末レポートの記述などのデータを基に、交流実践の活動の過程で生じたコミュニケーションの様相を提示し、考察していく。なお、本章に登場する学生の名前は、すべて仮名である。

3.2 Facebookでの初対面コミュニケーション：多言語話者としての他者へのかかわり

　最初に紹介する例は、日本の大学生がFacebookに投稿した自己紹介を皮切りに展開されているやりとりの一部である。エミリは、英語・中国語・日本語、そして絵文字を駆使して投稿することで、Facebookグループ内のやりとりのアイスブレーキングを開始し、他のグループメンバーとコミュニケーションを取ろうとしている。

　写真のFacebookの投稿にあるように、エミリは中国にルーツを持つ学生であり、中国語が堪能である。自己紹介の投稿において、エミリが英語・中国語・日本語で記述しようとしたのは、エミリ自身が多言語話者であることの示唆であり、特に中国語で挨拶をしているのは、エミリのアイデンティティの呈示と捉えることができよう。アメリカの大学生たちが英語を使用することはもちろん、日本語を学習中であることも、エミリは認識している。しかし、アメリカの大学生のグループメンバーが中国語を理解するかどうかは、この時点ではわからない。そこで、エミリは「中国語ができること」や「英語は勉強中であること」を、「英語」で伝えようとしている。

　このエミリの最初の自己紹介の投稿に対して、グループメンバーの１人

であるアメリカの大学生アンナが中国語で反応している。アンナは、高校の時に中国語を学んだことがあること、大学では日本語の授業を受講していることなどを中国語で説明している。エミリとアンナのやりとりは、このようにして、英語・中国語・日本語が混ざり合って展開している。上記の投稿の最後の部分にみられるように、エミリは「Googleで翻訳した」ことを述べており、エミリが書いている英文が実際に正しいかどうかわからないことも伝えている。

　日本とアメリカの双方の学生がFacebookグループに自己紹介を投稿した後、「他のグループのコミュニケーションの仕方をみて自分のコミュニケーションを振り返る」という課題が与えられた。上述のエミリとアンナのやりとりのように、他のグループでも「言語を効果的に混ぜたり、使い分けたりしている」「写真やビデオをうまく使っている」などのコメントが多くあった。

　一方で、コミュニケーション上の問題も明らかになった。上記の課題に加え、双方の大学で授業中に「コミュニケーションにおいて困ったことがあったかどうか」をクラス全体で話し合った。「相手のことを何と呼んだらよいのかわからない（姓名のどちらで呼ぶのか、どのような敬称を使うのか）」「Facebookの投稿文の漢字がわからない」「Google翻訳などの翻訳サイトを使ったが、漢字の読み方がわからず困った」「ビデオ会議ではもっと日本語で話したかったのにうまくそれを伝えられなかった」などの問題が挙げられた。

　さらに、これらの問題に対してどのような解決方法があるかについても授業中に時間を取って話し合った。例えば、アメリカの大学生が挙げた「ビデオ会議ではもっと日本語で話したかったのにうまくそれを伝えられなかった」という問題に関しては、「だれがどのような場でどの言語を使うと決めることができるのか」「自分にその決定権はあるか、あるとしたらどのように声を上げていけるか」「相手には自分はどのような立場に映っているのか、強者か弱者か」などの問いも同時に挙げられた。

　多くのグループがこのようなコミュニケーション上の問題を認識している一方で、この3.2で紹介したエミリとアンナのグループは、Facebook

上のやりとりも比較的スムーズに進んでいるようにみえた。次の3.3では、一見コミュニケーションがうまくいっているように思われたが、実はメンバー間で問題を抱えていたのではないかと思われるアーモンとミナのグループの事例を取り上げる。

3.3 参加者の意図とコミュニケーションの齟齬

　以下の事例は、アメリカの大学生のアーモンと、日本の大学生ミナによるFacebookでのやりとりである。このアーモンとミナの事例は、佐藤・嶋津（2022）ですでに詳しく説明されているので、これを参照しつつ、考察していく。

　ことばのセンスがあり、自律的に学習を進めることのできるアーモンは、3.2で説明した「他のグループのコミュニケーションの仕方をみて自分のコミュニケーションを振り返る」課題で「Facebookの投稿が日本語と英語の両方で書かれていると、どうしても英語だけに目がいってしまうので、日本語だけでなんとかコミュニケーションをしてみたい」と、記していた。

　これらのFacebookの投稿にみられるように、アーモンは日本語で書いている。活動で課されていたビデオチャットの日時を決めるために、自分の予定を伝え、グループメンバー間で日程を調整する重要なやりとりである。ところが、アーモンの日本語での投稿に対して、ミナが「翻訳機を使っているのでしょうか、少しわかりにくいです、すみません」と訴える。それを受けて、アーモンは「ごめんなさい！私達の日本語は悪い、だから翻訳機を使っています」と翻訳機の使用を認めている。

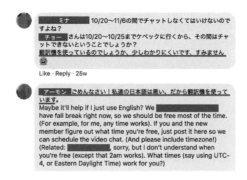

　アーモンはその後も、以下のように、日本語だけでコミュニケーションを続ける。

　しかし、アーモンの日本語での投稿が理解できなかったためか、ミナは、"Sorry in English, please!" と英語で返答している。アーモンは「ごめん！」と日本語で書いた後、ようやく英語に切り替え、やりとりを続ける。アーモンは学期末のインタビューで、翻訳サイトを使ってでも日本語だけでコミュニケーションを続けたかったことを述べており、この交流実践の活動を日本語だけで挑戦してみたかったことが、かれの投稿のいたるところに窺えた。

　その後、学期末までFacebook上でやりとりが続いたが、表面上はうまくいっているようにみえた。しかし、以下の画像にあるように、ミナは、学期中に交流実践の活動を振り返る課題で、アメリカの大学生が「がんばって自分が考えた日本語の文章ならいいんですが、翻訳機の変な日本語は読む気が起きませんでした。わからないところはわりきって英語で言ってくれたらいいです！　私も英語をがんばって理解しようと思ったでしょう」と述べている。この課題の記述から、アーモンとミナのグループは、コミュニケーション上のそれぞれの意図が、相互に理解し合えていなかっ

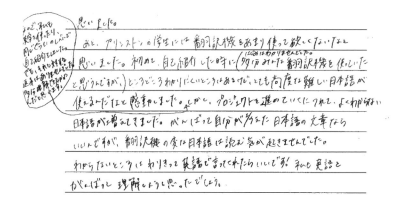

たことがわかる。

　では、アーモンとミナのコミュニケーションは、実際にうまくいっていなかったと言えるのだろうか。グループメンバーはそもそもこの交流実践の目的をどう理解していたのだろうか。何のためにコミュニケーションを行っているのか、認識していたのだろうか。

　学期前半はグループメンバーをよく知ることが目的であったが、学期後半にビデオプロジェクトの作業が始まってからは、ビデオを共同で作成することが目標であった。その意味では、共同作成したビデオが期日までに提出されていたので、このグループは与えられた目標は達成したと言える。したがって、ミナが「翻訳機の変な日本語」ではなく、「わりきって英語」でやりとりをして活動を進めたかったのは、プロジェクトを達成するために交流するという目的に準じていたからであると捉えることもできる。一方、アーモンは交流実践の活動に参加する際に、日本語学習者としての立ち位置を保持して、コミュニケーションを続けていたのだと思われる。ただし、プロジェクトの目標は達成されたが、その過程でのコミュニケーションの仕方には互いに違和感を抱き続けていたのである。

3.4　オンライン・コミュニケーションへの期待：交流か？　教育か？

　ここまで、Facebookグループでのメンバー間のやりとりの事例を2つ取り上げ、学生間のコミュニケーションについて考察した。先述の2つの事例のどちらも、コミュニケーションのための言語使用の分析が焦点であった。

　ここで、3.3で登場したエミリやミナをはじめとして、日本の大学生は、どのような立ち位置からアメリカの大学生と交流していたのか、といった疑問が生じる。「日本語教育演習」の受講生であったかれらは、日本語学習者であるアメリカの大学生に対して、将来の日本語教師候補生として接していたのか、あるいは、国際交流を目的とした活動によくあるように、同世代の大学生同士として交流していたのか、という点である。

　日本の大学生は、「日本語教育演習」の学期初日の授業で「会ったことのない人に対して、何をどのように語りかけることが必要だと思いますか。

ことばの教育にかかわる者として、人との関係を築くには何が重要で、どのようなことに気をつける必要があると思いますか」という問いに答える課題が与えられていた。以下、「日本語教育演習」の受講生の１人、アオイの回答を引用し、交流実践に参加する際の学生の立ち位置について考えておきたい。

　　　私はそこまで堪能とは言い難いが、英語ができるので、英語で自己紹介をする。その際に「Hello, my name is Aoi. ～ My hobby（shumi）is playing baseball（yakyu）」（例）などと、向こうが単語を知ってそう、またはもうすぐ習いそうな日本語をちりばめて、交流と同時に単語のインプットもしてもらう。そして向こうからの返事に使われた日本語のレベル、ニーズに応じて、こちらが使う日本語のレベル、文体、話題を変えていく。絶対に教育!! という立場で必ずしもしないといけないと思っていない。　　　　（アオイ）

　3.3 では、英語・中国語・日本語で自己紹介を始めたエミリの Facebook 投稿について検討したが、エミリ同様、上記のアオイも多言語話者である。初日授業の課題への回答で、日本語を学んでいるアメリカの大学生との共通言語を活用した自己紹介を提案している。アオイのような多言語話者は、「トランスランゲージング」（Garcia & Li Wei 2014）をどう生じさせるかがわかっていることを示している一例である。

　さらに、このアオイの回答で注目したいのは、「向こうが単語を知ってそう、またはもうすぐ習いそうな日本語をちりばめて、交流と同時に単語のインプットもしてもらう」と述べている点である。「交流と同時に単語のインプットもしてもらう」という表現に、アオイが、教師候補生としての立ち位置に自らを置いていることが窺える。学生の立ち位置に関して、担当教員は特に何も指示を与えなかったが、この課題の問いに「ことばの教育にかかわる者として」という文言があることや、アオイが受講している「日本語教育演習」が日本語教師養成講座の必須科目であることも、このようなアオイの回答を導いた要因として考えられよう。また、アメリカ

の大学生が日本語学習者であり、日本の大学生がネイティブ日本語話者であったことも看過できない点であろう。

　つまり、「どのような立場で活動に参加し、どのようにメンバーにかかわっていくか」といった学生の立ち位置の捉え方が、交流実践の活動全体に影響を与えることになった。アオイは課題の回答の最後に、活動は「絶対に教育‼という立場で必ずしもしないといけないと思っていない」とも述べている。活動でのコミュニケーションにおいて、学生たちは対等な立場だったのか、友人だったのか、それとも教え・教わる立場だったのか。「交流か、教育か」、どちらの視点に立って活動に参加するかどうかの「立ち位置の揺れ」が、多様なことばの使い方を生み出す要因の1つとなったとも考えられよう。

4. 自らのコミュニケーションを振り返り、他者にかかわるための視点と意識化

4.1 「日本語教育演習」受講生の学期末レポートについて

　冒頭で述べたように、本研究の目的は「アメリカの大学の日本語初級クラスの学生と日本の大学で日本語教師養成関連の科目を受講している学生がFacebookを用いて行った交流活動を取り上げ、ことばの教育におけるコミュニケーションについて考察する」ことである。前節では、実際の交流実践の過程で観察されたコミュニケーションを取り上げたが、本節では、「日本語教育演習」の受講生が学期末に提出したレポートの記述から、この交流実践への参加を通して明らかになったコミュニケーション観を検討していく。また、本書のテーマである「平和」の観点からも、日本の大学生が考えるコミュニケーションを捉えていく。

　「日本語教育演習」の学期末レポートは、「日本語教育を学んだことは何に活かせるか」という問いに答える形で、授業での学びを振り返ることが課されていた。この「日本語教育演習」は、カリキュラムの制度上、将来日本語教師を目指す学生だけでなく、他のプログラムを履修している学生も受講できる。その点を踏まえ、例年、受講生には、以下のような内容の

レポート・テーマが与えられている。

> 「日本語教育」は、日本語教師として教壇に立ちたい人だけに存
> 在するものではないと、私（嶋津）は考えています。つまり、日本
> 語教育は、日本語教師そのものにならなくても、関連した職業や他
> の分野でも生かせると思います。例を挙げながら、皆さんの考えを
> 述べてください。私の考えに賛同できなくても、全く問題ありませ
> ん。その場合は、反対理由を述べるところから出発してください。

　この学期末レポートでは、アメリカの大学の日本語学習者との交流活動
について振り返ることは求められていなかったが、多くの受講生がこの交
流活動に触れていた。4.2 以降、受講生の学期末レポートから、コミュニ
ケーションに関する記述を紹介していく。

4.2　コミュニケーションへのかかわり方：学習者の視点と教育者の視点

　先述のように、本交流実践の活動では、Facebook グループでのかかわ
り方について、教員から特に指示が与えられていたわけではない。しかし、
学生たちはかかわり方を自分なりに解釈し、どのようにグループメンバー
に接したらよいかを考え、模索しながらコミュニケーションを取っていた
ようであった。ただし、この交流実践は、アメリカの学生にとっては日本
語の授業の一環として、日本の学生にとっては「日本語教育演習」の活動
の一部として行われており、そのことが学生たちのかかわり方の解釈や判
断を方向づけたことは否めない。

　そのため、「日本語教育演習」の受講生は、到達目標の１つとして、学
期を通して「教師としての視点」を獲得することを目指した授業に参加し
ている。以下のアイの学期末レポートからの抜粋には、学習者の視点から
教師の視点への移行が記されている。

> 　第二言語習得にかかわる授業をいくつか私は受講しているが、そ
> こで取り扱われる第二言語とは主に英語であるので、自分は常に学

習者としての立場を切り離すことが困難であった。しかし、<u>外国語</u>
<u>として日本語を学ぶ学生の企画スクリプトを、当事者でありながら、</u>
<u>第三者としても見ることで、言語学習について学習してきたことを</u>
<u>教育者の目線で改めて検証することができた。</u>（略）また、<u>いつも</u>
<u>無意識に当たり前として使っている日本語という思考するための</u>
<u>ツールは、教育する立場になることを考えてみて初めて、1つの言</u>
<u>語として切り離して考えることができ、奥深さ、難しさを考え直す</u>
<u>ことになった。</u>

（アイ）

　アイは、中学校の英語教師を目指しており、英語教育に関連する授業科
目も履修している。英語教師になるべく、外国語として学んだ「英語」の
「教育」に関する授業を受講しているが、レポートには、「常に学習者とし
ての立場」を自分から切り離すことができないと記述されている。しかし、
アメリカの大学生との交流実践のさまざまな活動を通して、「言語学習に
ついて学習してきたことを教育者の目線で改めて検証することができた」
という。

　また、アイは「いつも無意識に当たり前として使っている日本語という
思考するためのツールは、教育する立場になることを考えてみて初めて、
1つの言語として切り離して考えることができ、奥深さ、難しさを考え直
すことになった」と述べているが、アイと同様に、その他多くの学生も、
日本語を言語として客観視するようになったことを記している。

　「日本語教育演習」の授業を通して、また、その活動の一部である本交
流実践を通して、学生たちは「教える立場」の視点を獲得していく一方で、
新たな気づきも得られたようである。一例として、キラのレポートの記述
を紹介する。

　　　初めは、彼らの日本語の間違いをどの程度のレベルまで指摘する
　　べきなのか、どのくらいのレベルの日本語を話すべきなのかなど、
　　迷うことが多々あった。しかし、<u>彼らとの交流を続けていく中で、</u>
　　<u>日本語を教える側が気遣うべきことを、少なからず学べたと同時に、</u>

「日本語を教える側と教えられる側」という関係を超えて、日本語学習を通じた立派な友人関係が成立したことに大きな喜びを感じた。これは、私たちが彼らと真摯に向き合って共に様々な活動を行ったこと、また、それだけでなく、彼らがこちら側を寛容に受け入れて共に日本語を学習してくれたことで成立したのだと考える。このように、日本語教師を目指す授業を取っていたことで、また、日本語を教える、学ぶ、ということを通して、深い友人関係をも持つことが出来るというのは、日本語教育に関わることのメリットの一つであると考える。

（キラ）

　上記の冒頭に記されているように、「初めは、彼らの日本語の間違いをどの程度のレベルまで指摘するべきなのか、どのくらいのレベルの日本語を話すべきなのかなど、迷うことが多々あった」というキラのアメリカの大学生へのかかわり方は、3.4で触れたように、まさに「ネイティブ日本語話者」であること、もしくは「日本語教育演習の受講生」であることの現れであろう。しかし、その記述の後に続いて「彼らとの交流を続けていく中で、日本語を教える側が気遣うべきことを、少なからず学べたと同時に、『日本語を教える側と教えられる側』という関係を超えて、日本語学習を通じた立派な友人関係が成立したことに大きな喜びを感じた」とある。しかし、他の日本語教育演習の受講生も同じように考えるのか、個々の日本語学習者もそれを望んでいたのか、そして、かれらも「大きな喜び」を感じていたのかはわからない。授業内での活動なのでそれなりの距離をおきたいと思っていた参加者がいた可能性もある。熊谷・佐藤（2021）の政治的・言語的な紛争や対立がある地域でのトランスランゲージングの例に挙げられているように、仮に同じグループに政治的・言語的な紛争や対立がある地域の学生たちがいた場合、「平和」な状態というのは、ある程度他者と距離を置き、かかわらないことによって得られるものであるのかもしれない。このように、それぞれの参加者が持つビリーフや価値観はさまざまであり、その中でグループとして何に重きを置くか、どう優先順位をつけていくかなどを考えることも大切であろう。

4.3 交流実践の振り返りに創発されるコミュニケーション観：
平和な関係の構築と維持

「日本語教育演習」受講生の学期末レポートには、4.2で取り上げた例以外にも、コミュニケーションに関する記述が多くみられた。4.3では、本書のテーマである「平和」の観点に注目して、交流実践を振り返ることによって明らかになった、学生たちのコミュニケーション観を考察する。

> <u>人との関係を築く上で信頼する、されることが大事、となると、</u>
> <u>約束を守ったり、不誠実な態度をとらないことも大切。会えない環</u>
> <u>境にいる人との関係を保つためには、まめに（適度に）連絡を続け</u>
> <u>ること。</u>（略）<u>会話を続けるためにはやはりリアクションが大事な</u>
> のではないでしょうか。無反応な人には話しかけたくないし、言葉
> がわからなくても楽しそうなリアクション、悲しそうだったりする
> とこちらも何かしてあげたくなります。　　　　　　　　　（カイ）

　まず、カイの記述から検討したい。カイは「人との関係を築く上で信頼する、されることが大事、となると、約束を守ったり、不誠実な態度をとらないことも大切」と書いており、人との関係性の構築に不可欠な要素として「誠実さ」を挙げている。本交流実践はFacebookを利用したオンラインの場での交流であったが、「誠実さ」は、どのような場であっても、コミュニケーションを重ねていく際に、私たちの重要な態度の1つであると言えよう。さらにカイは、交流の場でどのような行動が「誠実さ」を表すことができるかについて、「関係を保つために、まめに（適度に）連絡を続ける」「会話を続けるために、リアクションする」などを挙げている。カイが指摘しているように、特にオンラインでの交流で、会えない環境にいる者同士の関係性構築やその維持には、わかりやすい形や目にみえる形での「態度」が必要とされているのだろう。

　次に、リンの学期末レポートから、一部を抜粋する。

> <u>会ったことのない人とインターネット上で関係を築くためには、</u>

まず敵意を見せないことが大切だと思う。挨拶は当然だし、ある程度の自分の情報は提示していく（どこの誰で普段どんなことをするのか、何をしたいのかなど）ことが重要だと思う。得体のしれない人と仲良くするのは難しいと思うし、自分をある程度さらけ出せば、相手もよっぽど嫌でない限り、自分のことを話してくれると思う。その時もインターネット上のやりとりであることを踏まえて、表情の代わりに顔文字を使って感情を表現したり、声色がわからない分、スタンプで好意的な印象を与えるなどすれば、徐々に仲良くなっていけると思う。その中で相手が自分に対してどんな関係を望んでいるのか探るのもいいし、直接聞いてもいいと思う。　　　　（リン）

　先述のカイが、オンラインでの交流やコミュニケーションにおいて注目した「誠実さ」に関連する行動と同様に、このリンの記述にも、オンライン・コミュニケーションに関する重要な行動がいくつか示されている。「会ったことのない人とインターネット上で関係を築くためには、まず敵意を見せないことが大切」であることを挙げている。「敵意を見せない」行動には、「自分の情報を提示していく」自己開示や、「表情の代わりに顔文字を使って感情を表現したり、声色がわからない分、スタンプで好意的な印象を与える」ストラテジー使用が提案されている。
　学生たちは、コミュニケーションや関係性を「平和」ということばでは表現していないが、冒頭で定義づけた「平和」の意味である「心配やもめごとがなく、おだやかな」状態を形作る条件を認識している。例えば、以下のアヤナの記述が、その点を端的に示していよう。

　スクリプト制作や動画撮影でも考えのすれ違いなどがありうまくいかないこともあったが、全員がお互いを思い合い、譲り合い、最後には全員「楽しかった」と言えるプロジェクトになった。私はプロジェクトを通し、偏見は持つべきでないということと、思い合い、譲り合うことの大切さを学んだ。この2点を守ることで良い人脈を築き上げることができるのではないかと考える。　　　　（アヤナ）

ここで最初の「この実践の中で『平和』、つまり『心配やもめごとがなく、おだやかな』状態を生み出すための原因や条件は何か」という問いに戻ってみたい。そもそもだれがどのような状態を「心配やもめごとがなく、おだやかな」状態であると決定できるのかという根本的な問いである。「日本語教育演習」受講生の日本語教育に関する記述には、「絶対に教育‼ という立場で必ずしもしないといけないと思っていない」（アオイ）、「『日本語を教えられる側と教える側』という関係を超えて、日本語学習を通じた立派な友人関係が成立したことに大きな喜びを感じた」（キラ）といったコメントがみられたが、そのような交流や教育に対するそれぞれのビリーフは、これまでの外国語学習者であった自分から、日本語教育者という目線で改めて検証することによって生まれたもののようである。これは、教師であり、ネイティブスピーカーであるという、いわば「強者」の立場に立つことで、これまで「弱者」であった自分を相手に照らし合わせ、生まれた価値観かもしれないが、「立派な友人関係が成立したことに大きな喜び」を感じるかどうかは人それぞれである。このような自分の価値観やビリーフを明確に記したコメントがある一方、「教育する立場になることを考えてみて初めて（中略）奥深さ、難しさを考え直すことになった」（アイ）、「相手が自分に対してどんな関係を望んでいるのか探るのもいいし、直接聞いてもいいと思う」と相手との関係性の難しさを率直に言及したコメントもあった。この交流実践では、授業中に振り返りを繰り返し行ったが、「教師 vs. 学習者」「ネイティブスピーカー vs. ノンネイティブスピーカー」といった力関係を振り返ることとなり「第二言語学習と第二言語使用の新しい実践を促進する」ことに寄与していると考えられる。

　「心配やもめごとがなく、おだやかな状態」とはどんな状態であるのかを、そこに在る参加者間で確認する作業を「平和」の実践と捉えるならば、その次の問いである「その平和の実践で活用される資源にはどのようなものがあり、それらはいかに用いられているのか」に答えることは可能となろう。最初のエミリの事例にもみられた「多言語」使用や、その後のアメリカの大学生の振り返りで明らかになった「言語を効果的に混ぜたり、使い分ける」「写真やビデオをうまく使っている」、リンの言う「インター

ネット上のやりとりであることを踏まえて、表情の代わりに顔文字を使って感情を表現したり、声色がわからない分、スタンプで好意的な印象を与える」などは活用される資源の例であろう。これらは狭義の言語（○○語・方言）だけでなく、さまざまなレパートリー、ジャンル、また、ボディランゲージ、アイコンタクト、絵文字といったようなマルチモード、音・音楽造形芸術などアート的な側面までもが入る広義の表現媒体としてのことば（佐藤 2017）でもある。

　また、「外国語として日本語を学ぶ学生の企画スクリプトを、当事者でありながら、第三者としても見ることで、言語学習について学習してきたことを教育者の目線で改めて検証することができた」（アイ）という記述にも示されているように、これまでの経験や自分の立ち位置も重要な資源となりうる。ただ、個々人の経験は異なり、自分がある状況で感じたことを、他の人も同じような状況で同じように感じるとは限らないため、その点には注意を要する。そして、これらの知識や経験などの資源を闇雲に用いても「おだやかな状態」が達成されるというわけではない。しかし、「過去の経験」や「自分の立ち位置」のように、それが活用できるとは思っていなかったようなものが実際に資源として活用できる可能性に気づくことが重要である。また、この問いの後半部分にも記されているように「それら（＝その資源）はいかに用いられているのか」に関しては、より深く観察することが必要であろう。アーモンとミナの例にもあったように、翻訳機は便利な資源であるが、その使い方によっては、意図したこととは全く逆の効果を生み出すこともある。トランスランゲージングも使い方を誤れば、外国語の知識をひけらかしている（熊谷・佐藤 2021）などと受け取られ、本来の効果とは全く逆の意味を持つことにもなりかねない。資源の用い方は、常にそれを用いる文脈を踏まえ、必要があれば「おだやかな状態」を擦り合わせていく中で考えられていくべきであろう。その際、自分の経験だけでなく、他の人の経験を共有し擬似体験することで自分では思ってもみなかった視点や価値観などについて知ることができるといった意味でも、経験の共有から学べることは多い。

　最後に、「教育活動の中でいかに人々の平和の能力とその条件を活性化

することができるのか（友好関係だけでなく打算的な利害関係も含めて考える）」という問いに対しては、平和の能力を個人だけに帰するのではなく、当該コミュニティの中で作られ生まれてくるものでもあると捉えることが必要であろう。その際に大切なことは、ビリーフの見つめ直しと価値観の擦り合わせである。「心配やもめごとがなく、おだやかな」状態とはどんな状態なのかという問いに対するさまざまな考えは、「日本語教育演習」受講生の活動の振り返りのコメントにも多くみられた。「人との関係を築く上で信頼する、されることが大事、となると、約束を守ったり、不誠実な態度をとらないことも大切。会えない環境にいる人との関係を保つためには、まめに（適度に）連絡を続けること。（略）会話を続けるためにはやはりリアクションが大事」（カイ）、「敵意を見せないことが大切」（リン）、「偏見は持つべきでないということと、思い合い、譲り合うことの大切さを学んだ。この2点を守ることで良い人脈を築き上げることができる」（アヤナ）といったようなものもあった。一見、どれも素晴らしい姿勢のように思える。しかし、一体何が「不誠実な態度」「敵意」なのか、「適度な連絡」とはどの程度なのか、譲り合うことはいつも大切なのかなど、コミュニケーションの参加者の意識や価値観を統一するのが容易ではない課題も残されている。いつどこでだれと何をどう擦り合わせていくのか（あるいは擦り合わせないのか）、また、友好関係だけでなく打算的な利害関係も含めて考えた場合、すべてを擦り合わせていく必要があるのかなど、検討すべき点は多くある。このような受講生らのレポートの記述の考察から、さらに浮き彫りになった課題を検討する際のヒントになるのが、2.2で触れた「生態学的視点」であろう。宇都宮（2021）が言うように、「さまざまな要素を相互的に捉え（中略）、個々人の目的や状況をしっかり考慮することで、多様性を重要視し、均衡性を保ち、そして、持続可能性のある」、そのようなグループのあり方、ひいては、ことばの教育を目指していく必要があるだろう。

　小田・関（2016）が展開した「平和」の議論では、国家・地域レベルの戦争や歴史の問題が中心であった。しかしながら、「平和」の議論は、そのような問題を基盤とするだけでなく、「多言語」話者の日常のコミュニ

ケーションを観察することからも出発できる。自分が置かれた状態が、平和とは真逆の「心配やもめごとがあり、おだやかではない状態」であれば、それはどのような状態であるかを参加者たちで擦り合わせていくことが何よりも大切であり、小田・関が述べているように、「平和する」ことは本人の意識さえあればいつでも可能なのである。少なくとも、本章の考察は、私たちの身近に存在する他者とのコミュニケーションから「平和」を考えることの可能性を提示できたのではないかと考える。

5. おわりに：平和なコミュニケーションとことばの教育、そして未来のコミュニティ形成へ

　冒頭で述べたように、本章では、「平和」を「心配やもめごとがなく、おだやかな状態」であると捉えた。自分が置かれた身近な状態がその真逆の「心配やもめごとがあり、おだやかではない状態」であれば、それを「平和」な状態に変えていくためには、参加者である私たちに何ができるか——本章は、この問いへの答えを探る試みであった。

　「平和」な状態を続けるためには、最終的にある程度の共通認識が持てるよう、他者との対話を続けること、そして、問題解決への働きかけを重ねていくしかない。また、そのような「ある程度の共通認識」を持つためには、その場のだれもが同じ認識を持っているかどうかを確認しつつ、常に自分のコミュニケーションや価値観などを振り返り、相手とかかわっていくことが求められるのであろう。また、自分の立ち位置をどのように取るか、また、それが相手にどのように受け止められているのかを確かめること、そして、自分のビリーフを明確にすることなども望まれる。

　本章の最後に、日本の大学生であるミナミのコメントを引用したい。

　　　　今回のプロジェクトは顔を見て会話ができたとしても画面越しのテレビ通話で、主に顔の見えない文面でのやり取りで進めた。また、国が違うので時差や言語の違いも存在したため、普段のコミュニケーションとは性質の異なったものであった。しかし、この形のコ

ミュニケーションこそ、これからの未来でコミュニティを作るとき
に使われるものではないだろうか。就職活動でいろんな企業の事業
内容を聞くが、これからも海外とやり取りをすることはないと言っ
ていた企業は今のところ存在しない。企業の海外支部との会議にし
ても、海外のクライアントとの商談にしても、間違いなくやりとり
は行われる。コストや利便性を考え、顔を合わせないコミュニケー
ションや画面越しの会話で何か会社の将来を決める話し合いがなさ
れるなら、そこに関わる人々の信頼関係を築くチームビルディング
はこの上なく重要なカギになる。　　　　　　　　　　（ミナミ）

　本交流実践の活動で交わされたコミュニケーションのあり方が、未来の
コミュニティ形成に貢献する可能性を示唆してくれたミナミのコメントは、
現実はコミュニケーションによって構築されているだけでなく、テクノロ
ジーによっても、自分たちの行動いかんによっても変えていけるものであ
ることを再認識させてくれる。そして、本章の考察によって、ことばを学
ぶ者はコミュニケーションで生じた問題を解決していきながら、最終的に
は自らどういう人間になりたいのか、どういう社会を築いていきたいのか、
それらを同時にデザインしていくことも求められていることを再確認した。
そのようなデザインする力を社会・コミュニティの中でともに考え、育
成・涵養していくことが、今後のことばの教育に求められており、筆者ら
もさらなる実践を模索していきたい。

参考文献

庵功雄・岩田一成・森篤嗣（2011）「『やさしい日本語』を用いた公文書の書き換え――
　多文化共生と日本語教育文法の接点を求めて」『人文・自然研究』5：115-139.
宇都宮裕章（2021）「生態学が語ることばの教育――ウェルフェアを実現するために」
　尾辻恵美・熊谷由理・佐藤慎司（編）『ともに生きるために――ウェルフェア・リン
　グイスティクスと生態学の視点からみることばの教育』春風社、pp.37-66.
宇都宮裕章・南浦涼介・山西優二・佐藤慎司（2016）「『多文化共生』と多様性教育に何
　ができるのか」『言語文化教育研究』14：3-32.
小田博志・関雄二（2016）『平和の人類学』法律文化社.

尾辻恵美・熊谷由理・佐藤慎司（2021）『ともに生きるために――ウェルフェア・リングイスティクスと生態学の視点からみることばの教育』春風社.

久保田竜子（2018）『英語教育幻想』ちくま新書.

熊谷由理・佐藤慎司（2021）「公正な社会づくりをめざしたトランスランゲージング理論とその実践」尾辻恵美・熊谷由理・佐藤慎司（編）『ともに生きるために――ウェルフェア・リングイスティクスと生態学の視点からみることばの教育』春風社.

佐藤慎司（2017）「ことばで人にかかわろうとするみなさんに伝えたいこと――ことばとは？ことばの教育とは？」佐藤慎司・佐伯胖（編）『かかわることば――参加し対話する教育・研究へのいざない』東京大学出版会.

佐藤慎司・熊谷由理（2013）『異文化コミュニケーション能力を問う――超文化コミュニケーション力をめざして』ココ出版.

佐藤慎司・佐伯胖（2017）『かかわることば――参加し対話する教育・研究へのいざない』東京大学出版会.

佐藤慎司・嶋津百代（2022）「社会・コミュニティ参加とプロフィシェンシー」鎌田修・由井紀久子・池田隆介（編）『日本語プロフィシェンシー研究の広がり』ひつじ書房、pp.47-59.

嶋津百代（2021）「日本語教育に関する言説とイデオロギーの考察――日本語教師養成における『言語教育観』教育に向けて」尾辻恵美・熊谷由理・佐藤慎司（編）『ともに生きるために――ウェルフェア・リングイスティクスと生態学の視点からみることばの教育』春風社、pp.165-201.

庄司博史（2012）「移民の識字問題――多言語サービス、日本語指導、母語教育、そして？」『民博通信』138：18-19.

徳川宗賢（1999）「ウェルフェア・リングイスティクスの出発（〈特集〉日本の言語問題）」『社会言語科学』2(1)：89-100.

ハインリッヒ, パトリック（2021）「ウェルフェア・リングイスティクスとは」尾辻恵美・熊谷由理・佐藤慎司（編）『ともに生きるために――ウェルフェア・リングイスティクスと生態学の視点からみることばの教育』春風社、pp.11-35.

安田敏朗（2013）「『やさしい日本語』の批判的検討」庵功雄・イヨンスク・森篤嗣（編）『『やさしい日本語』は何を目指すか――多文化共生社会を実現するために』ココ出版.

義永美央子（2021）「第二言語の使用・学習・教育とイデオロギー――モノリンガルバイアス、母語話者主義、新自由主義」尾辻恵美・熊谷由理・佐藤慎司（編）『ともに生きるために――ウェルフェア・リングイスティクスと生態学の視点からみることばの教育』春風社、pp.135-163.

Bhabha, H. K. (1990). *DissemiNation: Time, narrative, and the margins of the modern nation*. Routledge.

García, O., & Li, W. (2014). Language, bilingualism and education. In *Translanguaging: Language, bilingualism and education* (pp. 46-62). Palgrave Pivot.

Jørgensen, J. N., Karrebæk, M. S., Madsen, L. M., & Møller, J. S. (2011). Polylanguaging in superdiversity. *Diversities, 13*(2), 23-37.

O'Dowd, R. (2016). Emerging trends and new directions in telecollaborative learning. *CALICO Journal, 33*(3), 291-310.

Pennycook, A., & Otsuji, E. (2015). *Metrolingualism: Language in the city*. Routledge.

Tollefson, J. W. (2007). Ideology, language varieties, and ELT. In *International handbook of English language teaching* (pp. 25-36). Springer.

戦争当事国の学生と学ぶ貧困問題を題材としたことばの教育

批判的思考力と当事者意識の高まりに着目して

奥野由紀子

一番伝えたいこと

この章では、貧困の要因の一つである戦争を経験している、戦争当事国のクラスメイトと共に学んだ事例を取り上げています。戦争当事国の学生と、共に学ぶ学生両者の、貧困や戦争に対する当事者性の変容を炙りだすことによって、ことばの教育の場で取り上げる内容を通して生まれる対話が、批判的思考力や市民性の育成につながるということを共有できたらと思いました。

なぜこのような実践・研究をしようと思ったか

学生の頃からぼんやりと、大学の標語でもあった「PAX MUNDI PER LIN-GUAS——言語を通して世界の平和を——」を目指すことばの教育実践ができたらと思っていたこと、指導教官の最終講義で日本語教育は今後地球教育（Global Education）との融合を考えていくべきであると提案されたこと、世界や社会の情勢からことばの教育に携わっている自分がすべきことやできることは何かを考えていたこと、そんなときに戦争当事国出身のローサと出会ったことが相互作用し、この実践が生まれたように思っています。

1. はじめに

　今、世界は「平和」とは決して言い難い状況に陥っている。「何かしなければ」とは思いながら「一体自分に何ができるのか」と自問自答しつつ日々ことばの教育現場に立つ教師も多いのではないだろうか。ことばの教育のクラスではこれから社会へ出て様々な分野で活躍する多様な背景を持つ学生たちが共に学んでいる。学習することばを通して世界で起こっていることを知り、自分との関わりについて考え、現在の状況を改善するための活動や仕組みを学び、自分には何ができるのかと考えること、そして自らのことばで発信し行動へつなげること──そのような場をつくり、言語的な学びだけではなく、学んだ言語を含めた自身のリソースを用いてどのような自己を実現したいのかを考え、将来に向けて足場をかけることは、日々の取り組みの中でことばの教育を行う教師ができることかもしれない。

　本稿はそのような思いから、どこの国にも存在し、身近な問題でもある貧困問題をテーマとして取り上げた、言語（日本語）×内容（貧困問題）による内容言語統合型学習（CLIL）による授業実践を紹介する。この取り組みは、ことばの教育を通して平和を構築するための取り組みの一環としてデザインされた「PEACEプロジェクト」（奥野他 2018, 2021, 2022 等）の枠組みで行われたものであり（本章の3で詳述する）、貧困問題は、PEACEプロジェクトの「P：Poverty　貧困からの脱却」にあたるテーマである。

　貧困の原因には、モノカルチャー経済や、紛争や内戦、戦争、教育格差、政治汚職、気候変動、病気など様々な問題が複雑に関わっている。本稿で取り上げる事例は、戦争当事国の学生が履修しており、日本語をL2とする学生と日本語をL1とする学生が共に学んだ授業である。学期を通した様々な活動の流れの中で、特に戦争当事国の学生の語りを中心に、戦争当時国の学生を含む履修学生たちのクリティカルな意識・視点・姿勢・態度がどう変化したのか、当事者性がどのように変化していったのかに着目して、学生の振り返りシートや、TA・教師による観察と内省、受講生へのインタビュー等を補足的に用いて読み解いていく。なお、センシティブな内容を含むため、国名についても学生が特定化されないよう、明記しない

形で記述する。

2. 批判的思考力と当事者意識

　教育において「批判的思考力」の育成が重要視されてきているが、「批判」ということばから、相手を攻撃する否定的なイメージを持たれることもある。しかし、楠見・道田（2016）は、批判的思考（critical thinking）は「相手を非難する思考」とは真逆で、相手の発言に耳を傾け、証拠や論理、感情を的確に解釈し、自分の考えに誤りや偏りがないかを振り返ることであるとした上で、以下のように定義づけている。

　　批判的思考とは、第一に、証拠に基づく論理的で偏りのない思考である。第二に、自分の思考過程を意識的に吟味する、省察的（reflective）で熟慮的な思考である。そして、第三に、より良い思考を行うために目標や文脈に応じて実行される、目標指向的な思考である。
　　　　　　　　　　　　　　　　　　　　　　　　　　　　　（2016：2）

　その上で、大学教育において重視されている批判的に読む、聞く（情報収集）、話す（討論やプレゼンテーション）、書く（レポートや論文）は、学問や研究のために必要なコミュニケーション能力を支えるスキルであり、日常生活においてもテレビを見る、広告に接する、インターネットで情報を集める、決定するときなどに批判的思考力は働いているとして、市民生活において必要な市民リテラシーを支えるものであると述べている。
　Barnett（1997）は、様々な価値観の交差するグローバル社会の高等教育においては、知識をクリティカルに捉える（Critical Thinking）にとどまらず、自己をクリティカルに内省し（Critical Self-reflection）、世界へクリティカルに行動し（Critical Action）、社会をよりよいもの（Critical Being）に変えていく人材育成の必要性を唱えている。また、バイラム（2011）はIntercultural citizenship（Byram 2008）を基底とした教育によって、学習者に自己や他者の文化と社会の関係を批判的に考える力を育成し、国家を

超えた共同体、市民社会活動を促すことができると説く（第8章コラム❼も参照）。

佐藤他（2015）は、現状の社会をよりよくするために貢献していける人を育てることを念頭においた言語教育、人々が属するコミュニティの発展や変容を視野に入れ、未来をつくることを目指す言語教育の必要性を述べ、その教育実践には批判的思考力が欠かせないとして内容重視の批判的言語教育（Critical Content-Based Instruction）を提案している。

国籍、ことば、文化、専門性、宗教などが異なる多様な背景を持つ学生が参加することばの教育現場はまさにそのようなクリティカルな思考を持つ市民性を育成する場として相応しいのではないだろうか。しかし、平和でよりよい世界や社会の形成を目指す市民性の育成の前に、それをいかに自分ごととして感じ、捉えていけるようになるのかが重要であろう。その当事者意識なしに、批判的思考も市民性も育まれることはない。内容を重視したことばの教育活動の中で、世界的かつ社会的な話題について考える際に、その話題を自らの問題として捉えられなければ、真の対話は生まれず、批判的思考も育まれることはない。細川（2021）は、当事者意識とは、その話題や事柄について自分が当事者であるという認識の仕方であると定義し、この意識を持たないと、話題や物事に関して、第三者的な立場から冷ややかに傍観するということになりかねず、そのような最も忌避される「評論家」的姿勢を形成してしまう恐れを指摘している。そして、取り上げるテーマや話題について、「あなたに何が言えるのか」、話し手、書き手にとってどれほど切実であるかが重要で、「自分のことば」で語れてはじめて相手の心を捉えることになると述べている。

本章では「貧困からの脱却」をテーマとして取り上げたことばの教育実践を見ていく。戦争当事者を含むクラスで共に学んでいく中で、学生たちの当事者性や批判的思考力がいかに変化していったのか省察する。

3. 本実践の枠組み

(1) CLIL（内容言語統合型学習）

本実践の枠組みとして用いたCLIL（Content and Language Integrated Learning）とは、特定の教科やテーマを学ぶことにより、内容理解と目標言語の習得、学習スキル、思考力の向上を同時に実現しようとする教育アプローチである（和泉他 2012）[1]。

序章でも紹介したように1990年代、欧州連合（EU）の統合に向けて、複言語・複文化主義（plurilingualism and pluriculturalism）が市民教育として取り入れられ、CLILはEUの言語政策を具現化するための具体的な教育アプローチとして誕生した。CLILは、知識と言語技能を伸ばすということだけではなく、言語を通して平和な社会の実現に必要な、批判的思考力や問題解決力、協調協働力、社会責任力などの汎用的な能力（global competencies）を育てる点においてこれまでの言語教育の転換になり得るとされ（池田 2017）、近年は日本を含むアジアの国々等、EU以外の国・地域にも拡大している（笹島 2020）。

これまで多くの研究者、教育者がCLILの特色として挙げてきた教育原理が「4つのC（Content, Communication, Cognition, Community/Culture）」という考え方であり、このフレームワークを明示的に用いて内容、教材、授業方法を選択し、授業を設計する点がCLILの実践的な特徴であるとされる（奥野他 2018; Coyle et al. 2010; Mehisto et al. 2008）。特定のテーマやトピックに関して、単に表面上の「わかる」知識（宣言的知識）の獲得だけではなく、それについて当事者としてどう考え、どう行動するかという「できる」知識（手続き的知識）への移行を意識して学習すること（池田他 2016; 奥野他 2018）が重要視されており、そのために対話を通した指導（dialogic teaching）が重視される（Llinares et al. 2012）。また、授業の中でいかに深く考えさせられるかが重要視され、低次思考力（Lower-Order Thinking Skills：LOTS）から高次思考力（Higher-Order Thinking Skills：HOTS）（Coyle et al. 2010）までの様々な思考を意識して授業が計画され進められる。このようにCLILは、目標言語を「学んでから使う（learn now, use later)」のではなく、「学びながら使い、使いながら学ぶ（learn as you use, use as you learn）」という観点に立っている（Mehisto et al. 2008：11）。さらにCLILは、異なる意見や経験を共有し共に学ぶという教育観に根差しており、ペアやグループワーク等の協働的な活動や対話を重視し、地球市民として考えるべきテーマを積極的に取り上げ、国際理解や異文化理解を促進し、当事者としてどう考え行動するかについて学びを深めていく教育アプローチである[2]。

(2) PEACEプロジェクト

　本実践で取り上げる「PEACE」とは、縫部（2009）がホリスティック・アプローチ（Holistic Approach）[3] の立場から、日本語教育が今後地球教育（Global Education）とことばの教育が重なった領域を探求していくものとなる必要性を訴え、提唱した概念であり、以下の5つのカテゴリーを含むものである。

　　　P：Poverty（貧困からの脱却）
　　　E：Education（全ての人に教育を）
　　　A：Assistance in need（自立のための支援）
　　　C：Cooperation & Communication（協働と対話）
　　　E：Environment（生命と地球環境の保全）

　これらの頭文字をとってPEACEプロジェクトとしており（奥野他 2021, 2022; 縫部 2009）[4]、縫部（2009）は、日本語という言語を手段・道具として、地球上・自国内で起こっていることを自分の問題として捉え、平和を実現すべく、この5つの領域を教育内容として教え学ぶ必要性を唱えた[5]。

　筆者がこの縫部（2009）が提案したPEACEプロジェクトを、実際の日本語の授業として実践してみようと思い立った当時、世界は、アメリカの同時テロ9.11以降、対テロ戦争へと突入し、相次ぐテロと長引く戦争の中にあった。毎日のように報じられる戦争の惨状やテロ事件をニュースや新聞から見聞きし、一般市民や子どもが巻き込まれ、世界が憎しみの連鎖

から断ち切れないでいることに、筆者はやりきれない思いでいた。しかしだからといって何ができるわけでもなく、ニュースを見てはため息をつくぐらいしかなかった。しかし、全く理解できなかった自爆テロも、社会から相手にされず貧困の中にあり未来に全く希望を持てない若者が、テロ組織であれ何であれ、衣食住が保証され、自分の力を必要とされ、期待された結果だとしたらどうだろうか、殉教後は神の国にいき幸せになれることが保証されていると信じたならばどうだろうかと想像した。生まれた境遇が異なれば、私も同じようなことをしたかもしれない。そこで、教育に携わっている者としてすべきことがあるのではないかと思うようになった。そして、日々の日本語の授業の中で、まずは学生と共にこのような世界の現状を知り、考えることから始めてみようと、手探りながら実践してみたのが始まりである。初めは果たして平和学や貧困学、国際協力の専門家でもない自分がそのような内容を取り上げていいのか不安もあったが、実際にやってみると、これまで行ってきた言語重視の授業とは異なり、学生が主体となって学んでいるという手ごたえを強く感じた。

　また多角的な視点から思考を深めることができるテーマであり、協学を重んじ、複言語主義、言語と文化の多様性を認める背景から生まれたCLILの内容として適していると考えられた。そこで、ことばの教育を通して平和を構築するための取り組みの一環として上記5つの概念を枠組みとした「PEACEプロジェクト」をCLILの教育アプローチに即してデザインし直し、複数の大学において実践を重ねてきた[6]。

　本稿では、日本を含め、どの国にもある問題で想像しやすく、かつテロや戦争の原因にもなり世界的問題である貧困問題をテーマとした実践について取り上げる。

4. 戦争当事国出身者を含む日本語L2および日本語L1の学生との実践

(1) 本実践の概要

　本実践は大学の学部用の日本語授業として2016年度後期に実施され、

90分授業を15回行ったものである。参加者は日本語L1話者と日本語L2話者の混合クラスで、学部留学生1年生〜3年生、交換留学生、研究生で、日本語L2話者の日本語レベルは日本語能力試験N1レベル相当の上級であった。学生の人数は出身地域ごとに、東アジアA国2名、東アジアB国1名、北欧1名、東南アジア1名、中東C国1名、日本2名[7]の計8名であった。また、東アジアA国のTAが授業補助を行った。特筆すべきは、当時C国は内戦[8]が激しかった時期であり、戦争当事国出身のC国の学生は自宅近くも爆撃を受けた戦争当事者であったことである。このC国の学生の名前を以後、ローサ（仮名）とする。

　実は、ローサと筆者との出会いはある新聞記事が始まりであった。筆者が連日のテロ事件や戦争の記事にまたもやため息をついていたある日、目にしたその記事は、中東のC国の大学の日本語学科存続の危機というものであった。C国から日本人は全員引き上げ、日本語を教えていた日本語教師も帰国し、日本語学科は学生の募集を中止し、在籍している学生はいるものの授業が成り立たないという記事であった。その新聞記事には日本語の学びの継続を希望する日本語科の学生数人の写真も掲載されていた。筆者はオンラインで日本語の授業を提供することならできるかもしれないと考え、知人を介してC国の大学教員と連絡をとったが、政府当局が快く思わない可能性があり責任が持てず、授業として取り入れることはできないと、実現することは叶わなかった。しかし、その新聞記事に写っている学生の一人がその当時日本に交換留学生として留学中であり、日本語教育を志していることを知り、交換留学後、研究生として受け入れることになった。それがローサであった。本稿で取り上げる実践は、そのような縁でローサが筆者の日本語クラスにはじめて参加することとなった実践である。

　本実践授業の大きな流れは、①世界の中で自分がおかれている状況について自覚する、②書籍、視聴覚教材を通して貧困の背景・現状・メカニズムを知り、自分のことばで説明する、③ポスター作成・発表を通した貧困の原因についての分析と考察、④世界で一番平均寿命が短い国のひとつであるシエラレオネでの支援活動を題材とした書籍の分担読解を行い、国際支援の在り方について考える、⑤社会起業家による取り組みを調べ、発表、

クリティカルな観点を含めて議論する、⑥授業を振り返り、自分のよりよい生き方や、当事者として将来できそうなことを考え、まとめる、というものであり、対話や協働学習の機会を多く含めて進められた。⑤の段階で、ローサ本人の意向により、C国の戦争による貧困率の上昇、戦争の原因、現状、C国のための活動実態、などに関する発表も行われた。また教材は全て真正性（authenticity）の高い書籍や視聴覚教材等であり、在籍学生の国に関連する新聞記事を扱うこともあった。「思考」を低次元から高次元へと伸ばすことを意識し、ペア活動やグループワークによる「協学」の機会を多く取り入れた教室活動を行い、思考の深化を促すための支援を行うようにした。本節では、学期を通したこれらの様々な活動の流れの中で、戦争当事国の学生を含む履修学生たちのクリティカルな意識・視点・姿勢・態度がどう変化したのか、当事者性がどう高まったかについて、学生の振り返りシートや、TA・教師による観察と内省、受講生へのインタビューによるナラティブを中心に読み解いていく。

(2) 各活動と履修者の反応

　筆者はこのテーマでの授業はそれまでに数回行っていたが、今回戦争当事国のローサが参加していることにより、テーマをより深めることも可能かもしれないとコース開始時に考えた。しかし、当時C国の激しい戦争について触れることはローサに予想以上の心理的負担をかけることになるかもしれないと思い直し、やはり通常通りに授業を進めることにした。各活動と履修者の反応について、以下時系列的に紹介していく。

①導入部（第1回）

　ウォームアップとして自己紹介とこれまでにいったことのある国について話し、様々な国の出身者でクラスが成り立っていること、皆が様々な言語や文化があることを実際に見て知っていることを踏まえた上で、「PEACE」を大きなテーマとしたこの授業の動機づけとして、世界が100人の村だったらどうかについて考えた。学生はまずワークシートに世界の人々の分布（人種、宗教、経済状況、教育状況等）の予測を書き込み、その

後『地球がもし100人の村だったら』を教師が朗読した。その後グループに分かれ、予想とはずれた箇所についてシェアした結果、「100人中何人が大学の教育を受ける」という質問に全員が一番解答からはずれていたことが明らかとなった。予測は5人から50人までであったが、実際は100人に1人しか大学教育を受けられない[9]現実に驚き、自分が世界の中でどのような立場にいる人間なのかを確認し、恵まれた状況にいるということを自覚した。また、「貧困とは」という題目での作文を課題とし、「貧困」をどのように捉えているのか、自分なりの考えを書いた。その後、作文をもとに、各自の視点を一言で付箋に書き出し、グループごとに分類しまとめた。作文の内容については、貧困の具体的イメージ（栄養不良の子ども）、貧困の定義、貧困の原因、貧困の改善策など様々であった。また、自分の状況や宗教観に基づいて貧困を捉えていることもうかがえた。他者の視点から新たに気づくことも多かったようである。

　佐藤他（2015）では、一人ひとりの育った環境が異なるため、クリティカルに分析する姿勢や知識がどの程度身についているか、クリティカルな姿勢や視点、態度をどの程度持っているかはコースを履修する時点では異なっていると考え、協働的な活動を行っていくことで「洗練」「拡張」されていくと述べている。導入部での活動ではクラスにある多様な視点に気づくこと、それを認め合うことから始めていった。

②本や視聴覚教材を通して世界の貧困のメカニズムや現状を知る

（第2～3回）

　導入部では、世界の貧困は自分とは関係のない遠いことだと書いた学生もいたが、本セッションでは、現実を知り、自分との関わりを考え、当事者意識を育む活動を行った。まず、開発途上国の貧困を生み出す要因として「モノカルチャー経済」を取り上げ、貧困の現状やシステムについて学んだ。具体的には、日々自分たちが口にしているコーヒーやチョコレートを取り上げながら、それらがどこの国から来たのか、そこではどのような生活がなされているのか、普段飲んでいる1杯のコーヒーの価格の何パーセントが原産者にいくのかなど、貧困を生み出すモノカルチャー経済につ

いて学習した。また、自給自足の生活からモノカルチャー経済の生活になるまでのプロセスが描かれた5コマ漫画を見て、キーワードを使ってストーリーを考え、紹介し合う活動を行い、その後文章にし、ディスカッションを行った。振り返りシートには原産者への還元率の低さやモノカルチャー経済のメカニズムについてはじめて知り、驚いたと記した学生が多かった。

③ポスター作成・発表を通した貧困の原因についての分析（第4〜5回）

　本セクションでは、能動的に情報を自ら調べて整理し、現状を多角的に捉え、自分のことばで簡潔に説明・議論することを目的とした活動を行った。具体的には、世界の平均寿命を調べ、当時、世界で一番寿命が短いとされるシエラレオネに焦点をあてて、3班に分かれてポスター発表を行った。シエラレオネの平均寿命が世界一短い原因について、各班はシエラレオネの歴史やデータから得られる知識から貧困の原因についてそれぞれの班の観点から考察したポスターを作成し、発表した。また以下の4点について、相互評価を行った。①ポスターが見やすくて、内容がわかりやすい、②発表者が一番伝えたいことが伝わった、③調べたことをわかりやすく説明できている、④自分が考えたことや思ったことを説明できている。

　各班のポスターの内容は、「健康に関する基礎データ→近年のエボラ出血熱→解決策」「内戦の原因と影響」「ダイヤモンドの問題→解決策としてのキンバリー・プロセス[10]」であった。同じ題材をもとに調べても、3班3様の視点からの発表であったことは、多角的な見方への気づきにもなったと考えられる。

　またローサがいるグループは、シエラレオネの内戦の要因について、政府軍と反政府軍（RUF）とのダイヤモンド鉱山の利権をめぐる争いであることを発表した。この内戦は、実際は隣国が反政府軍に介入した見せかけの「内戦」でもある（山本 2012）[11]。それについてはじめて知り、発表していた。そして世界各地の「内戦」と言われているものも本当に「内戦」なのか、その原因、真実を知る必要があることをクラスで共有した。クリティカルな視点の芽生えが現れたと思われる。

なお、このとき、C国では政府軍によるC国北部の都市への攻撃が激化している時期であったが、ローサも教師も特に触れないでいた。しかし以下に示すローサの授業振り返りシートの記述から、ローサはC国に思いを馳せていたことがうかがえる。

　　　同感を感じて、C国人のことを思い出しました。今のところ何もできないのが非常に残念だと思いました。さきほどのビデオは2009年にとられたビデオ、<u>つまり内戦が終わって7年たったのですが、まだ貧困がこんなに定着しているのに驚いて、その原因を知りたくなりました</u>。ダイヤモンドがほうふなのに、キンバリー・プロセスができたのに、なぜ今の状況はこうだということが知りたいです。
　　　　　　　　　　　　　　　　　　　　　　　　　　　　（ローサ）

　また、なぜ内戦後も貧困が定着しているのかその理由について知りたいと書いていることからも、内戦後のことに目を向けて考えようとしていることがうかがえる。

④分担読解──シエラレオネを題材に（第5～9回）
　本セクションでは、世界で平均寿命が一番短い国の現実を知った後、その状況を改善しようとしている活動を知るために、実際にシエラレオネで活動していた日本人医師が著者である『世界で一番いのちの短い国──シエラレオネの国境なき医師団』を用いて分担読解をした。分担読解では、学生がペアとなり、担当する箇所について一緒にレジュメを作成した上で2グループに分かれて各自発表し、グループでディスカッションを行った。また、この間にテーマに関連するものや、学生の国に関するものなど、その時々の新聞記事も授業始めに配布し、速読による短い分担読解も繰り返した。連日報道されているC国についての記事のみ取り上げないのも不自然な気がして、事前にローサにC国の記事を取り上げることについての意向を確認してみたところ、是非取り上げてほしいということであったことから、C国の政府軍が反政府軍の地域を制圧したことを報じた記事を取り

上げた。このローサの、当事者としてクラスで自国での戦争について取り上げようという決心は、他の学生にとっては戦争当事者のクラスメイトがいるということへの気づきとなり、それぞれの当事者意識が芽生え始めるきっかけとなったことがフォローアップインタビューからもうかがえる。

　　ローサさんが言ってたC国のお話とか、本当に今までは自分と全然関係ないと思っていて、ずっと新聞やニュースも大変そうだなと思うだけだったんですが、そういうことはちゃんと知らなきゃいけないって考え方が変わったかなって思います。途中で新聞を見たときぐらいからC国北部の都市に関する記事は私も詳しく見てみようって思うようになって、そのあとは朝日新聞を読んでいるんですが、C国北部の都市の記事は目をとめて読むようになりました。

（日本②）

　このインタビューから、今までは自分の関係のない世界の出来事と捉えていたが、授業で読んだローサの国に関する記事をきっかけに、何が起こっているのか知りたいと思うようになり、普段の生活においてもC国の状況を知るために新聞記事を読むようになるなど、考え方や行動様式が変化したことがわかる。

⑤社会企業家や団体の取り組みの紹介——貧困解消への取り組み
（第10〜14回）
　本セクションでは、シエラレオネにかかわらず、世界各地の貧困問題の解決のために活動する社会起業家が執筆した本5冊を学生に紹介し、興味に応じて4つのグループに分かれて各社会起業家の取り組みを発表する活動を行った。発表は、社会企業家が活動を始めたきっかけ、苦労した点、現状等を紹介し、最後にクラスで考えるべき問い、ディスカッション・ポイントを提示することとした。ディスカッション・ポイントを定めるには、本に書かれたことを理解するだけでなく、社会状況を理解した上で社会起業家の活動をクリティカルに見直すことが必要となる。そのため、発表準

備の中で最も難しく、グループ内で何度も話し合いをして決定された。ディスカッションの結果、知識をもとに多角的に考え、クリティカルかつ冷静に対話できるようになっていることがわかった。各社会起業家の活動の発表を終えた13回目の後、ローサ自らC国について14回目に発表したいという申し出があった。14回目には他の活動を予定していたが、教師はローサの意志を尊重し、ローサの発表とそれについてのディスカッションに1コマあてることとした。ローサは父から自国の政治に関することは話すなと言われていることも事前に聞いており、ローサからは少しセンシティブな内容も含むことを聞いていたため、どのような展開になるのか正直不安もあったが、ローサと他の履修生たちを信じてみることにした。また発表の前に、ローサの発表の内容は授業外では口外しないようにと一言注意を与えた。

ローサの発表の内容は、近所の親戚の家も爆撃にあったこと、内戦に至る経緯や、原因、内戦の前と後のC国の街の様子の写真、内戦となってからの貧困率の上昇についてのグラフのほか、C国の大統領への日本メディアによるインタビュー映像、C国を逃れたピアニストの両親が捕らわれて虐待を受け傷だらけになった写真、C国を非難するピアノ曲を作曲して弾いているピアニストが捕まりピアノが焼き払われるという、政府を暗に批判するビデオなどが含まれていた。

ローサは発表後のフォローアップインタビューで以下のように述べている。

　　当事者であるが出来るだけ感情的にならずに、客観的に発表するよう意識した[12]。　　　　　　　　　　　　　　　　　　　　（ローサ）

発表内容とこのナラティブから、ローサは反政府軍に近い考えを持っていたにもかかわらず、自身の立場や感情を抑えて出来るだけ客観的なデータを用い、出来るだけ公平に、政府側の主張、反政府側の主張両方を用意しようとしたことがわかる。さらに、本発表においてローサ自身が、以下の2つのディスカッション・ポイントを提示した。

①どうして内戦が今まで続いているのか

②今の段階で何ができるのか

　そして、以下のようなディスカッションが行われた。以下はグループ
ディスカッションの内容をまとめて、グループの代表者がまとめて発表し
たものの要約である。

ディスカッション・ポイント①：どうして内戦が今まで続いているのか

　　　C国の内戦が長く続いている大きな理由は、政府軍も反政府軍も
　　他の国から支援をもらい続けてきたからである。今まで政府軍と反
　　政府軍はずっと戦ってきて、誰も勝っていないし、負けてもいない。
　　つまり、政府軍も反政府軍も正義ではない可能性がある。今の状況
　　から見ると、政府軍を支持する国民も大勢いる。これだけ内戦が続
　　いてきたことは政府軍が完全に悪いわけではなく、反政府軍も完全
　　に正義の味方でもないのではないか。　　　　　　　　　（グループB）

　ローサの狙い通り、参加者は政府側、反政府側どちらでもないニュート
ラルな立場でディスカッションは行われ、ローサの立場を知る教師はやや
驚きを持ってこのディスカッションの報告を聞いた。

ディスカッション・ポイント②：今の段階で何ができるのか

　　　内戦停止させるほかに、C国の国民、特に難民や避難民の生活を
　　支える行動が必要である。T国、R国、I国の３カ国による連名で
　　停戦維持の共同声明を発表したが、なかなかうまくいかない。C国
　　の事情に詳しくない人が日本の番組でのC国大統領のインタビュー
　　を見ると、当然「テロリスト」を倒そうとするC国政権に合法性や
　　正義性があると判断する。政府には「テロを倒す」という大義名分
　　があるが、実はどこまでを「テロリスト」とするのかについては何
　　も疑問を持っていなかったことに気づかされた。日本の国民も主流
　　メディアを信じることが一般的であり、これから何ができるかを考

える前に、本当のことを「知る」ことやクリティカルに考えること
が大切である。その上で、自分の立場で、できることを考えるべき
だが、当然できることもそれぞれである。日本も「共謀罪」法案が
通り、C国の問題は実は対岸の火事ではないこと、自分達も戦争当
事者になり得るということに気づかされた。　　　　（グループA）

　ここからは「テロリスト」という大義名分によって人は容易く正当性が
あると思い込んでしまうが、実は政府は反政府側の人間を全て「テロリス
ト」と見なしていることから反政府側の人間が多い地域への爆撃を行うこ
とに正当性があると主張していることを知り、「ことば」の選択によって
単一的な見方をしてしまう危うさに気づいたことがうかがえる。

⑥振り返り（第15回）
　最後のセクションでは一連の授業を振り返り、当事者として、今そして
将来何ができるのかについて話し合った。また、「貧困」についての考え
がどのように変容したのかを知るために、授業後に授業の開始時に実施し
た「貧困」についての作文を再度書かせた。また、言語面、思考面、内容
面、協学面における自己評価を行った（cf. 奥野・小林 2017; 佐藤・奥野
2016）。以下「貧困とは」の作文の一部であるが、当事者として何ができ
るか考えていることが見受けられる。

　　貧困を抜け出すにはお金が必要である。お金を得るには仕事が必
　要である。仕事に就くには教育が必要なのである。授業を受け、貧
　困の改善には教育が重要だという考えに変わったが、自分にできる
　ことを見つけるのは難しい。NPO団体に加入し直接的な支援をし
　ようとは今のところ思っていないからである。私にできることがあ
　るとすれば、それは情報発信なのかもしれない。私は授業で別所さ
　ん 13) の著書を読み、自分も何か行動したいと思うようになり、行
　きついた先が外国人向けのWebメディアだった。Webを通して、
　例えば貧困の国から日本へやってきた外国人のことを紹介したり、

貧困の国への支援活動を行っている団体の特集を組むなどしたら現状を様々な人たちに知らせることができるかもしれない。今までは貧困の情報の受け手であったが、今度は送り手になれるように取り組んでいきたい。（日本①）

　この学生はちょうど就職活動時期で、マスコミ志望であった。自分の将来を考える時期にこの授業を受講し、貧困について自分ごととして捉え、自分ができる範囲で、将来何ができるのかについて考えていることがわかる。

5. 考察

(1) クリティカルな意識の芽生え──当然視されている前提・価値観について

　「もし世界が100人の村だったら大学に通える人数は何人」かという予測が大きくはずれたこと、国際的規約ですら確実ではないこと、「内戦」「テロリスト」とことばでくくることにより、見えなくなるものがあることなどへの気づきが多くあった。これらのことから、この活動を通して、当然だと思い込んでいたものへのクリティカルな視点を得ることができたと言えるのではないだろうか。実際、授業後のフォローアップインタビューからの以下のような学生の声が得られた。

　　　日本に住んでいたら考えない視点から、皆さん物事を考えているなと思って、C国からきたローサさんとかの話はもう、現地の方の声だと思うので、最後の授業の発表とかも心にささる言葉とかもあったし、内戦ってすぐ使っちゃう言葉なんですけど、ローサさんは気を遣ってこれは使いたくないって言ってて、こういうふうに単語だけでも、気を遣うっていうか、ナイーブなことなんだなと思って、一つ一つ考えていかなきゃいけないことなんだなと思いました。今まではこう完全にニュースがすべてだと思っていたので、自分が

マスコミを志望するのもちょっと関係してるんですけど、<u>メディア</u><u>の見方が変わりました。もう結構批判的っていうとかっこよく言い</u><u>すぎなんですけど、本当にそれだけなのかなって思うようになりま</u><u>した</u>。　　　　　　　　　　　　　　　　　　　　　　（日本①）

　ここからは、メディアを鵜呑みにせず、批判的に検討する視点も養われたことがうかがえる。

(2) クリティカルな姿勢・態度の成長

　シエラレオネについて調べることによって内戦の原因や経過、影響を知り、まずは知るということの大切さを知ったということ、内戦が終わっても貧困が続いている原因を知りたいと思ったこと、実際にニュース等を見る視点や考え方が変わったことからも、クリティカルな姿勢や態度の成長がうかがえる。

　　　C国については全然知らなかったんですけど、最後のプレゼンテーションを聞いてひどい状況だと思いました。戦争はいつから始まったのを知らなかったんですけど、それについて分かって、<u>もっ</u><u>とニュースとか探したりしました</u>。　　　　（東アジアB国）

　　　授業で貧困を見てたんですけど、いろんな視点から、内戦もあるし、取り組みもあるし、いろんなところから見てたと思うんですけど、いろんなところから考えるところがあって、アメリカ大統領の政策とか、授業をやる前にアメリカ大統領の政策とか見てもたぶんあんまり何が悪いとは言わないですけど、深くまでは分からなかったと思うんですけど、<u>いま新聞とか読んでてても、なんかえーみた</u><u>いな、本当にこんなことするのって思うことを言ってて、でもその</u><u>反面そういうこと自分で考えられるようになったんだなっていう成</u><u>長も思うようになりましたね</u>。　　　　　　　（日本②）

実際にもっと知ろうとニュースを探すなどの行動に変化があったり、自分自身でクリティカルに考えられるようになっていたりすることへの気づきがあることが読み取れる。

(3) センシティブな問題を扱う教室内で生じた違和感

クラスの大部分の学生に、戦争や貧困問題への当事者意識が芽生えたが、当事者意識を持つことなく、C国学生の発表に対し、一種の違和感を持った学生が約1名いたこともまた事実であった。以下は東アジアのA国の学生へのフォローアップインタビューの内容である。

> ローサさんは、激しすぎるってことで、ちょっとなんだろね、ま観点が激しいっていうそれは思ったんですね。なぜって考えてみたら、まあやっぱり今まで生きてるっていう世界っていうか、今まで生きてっていう国とかがまあ、生活環境そういう、やっぱり人の性格とかいろんなところに、あの、考えとか、に結構影響与えてるのではないかなと思ってるんですね。それですね。まあ一応わかるっちゃわかるんですけど、あの、正直僕政治にあんまり興味ないので、全然、あどうでもいいって感じで、自分がちゃんと生きればいいっていう人なので、急にこういう激しい意見とか聞いたら、ちょっと、あ、びっくりします。あ、そんななるんだっけっていう感じで。ちょっとびっくりしましたけど、まあ、自分の意見ちゃんとしっかりはっきりしてるほうがいいと思うんですけどね。　（東アジアA国）

「政治に興味はない、どうでもいい」という発言は、大部分の学生の当事者意識が高まったことに安堵していた部分もある筆者にとって大変ショッキングな内容であった。

教室は社会の縮図とも考えられ、社会の中にはそのような反応や考えを持つ人間が必ず存在する。教師はそのことを自覚し、共感できず当事者意識が持てない学生に対して、教師はいかに気づき、教室内でどのように対応し、働きかけていくべきなのかについて、考えていく必要がある[14]。

このようなセンシティブな内容について教室外でそれぞれの考えや立場を話す機会は多くない。教室でセンシティブな話題を取り上げる際には、どのような立場であっても否定されないという安心感のある場を醸成し、教師はたとえ自分自身と異なる考えを持つ学生がいたとしても受け入れ、時には戦略的共感（strategic empathy）[15] を示すことが必要なときもあるのではないだろうか。教師は、センシティブな話題を取り上げる際には、クラスの多くの意見と異なる立場からの意見をすくい上げる構えを持ち、より多角的に考える機会が得られるよう努める必要がある。

(4) 当事者意識の芽生え

　（3）のような事実もあったとはいえ、日常的に飲んでいるコーヒーや食べているチョコレート、人生の大切なときに贈り合うダイヤモンドのルーツを知り自分の生活と世界の貧困が関わっていることを知ったこと、戦争国の当事者として、自分の国のことを知ってもらいたい、話したいと思ったこと、また自分に何ができるかと考えたこと、これらのことにより、多くの学生の当事者意識が高まったことが否定されるわけではない。当事者意識が高まったからこそ（1）や（2）で示したようなクリティカルな意識や姿勢、態度の成長が見られたと考える。本実践のように現当事者ではない学生が当事者性を持つようになるためには、多様な背景を持つ他者と出会う場、対話する場を設けることが重要であることが示唆される。以下のナラティブからも、ローサと学んだことが、これまでの自身の視点の転換を促すきっかけになったことがうかがえる。

　　筆者：授業の始まる前と後とで何が一番自分の中でこう変わった
　　　　なって思いますか？
　　学生（北欧）：んー貧困になる原因としては、ん、戦争が一番、い
　　　　けない、一番とめないと、重要な原因だと思うようになったとこ
　　　　ろだと思うんですね。
　　筆者：それは、どういうことを通してそう思うようになりました？
　　学生（北欧）：特に〈うん〉、ローサさんの発表、です。で、んー、

そのね、<u>目の前に戦争を見たことある人、今までに会ったことがなくて、んーとても考えさせられると思ったし。非常に貧困・戦争を身近なものに感じることができた</u>。「内戦」が始める前は豊かな国であったにも関わらず、現在の貧困率は80%を上回っていることに驚いた。

　また、戦争当事者であるC国のローサが授業に参加し、教室という場で話せること話せないことという壁を乗り越え、自国で起こっていることを、自分の経験を含めつつ、客観的に公平な視点で自ら語ったことは、平和でよりよい世界や社会の形成を目指そうとする市民性が育った象徴だと考えられるのではないだろうか。オスラー＆スターキー（2009）は市民性教育においては、個人と国家の関係で把握するのではなく、個人と多元的な世界との関係で複合的・動的に読み解いていくことの重要性と、個人がよりよい世界を構成するためにいかに具体的な実践・活動に結びつけていくのかという視座の重要性を述べている。ローサがクラスで対話を行うために提示した①どうして戦争が今まで続いているのか、②今の段階で何ができるのか、という2つのディスカッション・ポイントは、まさに戦争の原因を複合的・動的に把握しようとするものであり、個人が具体的実践や活動に結びつけていくための視座が含まれていたと言えよう。

　ローサ自身にもこの授業を通して、市民性の発達や当事者意識や姿勢に変化があったことは以下のインタビューからもうかがえる。

　　筆者：C国のことを話すことに躊躇はありませんでしたか？
　　ローサ：最後まで泣かずに発表できるか心配だったんですがC国人
　　　　　　としてみんなに知ってもらいたいし、C国人として自ら話さない
　　　　　　といけないなと思ったんです。

　そして、筆者が話してくれたことに感謝しつつ、ローサの立場が明らかになる可能性に対して心配はなかったのかを尋ねた際にローサは毅然とこう言った。

先生、安全も大事だけど、自由も大事です。

　そのことばに筆者ははっとした。自由でありたいと願うことは人の生存の根源である。ローサにとってC国のことを様々な国の学生がいる教室で話し、共通言語である日本語で対話するということは、自分自身の自由を勝ち取るためだったのかもしれないと、そのとき筆者は感じた。

　細川（2012）は「ことばの市民」（ことばによって自律的に考え、他者との対話を通して、社会を形成していく個人）の育成の必要性を唱え、言語のみでなく、その人とその人のいる環境全体、その全体を行為者自身が意思を持って構成することの意味の重要性を説いている。まさに14回目の授業は、ローサの行為主体性（agency）[16] によって実現した、ことばの市民性教育だったのではないだろうか。

6.　おわりに

　本章では、大学で、CLILに基づいて貧困問題を取り上げたPEACEプログラムの実践を通し、多様な背景を持つ学生たちと、ことばの教育を通してどのように平和構築への取り組みを行っているのか、履修学生たちのクリティカルな意識・視点・姿勢・態度の変化や、当事者性の高まりについて、学生や教師のナラティブから示した。

　特に本実践では、戦争国当事者のローサが在籍していたことから、教師はどのようなことが教室内で起こるのか予測ができない不安を抱えながらも、ある種の期待と覚悟を持って取り組んだ。その過程で学生たちの批判的思考力や当事者性の高まりを感じつつ、学生たちを尊重し、信じて授業を進めていった。この実践は、まぎれもなく学生と共に作り上げたものであると言えるだろう。その結果、ローサとそのクラスメイトたちが、授業で共に学ぶ中で、クリティカルな意識や姿勢、態度を育み、当事者性が芽生え、一人ひとりが何ができるのかを考える機会となったことが振り返りシートやインタビューから読み取れた。一方、全員が当事者意識が持てたわけではないことも明らかとなり、教室でセンシティブな問題を扱う際に

教師が構えを持つ必要性についても今後の課題として挙げられた。

　社会に出る前の若者は、自分らしい生き方を考える時期である。自分はどのような生き方をしたいのか、社会にどのような貢献ができるのかを考える。この時期に、授業の中でそのような考える機会をつくることに意義がある。当事者性が最後まで持てなかった学生を含め、この授業を受けた学生たちが、将来、それぞれの人生のタイミングでいつかPEACEにつながるときがあることを期待しつつ、それぞれがまずは自分らしく幸せに生きてほしいと願う。このような授業がその学生の人生においてどのようなインパクトを持つのか、果たして平和な社会の構築につながるのかについては、長い歳月を経て検証する必要がある。しかも検証し得るかどうかは限りなく未知数である。しかし、今ことばの教育に携わるものとして、希望を持って実践を継続していくことが重要なのではないだろうか。教師の役割は単なる学習のファシリテーターではなく、教室を未知の領域へと導き、新たな世界を見せることである（Biesta 2013）はずだ。

　今、この時も世界で様々な紛争や内戦、戦争が絶えず、政情が不安定な国からの難民や避難民の問題は深刻さを増す一方である。今後も様々な背景や立場を持つ学生たちと共に、ことばの教育の場を通して、今自分たちに何ができるのか、どうすれば平和につながる未来が築けるのかこれからも考え続け、実践していきたい。

謝　辞

　ローサをはじめ、研究に協力し、掲載を承諾してくれた学生の皆様に心より感謝申し上げます。なお、本研究はJSPS科研費JP18K00691の助成を受けたものです。

注

1) 内容と言語の統合を目指す外国語教授法には、北米のイマージョン（immersion）教育やCBI（Content-based Instruction）などがあるが、CLILは先行するこれらの教授法の影響を受けながら発展してきた。そのため、これらの教授法とCLILは誕生の背景となった言語政策や文化的社会的側面では異なっているが、教授法としては類似

点が多い（Dalton-Puffer 2011）。

2）本書の第6章、第7章にもCLILに基づいた教育実践が紹介されている。

3）ホリスティック教育（Miller 1988）とは、「関わり」に焦点をあてた全人的教育であり、論理的思考と直感との関わり、心と身体との関わり、知の様々な分野との関わり、個人とコミュニティとの関わりを追求し、学習者はこの関わりに目覚めると共に、その関わりをより適切なものに変容していくために必要な力を得るとされる。

4）縫部（2009）をもとに奥野他（2021, 2022）が一部改訂して用いている。奥野他（2022）にも縫部義憲の巻頭言が掲載されている。

5）このPEACEに含まれる内容は、後の2015年に国連のサミットで採択された2030年までに達成すべきSDGs（持続可能な開発目標）とも重なっている。

6）奥野他（2015），奥野（2016），佐藤・奥野（2016），奥野他（2018），元田（2019）などで報告。奥野他（2021）では、それまでの実践を共有すべく教材化し、その実践ガイドも作成している（奥野他 2022）。

7）日本の学生は日本語教育を専攻しておりCLILを経験するために履修していた。

8）内戦に複数の他国が加担し、代理戦争の様相のものであった。そのため「内戦」か「戦争」か明確には分けられない。戦争当事者のローサが「内戦」を使いたくないという意志を持っていたこともあり、本稿では以後C国については「内戦」ではなく「戦争」を用いる。

9）現在は7人とされる。https://www.100people.org/st

10）ダイヤモンドを紛争資金として提供する可能性を減らすために導入された制度。加盟国がダイヤモンド原石を取引する際、原産地証明書の添付を義務付ける「紛争ダイヤモンドではないことを証明」するための制度である。

11）シエラレオネの紛争は1991年3月のRUFによる隣国リベリアからのシエラレオネ侵攻から始まり、シエラレオネのダイヤモンド鉱山の支配権をめぐる縄張り争いという様相があったとされる（伊勢崎 2003; 岡野 2007）

12）本書の元田と神吉による対談（p.223）も参照のこと。

13）ガザ地区など戦争で教育が受けられない地域にオンラインで最高の授業を届けようと尽力する社会起業家。

14）本書の第9章でもセンシティブなトピックを扱う際に学生の意見が、教師にとって受け入れがたいときについての対処について紹介している。

15）Hollan（2008）は共感に必要な3要素として、①想像力・②継続的な対話・③気持ちのつながりを挙げる。共感とは、単なる感情の共鳴（シンパシー）とは異なり、意識力と想像力を要する知的なプロセスである。そのため、ある人の意見に同調できなくても、その相手に対し想像力を発揮し、双方向的な対話を通じて、部分的な気持ちのつながりを経験することが可能である。これが戦略的共感を可能にするとされる（Lindquist 2004; Zembylas 2013）。奥野・野村（2022）では、移民・難民問題を扱った実践を通して戦略的共感を取り入れる必要性について述べている。

16）行為主体性とは、潜在的に個人的または社会的変革につながる個人としての目標を

追求するために行う、選択、制御、自己調整能力のことである（Block 2013）。

参考文献

池田真（2017）『言語能力から汎用能力へ——CLILによるコンピテンシーの育成』早稲田大学教育総合研究所監修『英語で教科内容や専門を学ぶ——内容重視指導（CBI），内容言語統合学習（CLIL）と英語による専門科目の指導（EMI）の視点から』早稲田教育ブックレット17，pp.5-30、学文社．

和泉伸一・池田真・渡部良典（2012）『CLIL 内容言語統合型学習 上智大学外国語教育の新たなる挑戦第2巻 実践と応用』上智大学出版．

伊勢崎賢治（2003）「資源が招いた紛争 シエラレオネ」稲田十一・吉田鈴果・伊勢崎賢治『紛争から平和構築へ』論創社．

岡野英之（2007）「シエラレオネ紛争——その特徴と『若者』に対する再解釈」『社会科学ジャーナル』62：33-58．

奥野由紀子（2016）「日本語母語話者へのCLIL（Content and Language Integrated Learning）の有効性の検討——大学初年次教育履修生の変容に着目して」『日本語研究』36：43-57．

奥野由紀子・小林明子・佐藤礼子・渡部倫子（2015）「学習過程を重視したCLIL（Content and Language Integrated Learning）の試み——日本語教育と大学初年次教育における同一素材を用いた実践」『2015年度日本語教育学会秋季大会予稿集』pp.25-36．

奥野由紀子・小林明子（2017）「世界の平和と貧困問題をテーマとした内容言語統合型学習（CLIL）の実践」『The 23rd Princeton Japanese Pedagogy Forum PROCEEDINGS』pp.176-185．

奥野由紀子・小林明子・佐藤礼子・元田静・渡部倫子（2018）奥野由紀子（編）『日本語教師のためのCLIL（内容言語統合型学習）入門』凡人社．

奥野由紀子・小林明子・佐藤礼子・元田静・渡部倫子（2021）『日本語×世界の課題を学ぶ——日本語でPEACE』凡人社．

奥野由紀子・小林明子・佐藤礼子・元田静・渡部倫子（2022）『日本語でPEACE——CLIL実践ガイド』凡人社．

奥野由紀子・野村和之（2022）「移民・難民をテーマとした大学授業における教師の後悔が投げかけるもの——戦略的共感の必要性」『The 28th Princeton Japanese Pedagogy Forum PROCEEDINGS』pp.122-131．

オスラー，オードリー・スターキー，ヒュー（2009）清田夏代・関芽（訳）『シティズンシップと教育——変容する世界と市民性』勁草書房．

楠見孝・道田泰司（編）（2016）『批判的思考と市民リテラシー』誠信書房．

笹島茂（2020）『教育としてのCLIL』三修社．

佐藤慎司・高見智子・神吉宇一・熊谷由理（2015）『未来を創ることばの教育を目指して——内容重視の批判的言語教育の理論と実践』ココ出版．

佐藤礼子・奥野由紀子（2016）「ライティング評価による内容言語統合型学（CLIL）の

有効性の検討『PEACE』プログラムの実践を通して」『第二言語としての日本語の習得研究』20：80-97.

滝沢利直・菅田圭次（2006）「大学生の自己理解と社会認識の関係についての研究（1）——現代社会における当事者意識の形成」『東京工芸大学工学部紀要』2：1-9.

縫部義憲（2001）『日本語教師のための外国語教育学』風間書房.

縫部義憲（2009）「日本語教育で『愛』を語る」『最終講義資料』2009年2月7日於広島大学.

バイラム，マイケル（齊藤美野訳）（2011）「外国語教育から異文化市民の教育へ」鳥飼玖美子・野田研一・平賀正子・小山亘編『異文化コミュニケーション学への招待』みすず書房.

細川英雄（2012）『ことばの市民になる——言語文化教育学の思想と実践』ココ出版.

細川英雄（2021）『自分の〈ことば〉をつくる』ディスカヴァー・トゥエンティワン.

元田静（2019）「多様な母語の学習者に対する内容言語統合型学習に基づいた『PEACEプログラム』の実践と教師の役割」『日本語学習者の協働的活動における参加の動機づけ』科学研究費助成事業研究成果報告書（課題番号25370601）pp.128-140.

山本敏晴（2012）『世界で一番いのちの短い国——シエラレオネの国境なき医師団』小学館文庫.

Barnett, R. (1997). *Higher education: A critical business.* The Society for Research into Higher Education and Open University Press.

Bentley, K. (2010). *The TKT course CLIL module.* Cambridge University Press.

Block, D. (2013). The structure and agency dilemma in identity and intercultural communication research. *Language and Intercultural Communication, 13*(2), 126-147.

Biesta, G. J. J. (2013). *The beautiful risk of education.* Routledge.

Byram, M. (2008). *From foreign language education to education for international citizenship.* Multilingual Matters.［＝バイラム，マイケル（2015）細川英雄（監修）山田悦子・古村由美子（訳）『相互文化的能力を育む外国語教育——グローバル時代の市民性形成をめざして』大修館書店］

Byram, M., Golubeva, I., Hui, H., & Wagner, M. M. (Eds.). (2016). *From principles to practice in education for intercultural citizenship.* Multilingual Matters.

Cook, G. (2010). *Translation in language teaching: An argument for reassessment.* Oxford University Press.

Coyle, D., Hood, P., & Marsh, D. (2010). *CLIL: Content and language integrated learning.* Cambridge University Press.

Dalton-Puffer, C. (2011). Content-and-language integrated learning: From practice to principles? *Annual Review of Applied Linguistics, 31,* 182-204.

Hollan, D., & Throop, C. J. (2008). Whatever happened to empathy? Introduction. *Ethos, 36*(4), 385-401.

Lindquist, J. (2004). Class affects, classroom affectations: Working through the paradoxes of strategic empathy. *College English, 67*(2), 187-209.

Llinares, A., Morton, T., & Whittaker, R. (2012). *The roles of language in CLIL*. Cambridge University Press.

Mehisto, P., Marsh, D., & Frigols, M. J. (2008). *Uncovering CLIL: Content and language integrated learning in bilingual and multilingual education*. Macmillan.

Miller, J. P. (1988). *The holistic curriculum*, OISE Press. [＝ミラー，ジョン・P.（1994）吉田敦彦・手塚郁恵・中川吉晴（訳）『ホリスティック教育——いのちのつながりをもとめて』春秋社]

Zembylas, M. (2013). The emotional complexities of "our" and "their" loss: The vicissitudes of teaching about/for empathy in a conflicting society. *Anthropology & Education Quarterly, 44*(1), 19-37.

授業で取り扱っているテーマに
乗れない学生が教室にいる場合には
どうしたらいいのか？

奥野由紀子・佐藤慎司（聞き手）

第5章を読んでいて驚いたことは、S国の学生の問題の当事者がいても、そこにいた学習者Xはそのテーマにびっくりしたものの政治に関心がないからという理由でその学生にあまり共感できなかったという事実です。どんなトピックを選んでもそのトピックに乗れない学生が教室にいることは多々あるかと思いますが、そういう場合はどうしたらよいのでしょうか？　そんな問いを執筆者の奥野と聞き手の佐藤で語ってみました。

佐藤：今回の学生のように教員が授業中には気づかず、コース終了後の振り返りのコメントなどで、実は学生は興味がなく当事者意識も湧いていなかったのだとわかるケースもありますが、授業中明らかに学生が興味がなさそうにしているケースもありますね。

奥野：そうですね。それから、多数の意見はとは真逆の意見を持っているため発言を控えている、あるいは、センシティブなトピックなので様子を見ているという時もあるかと思います。また、その学生の出身国・地域で政治について話すことがタブーとされている、あるいは、出身国・地域が敵対関係にある学生たちが同じ教室内にいるという場合もあり、さらに親からもあまり政治的なトピックに関して意見を言わないよう言われている場合もあるので、学生の背景に応じて教員は配慮が必要ですね。

佐藤：こうしてみると、乗れないだけではなく、乗らないようにしている学生もいるということですね。学生の個人的なことにどの程度かかわるか、この距離感の取り方が難しいですね。

奥野：そうですね。そして、普段から何を話しても大丈夫、まず何を言っても否定されないという教室の風土づくりが大切ですね。あとは、クラス内で話したことはクラス外では話さないという約束を決めることも必要でしょう。

佐藤：これに関する失敗談ってありますか。

奥野：はい。ある学生が技能実習生が原発で働くことが議論されている新聞記事を持っていったときに、それについて、「（日本人と外国人が）ウィンウィンなんじゃないですか」と、ちょっと問題にもなりそうな意見を言ったんですよねえ。私は驚きつつ、そう考える学生もいるんだ、そのような学生がこのコースを通してどう変わっていくかを見守ってみたいと思いました。でも、そこで、TAさんが頭ごなしに反対意見を言い、それ以降、その学生はクラスの空気を読んで、授業中に何も意見を言わなくなってしまったことがあります。コース終了後の振り返りで、その学生は、自分は意見を言わなかったため、考えが相容れない人たちと授業の中でうまくやっていけたことが、自分のこの授業を取った成果だとコース終了時の振り返りに書いていて、かなりショックでした。私は相容れない人同士が話す場を作ることができたかもしれないのにと思ったので……

佐藤：ああ、確かにそうですね。でも、相容れない人が話す場を作るだけでいいんでしょうか。その先には何があるんでしょう？　トピックを教員が選んでいる時点で何か目的があるわけでしょう。学生が選んでくる場合は別ですが。

奥野：先ほどの失敗事例でいえば、私は意見の異なる人がいるということを認識した上でうまく折り合っていける方法を見出せればいいなと思っていました。意見を言わないというのは確かにぶつかりはしませんが、彼が何か考えを変えたわけではないでしょうし……例えば、トピックは学生が選んでこなくても、今のニュースを持ってくるのはリアルなのではないかと思います。あと、クラスの中のメンバーの出身地（国）の話だよとトピックを持ってくるのも当事者性を喚起しやすいのではないかと思いますが、乗れずにひいてしまう学生には何ができるのかなということはいつも考えています。

佐藤：そもそも世の中には人によって乗れるテーマとそうでないテーマがあって、私なんかはいつも乗れなければいけないのかなと考えたりしてしまいます。乗れないテーマでも授業で扱うことによって乗れるようになる場合もあるでしょうし……

奥野：教師にできることは仕掛け作りなんじゃないかなと思います。当事者を想像しやすいような。数値的なデータだけでなく、だれかの語りを扱う、当事者を呼ぶ、ビデオやドキュメンタリーを選ぶなど。

佐藤：でも、いつでも共感し、当事者性を感じてしまうと疲れてしまうことってないでしょうか？　あえて感じないようにしているとか。共感を強要はできないですよね。

奥野：当事者性を感じろと言うことも一種の暴力なのかもしれないですよね。乗れなくてもそういう状況があることを理解することは必要ではないかと思います。あと、教員としては相容れない人の意見を聞く姿勢も持ってほしいと思いますね。本当に共感している時の目を見ると、教員に合わせようとしているのではないということはわかるような気がします。

佐藤：だれかがあるトピックに乗れない理由ってわからないですよね。いろんな要素が関わっているから。その学生の背景やクラスのダイナミクスや、その日の気分や体調とかもあるでしょうしね。だから私は乗ってもらいたいと思いはするけれど、1回や2回ぐらい乗ってこないぐらいなら、そういうこともあるんじゃないかと思って、あんまり考えすぎないようにしてます。ただ、当事者がそこにいるにもかかわらずその気持ちに寄り添えないのはどうかなとは個人的に思います。先ほどの失敗例でも、教員だってTAさんだって学生だって人間だし、いつでも神様みたいに冷静ではいられないし、まさに自分に密接にかかわるようなトピックが出てきたときは気持ちが高揚することもあると思うんですね。

奥野：ただ、教員の場合は力（パワー）を持っているということを常に認識しておくことは必要ですね。あと、乗れてない学生にはその次にはその学生にトピックを選んでもらったりしてもいいかもしれません。あなたもメンバーの一員として見ているよというちょっとした配慮があるといいように思います。

佐藤：どんなテーマでも政治性がないものはありませんしね。

奥野：どこから入っても持っていきたいテーマには持っていけますしね。

　　　その後、二人で当事者意識を持つために必要なものは豊かな想像力を持つことではないかという話も出ました。人間が実際に自分で体験できることは限られていますが、想像力を働かせ、ことばの教室の中でさまざまな擬似体験をすることは可能です。そこからその想像力を問題解決にむけて創造力に結びつけていくことが大切なのではないか、対談しながら強く感じました。ことばには擬似体験をする力、そして、問題解決に向けて行動を起こしていける力もあります。その際自分が持っている資源を振り返り気付くことが大切です。思ってもみなかっ

たような資源（知識、言語、人脈など）が思ってもみなかったような
ところで役に立つこともあるでしょう。そんなことに気付けることも
教育の醍醐味なのではないかと思います。　　　　　　　　　（佐藤）

小さなクラスから平和を考える

「貧困」と「いのち」をテーマとした日本語授業の実践

元田静

一番伝えたいこと

　教師が担当することばの教室は、その一つひとつが実は「平和」につながる貴重な機会です。内容と言語を統合したCLILの授業では、あるテーマを起点として、学生たちの様々な意見や関係性が生まれます。教師は学生たちの思考の自由を尊重しつつ、これらの意見をタペストリーのように織り合わせ、教室の中での一つの「平和な関係性」をつくることに貢献できます。そしてそれは、より大きな世界の平和につながる「種」になるはずです。

なぜこのような実践・研究をしようと思ったか

　日本語の授業で「貧困」と「いのち」をテーマとしたのは、学生たちに学んだ内容を自分の生き方や将来の社会づくりに役立ててほしいと思ったからです。この授業は私が初めて正面から「平和」を扱った授業でした。当初の計画通りには進まなかったことから、長い間失敗したと思っていましたが、なぜか心に残るものでした。この授業を詳しく見直すことで、平和をテーマとしたことばの教育に関して新たな観点が得られるのではないかと考えました。

1. はじめに

　本章は、「貧困」と「いのち」を組み合わせたテーマで実施した一つの小さな日本語クラスの記録である。この授業を振り返ることを通して、平和に関わるテーマを題材とした「内容」の学習と、日本語という「言語」の学習はどのように両立するのか、この授業は最終的にどのように平和につながるのかについて考えてみたい。

　対象としたのは、筆者が数年前に担当した日本国内のA大学における学部日本語クラスであった。筆者はここで初めてPEACEプロジェクトの実践を試みた。PEACEプロジェクトとは、縫部（2009）が提唱したもので、平和を目指した教材を用いて日本語を学びながら世界の諸問題を知ることができるよう計画された授業のことである。平和に関わる5つのテーマ、Poverty（貧困からの脱却）、Education（すべての人に教育を）、Assistance in need（自立のための支援）、Cooperation & Communication（協働と対話）、Environment（生命と地球環境の保全）、これらの頭文字を取ってPEACEとしている（奥野他 2021; 縫部 2009）。奥野の声かけで筆者を含む仲間が集まり、まず「貧困」をテーマとした実践が進められた（奥野他 2015, 2018）。

　実は、この授業は長らく失敗だったと思っていた。筆者自身の授業運営の未熟さもあったが、一つには学生たちが遅刻と欠席を繰り返し、毎回授業が成立するかどうかのぎりぎりのラインで進行していたことが挙げられる。また、学生たちは日本語のレベル差があった上に、学習観や価値観も異なり、互いに歩調を合わせる様子もあまり見られなかったように感じられた。さらに、使用した教材の日本語の難易度が一部の学生には高く、日本語力が向上したのかどうかについても疑問が残った。しかし、今振り返ると、なぜかこの授業が印象深い。筆者が初めて正面から平和を扱った授業であったことや受講者が少人数だったために記憶に残りやすかったこともあるかもしれないが、教師が計画した通りに授業が進まなかったにもかかわらず、あるいはそうであったがゆえに、各自がこの授業から必要なものを学び取り、自分なりに将来につなげていったようにも感じられたので

ある。この授業を詳しく見直すことによって、平和をテーマとしたことば
の教育に関して新たな観点が見つかるかもしれないと考えた。

　この授業は、他のプロジェクトメンバーと同様、CLILのアプローチを
用いて行った。CLILとは、Content and Language Integrated Learningの
略で、内容言語統合型学習とも呼ばれ、「内容」と「言語」の両方に焦点
を当てて学ぶ教育アプローチのことを指す（和泉他 2012; Coyle et al. 2010）。
平和を希求したヨーロッパの複言語・複文化主義に基づいたものであり、
平和をテーマとしたPEACEの目的とも合致している。CLILでは４つのC、
すなわち、Content（内容）、Communication（言語）、Cognition（思考）、
Community/Culture（協学/異文化理解）[1] を軸として展開される。また、
教材は真正性（authenticity）の高いものが用いられることが多く、そのよ
うな教材を用いて深いレベルの内容理解や思考を目指した学習が学生の言
語レベルを超える場合も多いために、教師による足場かけ（scaffolding）[2]
も重要だとされる（奥野他 2018; 渡部他 2011; Coyle et al. 2010）。

　以下、平和に関わるテーマを題材としたCLILの実践について詳述し、
授業および学生の思考の中で「内容」と「言語」がどのように統合されて
いるか、そして、教師による必要な足場かけとは何かについて考察を行う。
さらに、実践の振り返りを通して、このような小さな日本語のクラスがど
のように平和に貢献できるかという可能性について、筆者自身の考えを述
べる。なお、実践の記述は筆者の授業日誌をもとにしている。

2.　実践の背景

　今回考察する授業は、日本語の読解と聴解がセットになったもので、日
本国内のA大学における学部留学生を対象としていた。指定されていた
共通カリキュラムでは、アカデミックな講義等で必要となる基本的な日本
語力を身につけることが目的とされており、入学初年度の学生が受講する
ことが多かった。留学生なら誰でも受講でき、例年様々な学科の様々な日
本語レベルの学生が幅広く参加していた。

　以前筆者がこの授業を担当した際にも、一般的なCLILの授業と同じよ

うに、テーマを設定し、読解と聴解で共通する内容の教材を集めて実施していた。しかし、今回実施したPEACEプロジェクトの方法やテーマは以下の点で異なった。第一に、これまでの授業ではディクテーションやストラテジーの意識化など「言語」の習得やトレーニングをメインとし、「内容」はそれに伴うものとして扱われていたが、今回は「内容」がメインであり、「言語」が内容を理解したり、発信したりするための手段として計画されていた。第二に、今回「内容」として扱うテーマは、現実に起こった世界の紛争問題や人の生死に関わるものであった。このような切実なテーマを学ぶことにより、学生の感情が激しく揺さぶられることが予想された。それは、自分がこれからどのように社会と関わりながら生きていくかを学生が考えるようになることが期待される反面、予想以上に胸を痛め、辛い気持ちになるかもしれないというリスクも負う。

　それまでの筆者のビリーフとして、リスクのあるテーマを選んではいけないというものがあった。筆者は学生時代に、いわゆる3S（政治・宗教・性）を日本語の授業で扱ってはいけないという指導を受けていた。そして、筆者自身もそのような生死に関わるテーマに敏感で、例えば多くの小学校の教科書に使用されている新美南吉の「ごんぎつね」[3]は、読むと辛い気持ちになるので今でも再読できないほどである。そのため、今回扱うテーマは、筆者にとってかなり大きな挑戦となるものであった。

　なぜそのようなテーマを扱ったのか。それは同じPEACEプロジェクトのメンバーらの活動に刺激を受けたということもあるが、個人的な理由も大きかった。その頃国内では、小さな子どもが親など大人の虐待により命を落とす事件が相次いでおり、一方で世界に目をやると、連日内戦のニュースが取り上げられ、他国へ逃げる途中で命を落とした子どもや拉致されて強制的に兵士となるための訓練を受けている子どもの写真などが否応なく目に入った。このような大人の犠牲になる子どもを一人でも減らせないだろうか、教育を通して何かできることがあるのではないか、という思いがあった。

　これらは「いのち」というテーマで統合することができると考えた。自分の学生時代を振り返っても、授業で扱われた内容は今でも記憶に残って

いる。例えば、筆者は30年以上前に大学の憲法の授業で例として取り上げられたある冤罪事件がずっと記憶に残っており、今でもその事件が新聞で取り上げられていればどんな小さな記事でも自然に目がいく。またもう一つ、授業での内容の重要性を感じたのが、育児学級で教わった「泣いている子どもを静かにさせようとしてビニール袋をかぶせてはいけない」という知識であった。これは通常であれば常識的な知識であって、あえてことばにして教える必要はないと思われる。しかし、実際に育児中に泣きわめく子どもを目の前にしたとき、これを知っているのと知らないのとでは大きな差がある。たとえ当たり前だと思われるようなことであっても、大切なことを他者の声を通して学ぶことによって、自分の記憶のどこかに残り、突発的な事態に直面したときに、誤った行動を制御し、適切な行動を取ることにつながるのではないか。そのため、若い頃に授業で「いのち」について学んだことが、学生の記憶に残り、将来の自身の生活や仕事を考える上での指針となり、さらには周辺にも影響を与え、世の中に助かる「いのち」が一つでも増えていくのではないかと考えた。

　しかしながら、世界の紛争問題や人の生死を扱うことに対しては懸念もあった。日本国内の日本語教育の現場では、多くの場合、国籍、宗教、文化など、学生の背景や価値観が自国で学ぶときよりもはるかに多様である。授業内で扱うテーマが引き金となって、ナショナリズムや宗教観の違いが刺激され、対立する国や宗教の学生が教室の内外で諍いを起こしたり、自分の国や宗教を批判された学生が教室で辛い思いをしたりするのではないかという心配があった。また、生死に関わるテーマを扱うことによってショックを受ける学生が出ることも懸念された。

　以上の期待と不安を胸に、筆者は授業を進めることとなった。

3. 授業の概要

　授業を統合するコース全体のテーマを「いのち」とし、読解では「貧困」を、聴解では「いのち」を下位テーマとした（図1）。それぞれ週1回（1コマ＝90分）ずつ、読解15回、聴解15回の計30回で構成され、読解

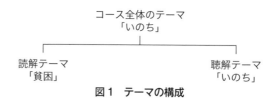

コース全体のテーマ
「いのち」

読解テーマ　　　　　　　　聴解テーマ
「貧困」　　　　　　　　　　「いのち」

図1　テーマの構成

の授業と聴解の授業が交互に進められた。

　読解は西アフリカのシエラレオネにおける「貧困」に関する書籍を、聴解は日本国内の「いのち」を扱ったドキュメンタリー番組やドラマを教材とした。「内容」と「言語」をつなぐものとして、どちらも1冊の「日本語学びのノート」という手作りのノートを用いた（図2）。このノートは、冊子の表と裏にそれぞれ読解と聴解の表紙がついている。ページを開くと、各ページの上に「今日のまなび」というタイトルと日付があり、その下に「ことば」を書く枠と「ないよう・はなしあい」を書く枠が設けられていた。どちらの授業でも生教材を扱うため、新出語彙や新しい表現がたくさん出てくる。このノートは、授業中や授業が終わった後に、学生たちが新しく学んだことを自分で選択して書き留め、最後に1冊の学びの本になることを目的としていた。

図2　「日本語学びのノート」の例

(1) 読解：「貧困」をテーマにした授業

　まず、読解から授業の様子を記述する。主教材は、PEACEプロジェクトの共通教材である『世界で一番いのちの短い国——シエラレオネの国境なき医師団』（山本敏晴著、小学館文庫）であった。この本は、シエラレオネの歴史と現状、国境なき医師団のミッションなどが書かれているが、同時に著者が本当の意味での国際貢献だと考えていることや現地での教育実践についても書かれている。また、四肢切断や子ども兵、割礼の話などかなり衝撃的で悲惨な記述もあるが、全体的にユーモアを交えながら書いてあるので深刻になりすぎずに読むことができる。PEACEプロジェクトを実施している他大学の上級クラスでは本1冊を丸ごと読むこともあるが、今回のクラスでは学生の日本語レベルを考慮して、第2章と第3章のみを教材として使用することにした。

〈1回目〉オリエンテーション1

　緊張を感じながら授業に臨んだものの、初日の参加者は1名だけであった。日本語能力試験のN2レベルで、日本語の4技能がバランスよく習得された学生であった。名前をトント（仮名）と呼ぶ。トントはA国からの留学生であった。

　まず、授業で学ぶテーマとこの授業の目標を話し、CLILとはContent and Language Integrated Learningの略で、内容についても言語についても学ぶのだということを説明した。トントは授業のテーマに少し不安を持っていた。自分はセンシティブだけど大丈夫かと心配していたので、「私もセンシティブ。この授業では辛いところもあるけれど、希望が感じられるものを選んでいるから」と言った。もちろん、辛くなったらいつでも伝えてほしいと付け加えた。この日トントは、テーマに関連して自分の家族と自国のホームレスの話をしてくれた。

〈2回目〉オリエンテーション2

　授業の開始時には誰もいなかったが、15分後に新しい学生が1名来た。名前をミット（仮名）と呼ぶ。ミットはB国からの留学生であった。直前

の日本語クラスでは初中級レベルであり、話したり聞いたりするのは得意だが、書いたり読んだりするのはかなり苦手だということであった。話すことが好きで、英語も交えながら流暢に話すことができた。

　1対1で授業の説明をしていたところ、その途中でミットの国の歴史に話が及んだ。ミットの国であるB国と近隣国のC国は、D国から独立した後、共に兄弟国として過ごしたが、途中で仲たがいをして争いになったのだという。どんな悲惨なことが起こったか、その後B国がどうなったかを、年号を交えながら詳細に話してくれた。筆者が初めて聞くB国の歴史であった。

　60分たってトントが遅れて参加した。先ほどミットが話してくれた内容を筆者がまとめて説明したところ、トントは自分の国では近隣国からのある難民の受け入れを拒否していると話した。当時その国の難民について日本ではあまり注目されておらず、筆者自身も知らなかった。ミットは、自分の国ではその難民を受け入れていると言っていた。それはかつての争いでD国がB国の難民を受け入れてくれたことがあったからだという。

　その後、お互いの国の難民についての話が続き、内容も深いものになっていった。ミットが自分の国は賄賂がはびこっていると言うと、トントも「私の国も多いですよ！」と言い、お互い世界でチャンピオンだと言ってみんなで笑った。筆者の授業日誌には次のように書かれていた。

　　今日はまさかこんな授業になるとは思わなかった。ミットさんからB国の歴史を学び、思いがけず特別な学習ができた（ちょっと感動した）。ミットさんも、話しながらわからないことばを英語から日本語に直してもらって、日本語の単語の学習ができたと思う。他のPEACEのメンバーが目指していた授業とは異なるが、CLILといえばCLIL。このまま恐れず、二人の流れにまかせて内容＝言語の授業をしていこうと思った。（中略）学習の方法については、二人の日本語力の違いがあることから、何かしらの工夫が必要だろう。ただし、教師があまり手出しをするのではなく、方法をいくつか提案し、自分たちの「意志」で学習方法を選択するように持って行か

なくてはならない。

　このように、不安を感じながらも明るい出だしであったことが読み取れる。

〈3〜5回目〉導入
　もともと受講者の少ない学期であり、さらに受講しづらい曜日と時限であったことも影響したのか、最終的に受講者はこの2名のみであった。トントは「人数が少ない授業のほうがいい。自分のペースで自分の勉強したいことを学べるから」と言っていた。
　3回目以降の授業は、次の手順で進めた。

1)「世界がもし100人の村だったら」[4] を用いて世界の状況を把握する。
2)『NHK世界データマップ——世界の“今”から“未来”を考える』（NHK「地球データマップ」制作班、NHK出版）の一部を用いて貧困のメカニズムを学ぶ。
3) シエラレオネについて各自調べてポスター[5] を作成し、発表する。
4) シエラレオネに関するDVDを視聴する。
5) 主教材『世界で一番いのちの短い国』（前掲）の第2章と第3章を読解し、発表する。
　　①共通読解（第2章第1節）：同じテキストをみんなで読む。
　　　→プリントの読解問題に答える。
　　　→レジュメを作成する。
　　②分担読解（第2章残り・第3章）：担当箇所を決めてテキストを読む。
　　　→各自担当したパートのレジュメを作成し、全体で発表する。

　3〜5回目の導入では、上記1)と2)の活動を行った。まず、「世界が

100人の村だったら」の話題では、男女比の話のところで、ミットが「（トントさんの）A国では同性愛の人が多いですよね」と言ったところ、トントは「おー、A国は実は多くないです。ただ、（同性愛の人は）人間じゃないとはしていない（＝見なしていない）から、みんな隠してないんです。だから多いと思われるんです」と言った。そしてそれは何か歴史的転換があったわけではなく、自然にそうなったのだと言っていた。

『NHK世界データマップ』（前掲）では、テキストを交互に音読してもらった。ミットは最初無理だと尻込みをしていたが、読めないときは手伝ってあげるからと筆者とトントに励まされて少しずつ読むことができた。また、トントが音読している間は、ミットは聞きながらルビを振っていたので、学ぶ意欲はあるのだと思った。

ミットは日本語や英語で話すことは得意であったが、日本語の読み書き、特に漢字に苦戦していた。そして、二人とも遅刻と欠席が多かった。教室に行っても毎回最初は誰もいないので、その日授業が進められるかどうかもわからなかった。また、ミットは話し出すと止まらないところがあり、度々質問をして授業を止めるので、なかなか先に進まず、トントがいらいらする場面も見られた。ある日、予定の半分くらいのところでチャイムが鳴り、ミットがやる気が出てきて「次の時間、授業がないなら、もっとやりましょう」と言ったが、トントは、「私は用事があります。私は帰ります」と言って帰ってしまった。筆者の授業日誌には「二人に合った勉強方法を考えることが本当に難しい」と書いてあった。

〈6回目〉トントのポスター発表

この日、ミットが授業開始前に来て、トントが少し遅刻した。ミットが早く来るのはとてもめずらしいことであったので、筆者が「聞いて、ミットさんが5分前に来たよ」と言ったところ、トントはとても不機嫌そうな顔で「私は印刷で遅くなりました。あなたは宿題をしてきたのですか？してきてください」と言った。授業はトントのシエラレオネについてのポスター発表から始めたが、ミットが質問したり意見を言ったりするとトントは非常に不機嫌に返答し、ミットも少しおとなしくなった。その後、内

戦の話に及んだとき、トントが、今自国で軍のクーデターが起こり、内戦状態になっていることを話した。ミットが、A国の場合は内戦といっても、シエラレオネやシリアのものとは違うと言ったところ、トントは「赤ちゃんも死んだんですよ！　内戦です。知らなかったんですか！」と憤慨し、ミットはシュンとしてしまった。その後、トントとミットは、軍のクーデターの是非についてお互いの対立する意見を言い合った。その後、ミットは自国のケースをとうとうと語ったが、筆者はトントが気になり、焦ってしまって、あえて話を深めるような質問はしなかった。

〈7回目〉共通読解　読解問題プリント
　ミットの遅刻があまりに多いので、授業後に聞いてみたところ、前日の夕方から朝5時までアルバイトをしていて起きられないとのことであった。大変そうだったので、少し考えて、授業の開始時間を遅らせるのはどうかと提案したところ、ミットの表情がぱっと明るくなった。「じゃ、トントさんに聞いてみるね。でも、トントさんがダメと言ったらできないよ」と言ったところ、ミットは暗い表情になって、「私は友達がたくさんいます。でもトントさんは友達じゃありません。外で会っても挨拶してくれません。私のことが嫌いです。A国の人とは友達にはなれません」と言った。私が「そんなことないよ。トントさん、ミットさんのことをいつもほめているし、いないと寂しいと言っているよ」と言ったところ、ミットの表情が少し明るくなった。しかし、トントの都合が合わず、結局この案はなしになった。

〈8回目〉ミットのポスター発表
　チャイムが鳴っても誰も来なかった。しばらくして、一人の学生がこのコースの授業（読解のみ）を聴講したいと言ってきた。大学院の留学生で、日本語で発表したりレジュメを書いたりするのが苦手なため、この授業を受けたいとのことであった。名前をソーイ（仮名）と呼ぶ。E国の出身で、日本語のレベルは上級であると思われた。
　その後ミットが遅れてやって来た。ミットはだいぶ前の課題であったポ

スターを作成してきていた。そのポスターは約1ヶ月待ったにもかかわらず、ほんの数行しか書かれていない非常に簡素なものであり、筆者も少し驚いた。発表も準備不足でうまくできなかった。つっかえながら話しにくそうに話すので、ミットさんの知っていることを教えて、と言うと、今度は流暢に30分ほど話した。なかなか終わらないので、もう時間がないから、と言って発表を止めてもらい、どうだった？とソーイに聞いたところ、「よかったです。いろいろな情報をもらいました」と言った。温かいコメントでほっとした。ミットにどうだった？と聞いたところ、「準備が足りませんでした。そして緊張しました」と言った。筆者は、「そうだね。でも、これからも発表のチャンスはあるから、次がんばって」と言った。

　授業の後、ミットは「この発表資料は初めて作りました。発表もとても緊張しました」と言ってきた。それを聞いて、筆者は胸が熱くなった。先ほど準備不足だと否定的に思ったことを反省し、「そうだったの。じゃ、これはとてもがんばったんだね。この授業で作った資料がミットさんにとって最初のもので私はうれしいよ。これからレジュメの書き方とか練習するからもっと上手になるよ。この資料は記念にしてくださいね」と言った。ミットと一緒に成長を喜べて、とてもうれしい瞬間だった。トントは、その日は結局来なかった。

　筆者はミットにこれまで授業でやったことと、これからの予定についてソーイに説明してくれるよう頼んだ。ミットは喜んで教えてあげていた。ソーイは口数が少なく、穏やかな学生であった。遅刻もせず、課題もきちんとするので、ミットやトントのよい手本となり、ようやくクラスが落ち着いた感じがした。ミットは新しい友達ができたことがうれしそうであり、トントも日本語レベルが自分と近い勉強仲間ができたことに満足しているように見えた。

〈9〜11回目〉共通読解　読解問題プリントとレジュメ作り

　9回目に評価とポートフォリオの説明をした。CLILについてもう一度説明し、他大学の学生たちも同じ授業を受けていると言ったところ、みんな少し驚いた様子であった（やる気が出たように見えた）。その後、『世界で

一番いのちの短い国』（前掲）の共通読解の問題プリントに取り組んだ。ミットは初めての生教材に悪戦苦闘していた。ソーイとトントは二人で相談しながら問題を解いた。筆者は漢字に苦戦するミットにつきっきりになったが、合間に一人ひとりに声をかけ、親しみを込めて丁寧に接することができた。10回目からのレジュメ作りでは、ミットは漢字が全然読めないと嘆いていたが、自分で見つけたフリーの漢字アプリで一生懸命調べながらがんばっていた。

〈12〜14回目〉分担読解　トントとソーイの発表

　12回目からようやく分担読解の発表に入ることができた。テキストは6パートに分けられ、順番に1パートずつ発表した。はじめにトントが発表して、それからソーイが発表した。ミットは30分遅れて来て、宿題もしておらず、申し訳なさそうに肩をすくめて他の人の発表を聞いていた。13回目と14回目もトントとソーイだけが発表した。

　ミットはこのまま発表をしないだろうと思われたが、14回目の発表が終わったときに、念のためミットに発表をやるかどうかを聞いてみた。すると、思いがけず「やります」という返事が返ってきた。そこで、予定されたテキストの範囲ではなかったが、まとめとして比較的わかりやすく書かれている「あとがき」を担当してもらうことになった。

〈15回目〉分担読解　ミットの発表

　最後の最後にミットがレジュメを作ってきた。トントやソーイのレジュメを参考にしたのか各項目に番号も振られており、レジュメらしい形になっていた。ミットは自信たっぷりに堂々と発表し、非常に満足そうであった。その日の写真撮影では、ミットは満面の笑顔であった。

(2) 聴解：「いのち」をテーマとした授業

　次に、聴解の授業について記述する。聴解はドキュメンタリー番組を中心に構成されていた。予定では、第1部が「いのちと向き合っている人たち・それを支える人たち」をテーマとし、子どもの命、お年寄りの命、病

気の人の命について、第2部が「生きることに困難を抱えている人たち・それを支える人たち」をテーマとし、ソーシャルワーカーや子ども食堂について扱ったものを計画していた。ただし、トントとミットは読解のとき以上に遅刻・欠席が多く、一方が来たときはもう一方が来ないという日が続いたため、最終的に授業でできたのは第1部のみであった。

　第1部で扱った内容は以下の通りである。

　　1）特別養子縁組（赤ちゃん縁組）
　　　…遺棄されて亡くなる赤ちゃんの命を救うための病院の取り組みと、子どもを育ての親に託した10代の未婚の母親やこれから育ての親になる夫婦、特別養子縁組をした親子の話
　　2）ホスピス看護師
　　　… 20代の若い看護師が日々ホスピスで末期がんの患者たちと向き合い、自身の日常生活とバランスを取りながら働く様子を描いた話
　　3）尊厳死
　　　…生まれたときから重い病気と闘ってきた10代の少女が最後に尊厳死を選択し、亡くなるまでの過程を家族やそれを支えてくれた人との関係を通して綴った話

　これらは、生死という重いテーマを扱っていたため、事前にどのような内容であるかを説明し、身近に病気の人や亡くなった人はいないかを確認してから授業を行った[6]。

　教材はすべて生教材であったため、新出語彙が多く、ミットには内容の理解が難しいことが予想された。そこで、筆者が予め番組をディクテーションして文章化し、そこから語彙をできるだけたくさん抜き出して作成した語彙リストを用いた。話のまとまりで番組をいくつかに分け、そのパートの語彙を声に出して読み、これから視聴する内容のイメージができるように丁寧に説明してから番組を見た。例えば最初の赤ちゃん縁組の話は、全60分を10のパートに分けた。語彙の説明も単語だけではなく、大

切なところは少し長い文章で書き出し、キーワードになるものを太字で示した。このようにして学生の認知的負荷を軽減させようとした。この方法はミットに適していたようで、授業日誌にはミットの学習の様子が次のように記録されていた。

〈1回目〉
　プロローグの語彙を確認した後、語彙をリピートした。少し長いので、うまく言えないときは自主的にもう一回読んでいた。それも自分から学習しているなあと実感したことだった。その後、番組を少し見た。学んだ語彙がそのまま流れたので、ミットさんはちょっと驚いたような顔をしていた。そして、「先生、音声がほしい！」と言った。音声はないのよ、と言ったら「じゃ、もう一回聞きたい」と言った。急にやる気になったみたいだった。

〈2回目〉（この日トントは欠席）
　一つひとつ確認しながら進め、途中で語彙をつなぎ合わせて、これはつまりこういう内容だったということを説明したところ、今まで「赤ちゃんポスト？」「こうのとり？」だったのが、意味がつながってがぜんやる気が出たのか、ネットで調べ始めた。ミットさんが衝撃を受けたのは全国で「唯一の」というところだった。勉強して印象に残った語彙は、その都度「にほんご学びのノート」に書いていった。「あくまでも」は、実際の例文を作りながら確認しており、感心した。
　ミットさんがノートに書いたことば：みんかん（private）、さいごのとりで、ゆいいつ、とくめい（匿名）、さんふじんか、あくまでも私のいけんです。

　一つの番組を視聴した後に、新聞記事など、同じテーマを扱った文章を読んだ。そして、番組ごとにレポートを書いて提出してもらった。これらの教材は二人の日本語レベルや関心に合っていたようで、二人とも毎回

A4の用紙にびっしりと意見を書いて持って来た。また、授業中は番組に関連して自分の家族や身近な友達の身の上話をすることが多かった。結果的に1対1の授業になることが多かったため、しみじみと学生たちの話を聞くことができた。

　三つ目の尊厳死の番組を見た後、最後に萩原（2013）で紹介されていた「死の疑似体験」のワーク（大切な人、大切な活動、目に見える大切なもの、目に見えない大切なものをそれぞれ三つずつ書いたカードを用意し、電気を消した中で自分が亡くなるまでの過程をイメージしながら少しずつ破り捨てていく）も行った。この死の疑似体験はかなり刺激が強いことが予想されたため、事前に方法と目的を十分に説明し、やってみるかどうか確認を取ってから実施した。紙を破った後に、最後に残ったのは何だったか、破ったときにどんな気持ちがしたかを全体で共有した。この体験は二人にとって非常に印象深いもののようであった。

　こうしてなんとか平和に関わるテーマを題材としたCLILの実践を終えた。

4. 最終インタビュー

　最後にインタビューを行った[7]。「この授業で学んだこと」「自分が変わったと思うこと」「印象に残っていることばや内容」に関する質問を中心に、読解、聴解それぞれについて自由に話してもらった。そして、学生が作成したポートフォリオを見ながら筆者とともに確認した。以下、ミットのインタビューについて記述する。ミットに焦点を当てたのは、この授業の日本語のレベルがミットには高すぎた可能性があり、また、遅刻や欠席の多かった学生が実際にどのような学びをしていたのかを知りたかったからである。

　インタビューは20〜30分の予定であったが、雑談も含めて結果的に2時間ほどに及んだ。ミットは、インタビューの前にシエラレオネに関する英語で書かれた記事を数枚印刷してポートフォリオのファイルに入れていた。そして、筆者にシエラレオネではhemorrhage（多量出血）で多くの

女性や新生児が亡くなっているということを具体的な数字を示しながら説明した。また、シエラレオネの話は自分の関心のある難民問題に関連があったと話していた。別の授業で聞いたシリアやパレスチナを取材したジャーナリスト（内戦で兄弟を亡くしている）の講演とも結び付けて説明していた。以下に、ミットと筆者の会話の一部を示す。なお、Mはミットの発話である。言いよどみなど内容にかかわらない発話については一部省略した。また、ミットの人となりや日本語の使用状況がわかるように、できるだけ発話の通りに記した。

〈ジャーナリストの講演について〉

　　M：難民とか命とか、先生の授業も関係があった。

　　――関係があった？

　　M：全部命じゃないですか。命のかわりとか命の生き方とか、誰が
　　　　どこでどういうふうに生きているか、とか。これ、二つの授業で
　　　　す。インターナショナルコミュニケーションと、今学期は先生の
　　　　授業と、カルチャーの授業と、命と問題点、（中略）全部の授業、
　　　　今学期の全部合わせて考えたのが、refugee難民、全部の授業か
　　　　らいろんな情報とか集めて、一つのテーマにしようかなと思って、
　　　　今学期自分のテーマにしようかなと思って。

　　――つながった？

　　M：つながった。私が詳しく知りたかったのは、人が死んでいる、
　　　　子どもがどれくらい死んでいる、何人が死んでいるとか何人がけ
　　　　がしているとか、先生の授業で詳しく知りたかった。先生の授業
　　　　で知ったのは、シエラレオネの人たちの手を切ったりとか怪我し
　　　　たりとか赤ちゃんの手も切って。先生の授業から気づいたのは、
　　　　あそこは調べようかなと思って、子どもの場合はどうなってるか
　　　　なと思って、怪我人はどうなってるかなとか、あそこは調べて、
　　　　ここで調べて〇〇万人の子どもが死んでた。あそこがシリアで、
　　　　移動するとか、難民のときとか。

日本語に関しては、自分の日本語力が十分ではないためにクラスメート
の発表がよくわからなかったと言っていた。そして、漢字が怖かったと
言っていた。それでも漢字を読むことに関しては、少しではあるが上達を
感じているようであった。

　　　Ｍ：実は、ソーイさんの発表がよくわからなかった。
　　　――急いじゃってたしね。
　　　Ｍ：わかりやすいが、わかるのがちょっと。私の日本語が足りない
　　　　　という話です。
　　　――漢字もいっぱいだしね。
　　　Ｍ：そうです。あと、ずっと読んでたんですけど、読むとき私……
　　　　　終わりです。
　　　――終わりです？
　　　Ｍ：漢字が読めなくて、前よりちょっと読めるようになったんです
　　　　　けど。
　　　――例えば？
　　　Ｍ：例えば書くのが前より下手くそになったけど、読むの場合は漢
　　　　　字ちょっと。前は漢字怖かったんですけど。
　　　――怖かったの？
　　　Ｍ：怖かったです。漢字がすごく怖かったんです。最近はまあしょ
　　　　　うがないっていう感じで。勉強しないといけないっていう話で。
　　　　　怖かったです。

　聴解については、読解のときよりもたくさんのことを話した。「ほとん
ど覚えています。何でも聞いてください」と言い、それぞれの番組につい
て、印象に残ったことばやフレーズ、感想などを詳しく話した。その一例
を下に示す。

〈ホスピス看護師について〉
　　　Ｍ：この番組で三つのこと、探しました。（まず、）自分がやりたい

ことやる。看護師が病院の看護師だったけど（ホスピスに）変えた。自分のやりたいことをやるのが私が一番大事だと思いまして。（中略）で、もう一つのことがそれ、がんばりますけど、（みんな死ぬから）悲しいです。でも、それでもあきらめないで、それ解決してバランスする。サーフィンしたり、実家でごはん食べるとか整体したりして。自分の生活バランス取ること、これ二つ。三つ（め）は人の痛さ、悲しさとか、人の心の悩みとか言えない人の痛いこととか言えない人の気持ち受け取ったりとかしてあげたりして、ドラマじゃなくて実の自分の心の中から。最後の時間、あの人たちが死ぬってこと、看護師もわかっているし、patientもわかってる。それは本当に悲しい時間じゃないですか。苦しいですよね。（中略）（人間だから一緒にいると）仲良しになっちゃう。リレーションがたっちゃう。家族ができないことが看護師ができちゃう。（中略）悲しいこととして満足にならないけど、ストレスになっちゃうけど、人に幸せに死なせることが大きなことだと思います。それは一つの人生には大事なことだと思います。すごいことだと思います。

　そして、自分の生活、自分の家族、自分の国の事情と結び付けながら話を続けた。
　最後に、この授業から学んだことは「命」であると言っていた。もともと国際協力に関心があり、今までは「人を助ける」ということばを用いていたが、この授業を受けて「命を守る」ということばのほうが自分に合っていると思うようになったと述べている。「いのち」はこのコース全体の主テーマであったが、ミットにとっても授業を総括することばになったようであった。

　――全体を通して、この授業で学んだことはどんなこと？
　M：命。命大事に。自分の命、周りの命も、命に気づかないで命愛しながら生きるために、何でもするのが何でもするっていう。自

分の命を愛する。例えばまわりの命を守るとか。できれば、外国活動とか、国際活動とか、国際命、国際的に命を守れるように、私の実は言ってきたんですけど、（中略）〇〇学科に入る前から。NGOの仕事したいとか、大使館で仕事したい、二つのチョイスが私決めたんですけど。できれば私、人の命を守りたい。国際的に命を守りたいという活動したいと思いまして、とても勉強になりました。この、本当はどんな命守るとか、どんな活動する。その前は人を助けるって言ってたんですけど、今は人を助けるより命を守るっていうことが私、なんか似合うかなって思うんですけど。命を守るってのが自分の目的にことばをつけちゃって。この授業を受けてから。

　ポートフォリオには、コースのはじめにトントが話していたA国の近隣国の難民の資料を入れていた。その他、トントとソーイのポスターやレジュメも入れていたが、自分が初めて作成したポスターはなくしてしまったと言っていた。筆者が持っていたものを見せると、「これ、一番最初のWordの課題だったんです」と言い、「今見て恥ずかしい、ほんと恥ずかしい」と何度も言っていた。
　手作りの「日本語学びのノート」は、欠席があったために白紙の部分もあったが、漢字も交えて丁寧な字で書かれていた。手書きの漢字交じりの文で書かれた聴解のレポートは、だいぶ時間をかけて作成した自信作だったようで、「先生、私の作文はどうでしたか」と教師の評価をしきりに聞きたがっていた。

5. 実践の振り返りと教師の足場かけ（scaffolding）

　次に、CLILの４つのCである「内容」「言語」「思考」「協学・異文化理解」に沿ってこの授業を振り返り、教師のできる足場かけについて考えてみたい。
　まず、「内容」について、学生たちは自国に関しては世界の問題の当事

者であり、筆者がその国に足を運ばなければわからないことを知っていた。これらの情報は「貧困」と「いのち」というテーマを示したときに学生から自発的に出てきたものであった。自分が持っている情報がテーマによって喚起され、互いの国の情報交換が進んだようであった。教師は学生が「既に持っている知識」を尊重し、積極的に喚起し、授業の学びにつなげていくことで、さらに内容を深めることができる。また、学生たちは身近なことに関心が高いということもうかがえた。今回「貧困」と「いのち」という、かなり切実なテーマであったが、学生の反応は悪くなかった。特に、「いのち」のドキュメンタリー番組について関心が高かった。映像があり、イメージしやすかったということもあるが、自分の生活に近く、自分と同じくらいの年齢の登場人物に共感しやすかったことも理由の一つだと考えられる。遠い国のシエラレオネの「貧困」（読解）のテーマを、より身近な「いのち」（聴解）のテーマと並行して扱ったことで、視点が多角的になり、結果的により深く「いのち」について考えられたように感じられた。このことから、学生の視点（年齢や立場、環境など）を想像しながら内容を選定することの重要性がうかがえる。同時に、内容に関しては学生と予め共有しておくことも必要である。繊細なテーマであるため、どのような内容を扱うかを事前に説明し、そのテーマで実施してよいかどうかを必ず確認しなければならない。

　「言語」に関しては、授業で扱った教材の日本語レベルはトントやソーイには合っていたが、ミットにはやはり難しかったと思われた。この授業が終わった後に筆者が失敗したと思った理由の一つは、レベルに合わない授業をしたことでミットの日本語力が向上しなかったのではないかと思われたことであった。しかし、改めて振り返ると、ミットは初めて生教材に取り組み、最終的にはレジュメを作成して、発表するところまで持って行くことができていた。また、聴解では印象に残ったことばや場面をたくさん覚え、自分のことばで表現していた。そして、何よりテーマを自分の生活や他の授業と結び付けて考えていた。言語の学習や習得を、文法や語彙の知識、ストラテジーの獲得といった直接的な言語面での向上だけではなく、新しい言語使用への挑戦や言語と自分との結び付けといった間接的な

ものも含めて広く捉えると、必ずしも失敗ではなかったのかもしれないと思えた。ミットは話すことが得意で、テーマに関する興味を持っていた。教師は、たとえ日本語のレベルが合っていないと思われる学生であっても、何かしら得意な面があると信じ、それを見出し、挑戦できるように勇気づけることが必要だと思われる。また、難しいことに挑戦しようとする姿勢や学習に興味を持った瞬間なども見逃してはならない。

「思考」についても、授業内でテーマに関するディスカッションの時間が十分に取れなかったことから、コース終了後はうまくいかなかったと思っていた。しかし、ミットへのインタビューから、学生は自分の周りで起こる出来事や授業以外で学んだことを結び付けて知識を統合していることがうかがえた。学生一人ひとりに固有の経験、知識、思考がある。教師は自分の授業だけ、目に見えることだけを見るのではなく、授業外での学びや経験が同時に進行し、変化し、統合されている学生の頭の中の様子も想像しながら授業を進める必要がある。

「協学・異文化理解」の観点からは、今回のクラスでは二人が冗談を言い合ったり励まし合ったりする場面も見られたが、筆者が冷や冷やする場面も何度か見られた。不機嫌な対応をしたトントに対し、ミットは思わず「A国の人とは友達にはなれません」と吐露した。このように、関係ができる前に個人をその国や文化の代表として見てしまうことは、ごく自然なことである。しかし、個人と親しくなることでこのステレオタイプは徐々に弱まると考えられる。教師はできるだけ個人と個人との関係が近くなる場をつくる必要がある。と同時に、もし学生間で対立が生じた際には、それを受け入れ、見守る姿勢も必要である。今回は偶然にもソーイという第三者が加わることで、教室の雰囲気が和らいだ。このような偶然も大切な要因である [8]。

教師による足場かけには、学生にとって難しい言語の学習に対して具体的かつ直接的な支援を行う認知面での足場かけ（学びのノートの作成や番組視聴前の語彙導入など）と同時に、より間接的な支援である情意面や相互作用面での足場かけもあると考えられる [9]。それは上記に挙げたような、学生の既有知識に対する尊重、適切な学習テーマの選択、言語学習・習得

の広い捉え方や挑戦のための勇気づけ、目に見えない学びや思考への想像、学生同士の関係性をつくっていくための場づくりや見守りの姿勢などである。これらは教師の行動だけではなく、態度も含む。今回のCLILの授業のように、学生が自分の言語レベルよりも高いレベルの教材に挑戦したり、異なる価値観の他者と共に学んだりする場面では、教師は認知面での足場かけと同様、あるいはそれ以上に情意面や相互作用面での足場かけにも十分注意を払い、学生の支援を行う必要がある。

6.「小さなクラスから平和を考える」ということ

ここで、タイトルの「小さなクラスから平和を考える」ということについて筆者の考えを述べたい。「小さなクラス」というのは、今回のように少ない人数のクラスのことだけを指すのではなく、一人の日本語教師が受け持つあるクラスという意味を含んでいる。また、「から」はその小さな教室から外に向かって、空間や時間が広がることをイメージしている。

それぞれの日本語教師が受け持つクラスには、様々な学生が参加している。特に、国内の日本語の教室には、価値観や背景が大きく異なる多様な学生が参加していることが多い。そこでは、対立する国出身の学生間で諍いが生じたり、扱うテーマや議論によっては気まずい思いや辛い思いをする学生が出てきたりする可能性もある。その際に、筆者が大切にしたいと思うことは、教師はあくまで中立の立場に立つということである。

ここでの「中立」というのは、ただどっちつかずの中間地帯にいるという意味ではない。物事は立場によって様々な見方があるという事実を受け止め、さらに教師自身にも自分の意見があるということを認識しつつも、クラスで対立した意見が出たときに、どちらかに肩入れした意見を述べたり、自分と異なる意見を否定したりするのではなく、その意見をできるだけ中立的な立場で聞き、自分の意見を出す場合も注意深く述べるということである。それは、一つには教師の発言が学生に与える影響が、自分が想定するよりもはるかに大きいと考えるからである。教師が学生と対等の関係だと思っていても、学生はそう思っていないことが多い。つまり、教師

が自分の発言は一つの意見に過ぎず、最終的な判断は学生自身にしてほしいと思っていても、学生は先生の言うことは正しいと思ってしまう可能性があるということである。そしてもう一つは、教師自身、他国の情勢に対する自分の意見の多くはマスコミ等の外部情報から得たもので、必ずしも実際に現地で見聞きした情報や自身の経験に基づいているわけではないということである。教師が当然正しいと思っていることであっても、異なる文化の人や現地に住んでいる人から見るとそうではない場合も数多くあることを心に留めておく必要がある [10]。このように、教師が中立の立場で聞く姿勢を示すことで、学生も安心して周りと異なる意見が述べられ、クラスでも両方の視点を取り入れたより深いディスカッションができるのではないかと考える [11]。

　しかし、「いのち」の観点からは、人の命を奪ったり、人に悲しい思いをさせたりすることには絶対的に反対の立場でありたい。ただ、それをある国、ある組織、ある個人が悪い、というように特定のものに原因を帰して終わりとするのではなく、「人間はそういうことをする生き物だ」「私たちは状況によりそういうひどいことをする可能性がある」という前提で授業に臨み、学生たちにもそのような視点を持ってもらいたいと考えている。つまり、「ある特定の悪い人がした悪いこと」として他人事的に断罪して終わらせるのではなく、同じ「人間」である自分たちも状況によっては加害者になるかもしれないという当事者としての視点が必要だということである [12]。その上で、（過ちを犯し得る）「人間」である私たちが幸せに暮らせる社会を築くためにはどうしたらよいかを考えてもらいたいと思っている。

　以前、筆者は、政治や社会のシステムが変わらなければ平和の実現は難しいと考えていた。しかし今は、最も大切なことは一人ひとりの関係を築くことだと考えている。ある人との良好な関係があれば、もしもその国と自分の国とが対立した際に、「あの人がいた国」として相手国を完全な敵と見なすことに躊躇を覚えるのではないか。その躊躇を覚える人が増えることが平和につながるのではないかと考えるからである。教室はそのような出会いの場になるところでもある。対立もあるかもしれないが、これま

で一つの国、一つの文化圏というまとまり（モノ）で見ていたものを、「個人」（ヒト）として見ることのできる絶好の機会がある。それは様々な考えを持ち、優しさもあり、痛みも感じる「人間」を身近に知る機会でもある。ことばの教師の仕事は、ことばを教えるとともに、異なる文化の人たちをつなぐことでもある。ことばの教室は、そのような平和に貢献できる場であると信じている。

7. おわりに

　本稿では、平和に関するテーマを題材とした「内容」の学習と、日本語という「言語」の学習とを統合したCLILの授業について、筆者の初めての取り組みと学生の成長を中心に記述した。この授業で学んだ「貧困」と「いのち」に関する内容を、学生なりに統合し、自分の将来につなげていることがインタビューからうかがえた。教師が決めた計画通りの整然とした授業ではなかったが、そうでなかったがゆえに学生たちが自由に自分に必要なことを学んでいるように感じられた。

　また、授業内容だけではなく、教室での人間関係も学生のその後の生き方や考え方に影響すると思われた。トントとミットとの間には、学習観や価値観の違いなどから生じる小さな対立が見られた。二人は最後までそれほど親しくはならなかったが、関係が悪化することもなかった。小田（2014：6）は、「平和」とは「他者と共に生きられる関係性をつくっていくこと」であると定義している。それは、「友好関係から打算的な利害関係まで含んでいる」ものであり、「関係性をつくる」という実践を表したものであるという。「関係性」はそれぞれに複雑なものである。一人の相手に対しても、意見が合う面、合わない面がある。今回、学生の二人は、それなりに折り合いをつけ、同じ教室で、共に平和に関わるテーマで日本語を学び、同じ時を過ごした。筆者も迷いながら授業を進め、小さいながらも教室における一つの平和の実践ができたのではないかと思う。今後、今回見られたような小さな対立を大切にするとともに、自分たちなりに教室の平和を維持しようとする学生たちの行為（実践）にも敏感でありたい

と考える。

　さらにもう一つ加えるならば、このクラスは遅刻や欠席も多かったが、教師は学生が来るだろうかとはらはらしながら待ちつつも、来てくれたときは心から喜び、決して否定的な態度を示さないように気を付けた。これは当時実践を試みていたアドラー心理学の「不適切な行動に注目せずに勇気づける [13]」という考えに学んだところが大きい（野田 2005; 元田 2016）。自分とは異なる価値観を受け入れるという教師の日々の態度やビリーフも、教室の平和に影響する重要な要因の一つとなる。

　繰り返しになるかもしれないが、数年前のこの小さなクラスを振り返って筆者が確認できたことは、どんな状況であっても教師が学生の学びや成長を信じて長い目で見守ることの大切さである。そして、学生にとって意味のある教材を提供し、安心して学べる環境を提供することの意義を改めて考え直すことができた。今後の実践に活かしたい。

謝　辞

　授業および研究に協力してくださった学生の皆様に心より感謝申し上げます。また、本書の編者の方々には多くの貴重なコメントをいただきました。なお、本研究はJSPS科研費JP25370601 およびJP18K00691 の助成を受けたものです。重ねてお礼申し上げます。

注
1) Community/Culture（協学／異文化理解）の表記については奥野他（2018）に従う。
2) 足場かけとは、ヴィゴツキー（1934/2001）による発達の最近接領域の理論（ZPD理論）をもとにWood et al. (1976) らが発展させた概念である。本稿では、学習者のより高い次元の学習を可能とするための他者の手助け、支援とする。
3) 狐のごんが悪戯の償いのために兵十の家に贈り物を届けていたが、また悪戯をしにきたと誤解した兵十に銃で撃たれて亡くなる話。
4) 本実践では、なかのひろみ訳〈https://www.romi-nakano.jp/projects/100/index.html〉を用いた。
5) ここではA4の用紙に写真や図表、文章を入れた説明資料のことを指す。
6) この授業を実施するにあたって参考にした「NPO法人血液患者コミュニティももの木」の活動では、小中学校等で「いのちの授業」を実施する際に、まず本人や近しい

人に病気または亡くなった人がいないかアンケートを取り、事前に子どもたちの心身の状態を確認することを重視している（井上 2015）。

7）インタビューはコース終了後に行った。研究に使用する可能性があることを書面で伝え、了解を得てから実施した。

8）今回は少人数のクラスであり、聴講生として途中から加わったソーイは偶然「第三者」であったかもしれないが、一般的な教室では教師も含めて実際には「第三者」が多く存在し、その第三者が仲介者となって対立関係が中和されたり、対話が促進されたりすることがある。今回のようなテーマを教室で扱うことの意義が、一つには教室に当事者同士だけではなく第三者がいるということにあるのではないか。これは本稿に対しての神吉宇一氏の見解であり、筆者も新たな気づきを得た。

9）この三つの観点については、縫部（1998）の目的論から着想を得ている。

10）例えば、軍によるクーデター、テロ、独裁者に対する意見などである。学生からこれらを肯定する意見が出ることもある。

11）例えば、相手の意見をいきなり否定するのではなく、どうしてそのように考えるのか理由を聞く。理由を聞く際には、おそらく相手にも一理あるという姿勢で聞く。

12）これは国際問題だけではなく、身近な社会問題（犯罪、虐待、いじめなど）についても言えることである。

13）野田（2005）は、勇気づけとは子どもが自立し、社会と調和して暮らせるようになるという行動面の目標を達成するために、心理面の目標である「私は能力がある」「人々は私の仲間だ」という信念を子どもが持てるよう援助することであると述べている。

引用文献

和泉伸一・池田真・渡部良典（編）（2012）『CLIL（内容言語統合型学習）上智大学外国語教育の新たなる挑戦　第2巻　実践と応用』上智大学出版.

井上千恵美（2015）「いのちの授業」（日本教育心理学会第57回総会　自主企画シンポジウム JB06「今、求められる『いのちの授業』――学校現場における展開」発表資料）.

ヴィゴツキー，L. S.（2001）柴田義松（訳）『新訳版・思考と言語』新読書社（原典1934）.

奥野由紀子・小林明子・佐藤礼子・渡部倫子（2015）「学習過程を重視したCLILの試み――日本語教育と大学初年次教育における同一素材を用いた実践」『2015年度日本語教育秋季大会予稿集』25-36.

奥野由紀子・小林明子・佐藤礼子・元田静・渡部倫子（2018）奥野由紀子（編）『日本語教師のためのCLIL（内容言語統合型学習）入門』凡人社.

奥野由紀子・小林明子・佐藤礼子・元田静・渡部倫子（2021）『日本語×世界の課題を学ぶ――日本語でPEACE［Poverty中上級］』凡人社.

小田博志（2014）「平和の人類学　序論」小田博志・関雄二（編）『平和の人類学』法律

文化社、pp.1-23.

縫部義憲（1998）『心と心がふれ合う日本語授業の創造』瀝々社.

縫部義憲（2009）「日本語教育で『愛』を語る」（広島大学最終講義資料）.

野田俊作（2005）『Passage 1.3』アドラーギルド.

萩原秀樹（2013）「生と死の日本語——死を通して生を考える、いのちの日本語教育」『2013年WEB版日本語教育実践研究フォーラム報告』1-10.

元田静（2016）「アドラー心理学の日本語教育への応用とその可能性の検討」『東海大学紀要　国際教育センター』6：21-45.

渡部良典・池田真・和泉伸一（2011）『CLIL（内容言語統合型学習）上智大学外国語教育の新たなる挑戦　第1巻　原理と方法』上智大学出版.

Coyle, D., Hood, P., & Marsh, D. (2010). *CLIL: Content and language integrated learning.* Cambridge University Press.

Wood, D., Bruner, J. S., & Ross, G. (1976). The role of tutoring in problem solving. *Journal of Child Psychology and Psychiatry, 17,* 89-100.

教室における教師の役割と
「中立」であること

元田静・神吉宇一（聞き手）

> 第6章を読んで、中立ということについて改めてお話を聞いてみたいと思いました。論争上にある（controversialな）テーマを教育現場で扱うことについて、政治的中立が保てないという理由で避けることが多いと思います。しかし、中立と言えば言うほど、実は特定の、主として多数派の考えを無批判に肯定してしまい、多様な意見を排除することにつながってしまうのではないかという危うさを感じます。中立とはどういう概念として捉えたらいいでしょうか。

神吉：元田さんは本書中で、戦争などの「論争上にあるテーマ」を教室で扱う際に、教師は中立の立場に立つことが重要だと書いていますね。

元田：はい。私が最も重要だと思うのは、フェアであるということです。教師は学生と対等だと思っていても、学生はそう思ってないことってあると思うんですよ。以前、日本語教育の授業で自己評価、相互評価、教師評価のどれがいいかを考えてもらったことがあるんです。そのときに多くの学生たちが、「教師評価が公平だからいい」と言っていたのが印象に残っています。学生は教師に公平であることを期待しているんだと思いました。私がフェアであることを大事にしたいというのは、どの学生も自分たちが公平に扱われていると感じられるようにするということですね。

神吉：公平って実は難しいですよね。教師もそれぞれによいと思う価値観を持ってるから、その価値観に合うかどうかで学生を評価してしまうことがあると思います。教師が公平であるということの延長線として、中立とかフェアという教師のあり方も考えられそうですね。

元田：そうですね。中立というと、一般的に5対5でどちらにも寄らない立場だと思われがちですが、私が考える教師の中立的立場というのはそうではないんです。8対2でも9対1でもいいから、とにかく「完全に片方の意見に乗るわけではない」ということです。学生たちが意見を言うのと違って、教師の発言にはやはり重みがあると思うんです。

神吉：教師の発言の重みっていうのは、教室でどんな影響がありますか。

元田：学生たちが異なる意見を言いづらくなるというのがあると思います。例えば、あるテロ組織の活動について「賛成だ」と言う学生がいるとしますよね。それに対して他の多くの学生が「反対」と言い、そこで教師も「反対」と言うと、「賛成」と言った少数派の学生は黙っちゃうかもしれないと思うんですよね。

神吉：つまり、対話が閉ざされると。

元田：対話もそうですし、思考もそこでストップしちゃうと思うんです。多数派は自分たちの意見が正しいんだと思って終わりだし、少数派は自分たちの意見は聞き入れてもらえないんだと思って黙って終わるか、もしかしたら孤立してしまうかもしれない。

神吉：それは対話的に世界の課題について考え、解決するということから遠ざかっちゃうかもしれませんね。

元田：もちろんテロ組織を肯定するということに個人としては賛成できな

いときもありますが、それでもぜんぜん違う意見も耳に入れることが大事だと思います。そのことによって学生たちの思考も少し変わるかもしれない。だから、教室で何も言えなくなる人が出ないようにする、学生がいろんな意見を出せるようになる進行役として、教師自身が「あれ？」って思う意見でも、まずはそれを聞くことが大切だと思います。

神吉：教師が意見を言うとそれに流されちゃうというのもありますか。

元田：それもあると思います。もちろんみんな教師として伝えたいことがあると思います。でも、教師が議論をまとめちゃうと、学生たちはそれに寄せた感想を書いてくるんですよね。たしかに教師が意見を言わなかったりまとめなかったりすると、「結局何が正しいんだろう」っていう不満が学生から出るということもあると思います。でも、授業の中でいろんな意見を聞いているわけだから、彼らにはそれを引きずってもう少し考えてほしいんですよね。

神吉：大事なのは、対話も思考もストップさせないということですね。元田さんが日本語教育に携わっていて、中立ということを意識するようになったきっかけってあるんですか。

元田：学生時代なんですけど、学外からの研修生と一緒に国内におけるある差別についてディスカッションをする機会があったんです。そのときに、私は差別なんて絶対にダメだって思ってたんですけど、私が話した研修生の方は差別を受けていると言われている人たちがいる地域に住んでいて、実際にはその人たちにも問題があって、それはそこに住んでいる人にしかわからないって言っていたんですね。それを聞いて、私びっくりしちゃって。それで、そこに住んでもいないのに軽々しく決めつけちゃいけないな、違う視点からもものごとを見なきゃいけないなと思いました。

神吉：貧困や紛争などの社会問題をテーマとして授業で扱うことのよさっ
　　　てありますか。

元田：ものごとを多面的に捉えたり、深く思考したり、対話的に議論した
　　　りすることってどんなテーマでもどんな授業でも必要なことだと思いま
　　　す。ただ、貧困や紛争などの社会問題を扱ったときの方が学生の意見が
　　　出やすいというのはありますね。学生たちは、自分たちの周りにも実は
　　　難民がいるとか、自分の母国でも対立があるとか、自分の身近なことに
　　　引きつけて考えやすいんじゃないかと思います。科学や文化などのアカ
　　　デミックジャパニーズでよく扱われるようなテーマに比べて、貧困や紛
　　　争などの社会問題は、割と踏み込んだ意見を言ってくる学生が多いです
　　　ね。

神吉：近隣の中国と台湾、中国と香港の問題とかだともっと身近に考えら
　　　れるでしょうか。

元田：いえ、日本ではそこの出身の学生がクラスに必ずいそうですし、そ
　　　うなると感情が入りすぎちゃって、その問題から距離を置いて冷静に議
　　　論することができなくなるんじゃないかと思うんです。だから私は、今
　　　のところはそれらの問題をこちらが設定するテーマとしては扱えないな
　　　と思っています。もちろん、その話題が教室で自然に出てきた場合は扱
　　　うこともあります。

神吉：授業で扱うテーマのバランスとか考えますか。

元田：はい。バランスも大切だと思います。ですから、他の授業では科学
　　　とか文化とか別のテーマも扱うようにしています。新しい知識が得られ
　　　るし、私自身もそういうことが好きですし。いろいろなことを学ぶ中で
　　　社会的な問題も扱えればいいと思います。

元田さんとお話をしていて、私が考えていた「中立」ということが少しアップデートされたように感じました。中立というと多くの人は、その議論に踏み込まずに賛否を表明しないということだと捉えると思います。ですが、戦争やその他の社会的課題を授業のテーマとして扱う時点で、教師としては議論に踏み込んでいるわけですから、もう「中立」ではなくなっているとも言えると思いました。学生たちがあるテーマについて学びつつ多面的にものごとを捉え、より深く思考し、そして対話的に議論を進めていく際には、ファシリテーションが非常に重要だと思います。そのファシリテーションのあり方の一つとして、あえて教師の意見を強く言わず、どちらか一方の立場に立たないというのは、論争上にあるテーマを扱う上で留意すべきポイントの一つではないかと思います。私たち教師が思っているほど、学生は教師を対等な存在とは見ていないということは、忘れてはならない視点だと思いました。

（神吉）

第7章

ことばの教育と「歴史教育」

日本語で学び合うナチ時代の負の遺産、
次世代につなげるための過去との対話

村田裕美子

一番伝えたいこと

　私が考える平和とはただ戦争がないだけではなく、人々にとってそこが住みやすいと感じられるところであるということだと思っています。住みやすさを実現するために、ドイツでは過去と向き合う努力を絶えず行っています。私はことばを教えるのが仕事ですが、ことばは道具なので、その道具を使って、過去を知り、現在と未来を自分のことばで語れるような教育実践をしたいと思っています。

なぜこのような実践・研究をしようと思ったか

　本実践は言語と内容を統合した教育です。このような実践を考えた理由は2つあります。1つはミュンヘンという土地柄を活かしたかったこと、もう1つは学生たちがすでに持っている知識を活かしたかったことです。1つ目の背景はミュンヘンがナチスの本拠地であったこと。戦争の記憶が残った現在のミュンヘンを語るうえでナチスの歴史について触れることは学生たちにとっても重要であると思っています。2つ目の背景は学生たちにはすでに中等教育で学んだ歴史の知識があることに加え、ミュンヘンには専門の施設が充実していること。これにより、地域と連携した教育の実現、多様な意見に触れる機会を得ることができるようになっています。

229

1. はじめに

　「大学に入ってまで、どうしてナチスの歴史を勉強しなきゃいけないのと思った」——これは 2016 年の冬学期の初回授業で、この授業のテーマに関する作文の課題を出したときに学生が書いたことばである。中等教育でナチスの罪の歴史について散々勉強してきたのに、またか……という学生の気持ちがこもったものだった。

　この章では、筆者がミュンヘン大学において、ナチ時代の負の遺産を題材にして行った教育実践について述べる。そもそも筆者がなぜナチ時代の負の遺産を授業で扱うかについて触れておきたい。まず、ドイツは、第二次世界大戦後、およそ 20 年にわたり、ナチスの過去から目をそらしていた時代があった。しかし、その後、世代交代が進み、少しずつナチスに対する罪の意識と向き合う時代が訪れ、現在はナチスを学び、想起できる場が街の至る所に残され、また、新たに作られている（Nerdinger 2015：8-11）。そこには、かつてこの国で起きた「負の出来事」を人々の記憶に残し、二度と繰り返さないよう次世代に向けて啓蒙し、絶えず議論していこうという人々の願いが込められている。またその努力が形になっている（写真 1 & 2）。筆者は、ドイツの人々の姿勢に強く刺激を受け、それでも今なお世界中から争いがなくならないことに対する想いから、その活動や思想について自身の教育実践にも取り入れるために、このような実践をデザインするに至った。

　本実践では、2 つのことに配慮した。1 つ目は、歴史をもう一度学び直すのではなく、中等教育で学んだ知識を活かし、踏まえたうえで、なぜ今、なぜ大学で、なぜ日本学で学ぶ必要があるかというテーマを設定し、批判的に捉え直すことである。そして、特に、過去、現在、未来のつながりを意識しながら、さまざまな背景を持つ参加者と議論する授業にしたいと考えた。2 つ目は、さまざまな「対話」を促進することを考えた。本実践で扱う「対話」には、情報交換としての対話と出来事との対話の 2 つの側面がある。前者は、平田（2015：16-17, 168-169）に基づくものである。具体的には「対話」とは「他人と交わす新たな情報交換や交流」のことであり、

写真1　ミュンヘン大学図書館の壁にある弾丸の跡

「Wunden der Erinnerung（記憶の傷口）」というアートプロジェクト（1993-1995）。透明なガラス板で覆っているのは、開いたままの傷口（弾丸の跡）。その決して治らない傷口が、日常のなかで過去と現在、未来をつなぎ、この痛みを決して忘れないようにと訴えている（2022.2.27撮影）。

写真2　ミュンヘン大学本館前の広場

「白バラ」メンバーが逮捕、処刑された時期（2月22日）には、毎年ろうそくが灯され、バラが供えられている（2022.2.27撮影）。

「異なる価値観のすり合わせ、差異から出発したコミュニケーションの往復に重点を置く」ものである。後者は、物理的交流はないが、時空を超えた「対話」である。こうした考えは、歴史学者であるE・H・カールが著書『歴史とは何か』（原題：What is history?）（Carr 1962：24）の中で述べているものである。それは、歴史とは「現在と過去との絶え間ない対話である」（an unending dialogue between the present and the past.）というものである。この章で扱う「対話」は、こうした両面性を持っている。結果として、歴史を出発点としてさまざまな領域から差異を発見したり、互いの異なる価値観をすり合わせたり、情報を交換したりして、自らの考えを深めるためのものになっている。

　以上の問題意識のもとで、ナチスの歴史を題材にしたさまざまな「対話」を通して、学生たちの気づきを彼らの生の声を紹介しながら明らかにする。

2.　実践の背景

　このような授業を中級と上級レベルの日本語のクラスで実施するに至った背景として、まず、日本での短期留学を終えた学生の言語教育支援として、留学中に習得した言語レベルを維持し、発展させるための上級クラスの授業を開講する必要があったことをあげる。それと同時に、日本への短期留学を経験せずに学士課程を修了する学生の言語教育支援として、彼らに、日本から学びに来る留学生に対してドイツやミュンヘンのことを日本語で説明できるような言語能力を習得させるための中級クラスの授業も開講する必要があった。さらに、同じテーマを中級と上級の2つのクラスで扱うことで、クラスの外での学生同士の横の連携が得られるのではないかと考えた。というのも、ミュンヘン大学の日本語クラスでは、同学年の学生が中級か上級のいずれかを選択するからである。例えば、同じ3年生でも、留学経験のある人は上級を、留学経験のない人は中級を選択する。以上のような状況に対応した授業を実施したかった。

　また、歴史の中でもドイツの歴史をテーマに設定した理由としては、大

きく3つあげられる。第1に、自国の歴史、正規の留学生にとっては自分が住んでいる国の歴史は、本人にとっては身近な話題であっても非日常的で複雑なため、上級でも日本語で語るのは難しいこと。第2に、そのテーマに関する情報や資料が揃っている学習環境であること。そして第3に、日本から学びに来る留学生に自分の街や国の歴史を日本語で説明するという場面が現実的であることである。

3. 授業デザイン

　この授業は「Vortrag und Diskussion（発表と議論）」という名の中級と上級の2つのクラスで構成している（村田 2018a, 2018b, 2018c）。上級クラスは2016年10月から、中級クラスは、2017年10月から開始している。それぞれの授業の概要は表1のとおりである。なお、2020年10月開始の学期は、コロナ禍によりオンライン授業で通常と異なることが多かったため、本章では2019年10月開始の学期までの授業をもとにまとめる。

（1）参加者

　この授業は、大きく分けると2つ、中級では留学経験のない日本語学習

表1　授業の概要

	中級クラス	上級クラス
期間	毎年10月から2月までの1学期間（1回90分の15回コース）	
対象	日本留学経験のない学生向け	日本留学経験のある学生向け
人数	約20名	約10名
到達目標 [1]	CEFR B1	CEFR B2
題材	「白バラ運動」とミュンヘン	戦争と平和
内容	特にミュンヘンの歴史、抵抗運動について調べ、考え、話し合い、日本語で自分の意見を交えながら説明できる。	ナチ時代の歴史を振り返り、考え、話し合い、ドイツで受けた「平和教育」について日本に発信できる言語力を養う。
評価	発表100%	
対象となる日本語学習者以外の参加者	日本からの1年間の留学生	日本からの1年間の留学生　チューターとして修士課程の学生

者、上級では約1年間の留学経験のある日本語学習者が対象となっている。しかし、実際の授業には、大きく4つのタイプの学生が参加している。1つ目は、ドイツで歴史の教育を受けたことのある学生（ドイツからの受講生）、2つ目は、ドイツ以外の国からの正規留学生（ドイツ以外からの受講生）で、例えばロシアやウクライナ、中国などの国からの学生が全体の約10%[2]、3つ目は、日本からの1年間の留学生で、成績が必要な学生ではなく、この授業に興味を持ち、参加してくれる学生である。加えて、4つ目は、上級クラスのみだが、日本学の修士課程の学生がチューターとして参加している。チューターは、広範囲にわたるドイツ史の内容に対応できるように教師のサポートとして参加している。学士課程の間にこの授業を受講したことがある学生で、この授業の目的を理解している学生である。日本語の能力が高く、またドイツ史にも詳しい学生に依頼している。このように、多様な学習者背景を持った参加者が教室の中に集まっていることになる。なお、年によって異なるが、日本からの留学生は毎年4名ほど、チューターは毎年3名が参加する。

（2）題材

　授業で扱うテーマについては、中級クラスでは、特にミュンヘンの歴史を中心に扱う。授業の前半は、ミュンヘン大学の歴史の1つである「白バラ運動」（略称「白バラ」）を扱い、後半は、ミュンヘンの街中に残る歴史の記憶を扱う。「白バラ運動」とは、ミュンヘン大学の学生5名と教授1名によって行われた非暴力主義による反ナチの抵抗運動のことであり、大学には、彼／彼女らの勇気を讃えた記念碑やメンバーの名前がついた研究所、教室、そして大学本館には「DenkStätte Weiße Rose（白バラ記念館）」が設置されている。また、上級クラスでは、「戦争と平和」をテーマにしながら、自分たちの興味と関連づけた発表や議論する授業を行っている。

　それぞれのクラスの評価については、中級クラスでは、学期末に教員の前で行う10分の発表、上級クラスでは、授業の最後にクラス全体で行う発表会での10分の個人発表が対象となっている。

（3）授業の進め方：シラバス

　ここでは、15回の授業のシラバスについて説明する。どちらのクラスも大きく5つのステップ、1. 導入→2. 言語表現の学習→3. 情報収集→4. 発表（グループ）→5. 発表（個人）という流れで進んでいる（表2）。

表2　授業の流れ

	中級クラス	上級クラス
活動内容	1. 導入	1. 導入
	2. 言語表現の学習（日本語テキスト読解とグループ活動）	2. 言語表現の学習（日本語資料読解とポスターによるグループ発表）
	3. 情報収集（独語利用）（課外活動）	3. 情報収集（独語利用）（課外活動）
	4. 発表（グループ）＋作文	4. 発表とディスカッション（グループ）
	5. 発表（個人）	5. 発表とディスカッション

Step 1　導入（1回）

　まず、オリエンテーションを行う。授業開始時に、言語面では今のレベルでどのぐらいの内容を日本語で説明できるのか、できることとできないことは何かを自分自身で確認し、内容面ではドイツの歴史を授業で扱う理由、授業の目的を参加者と共有する。

Step 2　言語表現の学習（2〜3回）

　続いて、言語表現の学習を行う。ここでは日本語で書かれたテキストを利用する。中級では、對馬（2015：76-82）に書かれている「白バラ」の箇所を利用し、「白バラ」を説明するのに必要となる日本語の語彙や表現を学ぶような内容である。主にグループでの活動となり、質問作りや要点整理、簡単なことばへの言い換えなどが課題になっている。上級では、大塚・石岡（訳）（2000：46-47）に掲載されている1918年から1946年までの年表を利用し、その時代の大きな出来事を日本語で理解し、そこからさらに重要な項目を抽出し、ポスターで発表するという活動を行う。加えて、重要な語彙や表現はクイズ形式で質問し合うという活動を行い、その授業で使うであろう語彙と表現を学ぶ。

コラム⑤ 白バラの抵抗運動

　「白バラ（Die Weiße Rose）」とは、ミュンヘン大学の学生5名と教授1名が中心となって行った非暴力主義による反ナチの抵抗運動グループのことである。第二次世界大戦下、彼らは、武器を持つ代わりに、紙とタイプライターを使って、ナチスの蛮行を批判し、ナチによる独裁政権に反対するビラを作り、市内外の人々へ郵送や配布しながら戦争終結を訴えた。

　最初のビラ「白バラのビラ（Flugblatt der Weißen Rose）」が配られたのは、第二次世界大戦が始まって3年目の1942年6月のことである。当時ミュンヘン大学で医学を学んでいたハンス・ショル（Hans Scholl、1918〜1943）とアレクサンダー・シュモレル（Alexander Schmorell、1917〜1943）は、ひと月ほどの間に同じタイトルで第4号までを書き、多くの学者を含むミュンヘンの特定の知識人を中心に配布した。このときはまだ「知識人」が彼らの抵抗を支持することを期待したものであった。

　その後、1942年7月後半から3か月間、ハンス、アレクサンダー、仲間のヴィリー・グラーフ（Willi Graf、1918〜1943）は、衛生兵として東部戦線に派遣され、そこで大量殺戮の現実を目の当たりにする。再びミュンヘンに戻った彼らは、反ナチの抵抗を強め、秘密裏に活動の輪を広げ、他の都市にある抵抗グループとの関係を築いていった。また、この頃からハンスの妹ゾフィー・ショル（Sophie Scholl、1921〜1943）、ハンスの友人のクリストフ・プロブスト（Christoph Probst、1919〜1943）、哲学を教えていた教授クルト・フーバー（Kurt Huber、1893〜1943）も積極的に参加するようになった。彼らは、1943年1月から2月にかけて、第5号と第6号のビラを共に制作した。また、タイトルを「白バラのビラ」から「ドイツにおける抵抗運動のビラ——全てのドイツ人へ告ぐ」（Flugblätter der Widerstandbewegung in Deutschland. Aufruf an alle Deutsche!、第5号）、「学友諸君！」（Kommilitoninnen! Kommilitonen!、第6号）に書き換え、それまでのビラよりも大量に印刷し、ミュンヘン以外の各都市にも配布していった。

　1943年2月18日、ハンスとゾフィーは大学本館の講義室前で第6号の

ビラを配っているところを管理人に発見され、逮捕となった。その後、逮捕者が続出し、2月末には仲間のほとんどが捕まり、彼らの家族もまた連帯責任をとらされ、拘留された。逮捕から4日後の2月22日、ハンス、ゾフィー、クリストフは裁判で死刑を宣告され、同日、ギロチンにて執行された。さらに、4月19日、2回目の白バラメンバーの裁判でアレクサンダー、ヴィリー、フーバーに対しても死刑判決が下された。

1943年3月以降、「白バラ」の情報は人から人へ伝え渡り、スイスやノルウェー、スウェーデン、そこからさらに英国へと広まっていった。BBCのラジオ番組でも、アメリカ亡命中の作家トーマス・マンが「白バラ」の抵抗運動に賛辞を送っている。さらに、英国空軍は1943年7月3日から25日にかけて、ベルリンを含む複数の都市上空から数百万部のビラ第6号を投下した。こうして1943年4月以降、国内外のメディアで「白バラ」が大きく報道され、彼らの声は世界中の人々に届くようになった。

1945年以降、死を恐れず声をあげた若者たちの勇気ある行動に敬意が表され、様々な形で繰り返し想起されている。ドイツ国内の通りや広場、公共施設には「白バラ」メンバーの名前がつけられ、またショル兄弟の名がつく学校は200校を超える。さらに、映画や出版物も増え、彼らの命懸けの声は今なお、こうして世界中の人々に届けられている。　　　　（村田）

【日本語によるおすすめの書籍・映画】
［書籍］
對馬達雄（2015）『ヒトラーに抵抗した人々——反ナチ市民の勇気とは何か』中央公論新社
ラッセル・フリードマン（著）／渋谷弘子（訳）（2017）『正義の声は消えない——反ナチス・白バラ抵抗運動の学生たち』汐文社
［映画］
『白バラの祈り——ゾフィー・ショル、最期の日々』（2005）

Step 3 情報収集のための課外活動（1回）と見学資料を用いた活動
　　　　（中級のみ1回）

　次に、情報収集として課外活動を行う。中級と上級の2クラス合同で、市内にある NS-Dokumentationszentrum München（NS資料センター [3]）へ見学に行く。ここでは、専門家によるドイツ語での説明を聞き、ミュンヘンとナチスの歴史や反対派の活動について、内容を確認する。特に上級クラスにとっては、このあとの発表テーマを選ぶための資料集めという目的も兼ねている。また、見学後はアンケートを実施し、日本語で感想を書く課題がある。

　さらに、中級クラスは、大学本館に併設されている白バラ記念館への見学も促す。白バラ記念館への見学は、大学内にあることから、授業内の見学にせず、授業外での自律的な活動として位置づけている。ただし、授業内で、白バラ記念館のHPで一般公開されている見学のための教材（23の質問項目）を利用するため、内容を知らない学生は、見学して調べておかないと答えられないようになっている。また、その質問は、すべてドイツ語で書かれているため、授業では、日本からの留学生と共に日本語に翻訳してから答える活動になっている。日本の留学生にとってはドイツ語の練習という位置づけである。

Step 4 グループ発表（3〜4回）とフィードバック（1回）

　続いて、グループ発表を行う。中級クラスでは、その年の参加者数によって回数が異なるが、Step 2 の読解テキストの中から、いくつかのポイントを選び出し、グループを作り、日本語で発表を行う。また、定期的に作文の課題を出し、教師が個別にフィードバックを行うようにしている。これは中級クラスの参加者数が多いため、授業内で個別のフィードバックが十分にできないという現状や留学経験がないために即時的な口頭産出が難しい学生に向けたものである。一方、上級クラスでは、資料収集のための見学を行ったあと、興味のあるテーマを選び、共通の興味を持つ学生と一緒に3〜4人のグループを作り、日本語で発表を行う。

　両クラスとも、発表を行ったあとに、90分の時間を使ってフィード

バックを行い、教師だけでなく、それぞれの参加者が自分たちの発表やほかのグループの発表について日本語でコメントをし、活動内容や学習内容を振り返る機会を作っている。

Step 5　個人発表（4回）とフィードバック（1回）

　最後に、1人10分ほどの個人発表を日本語で行う。中級では、事前に9つのテーマを提示し、その中から選択させている。テーマは、ナチス、「白バラ」、ミュンヘンと関連したもので、「人」をテーマにした1）マリー＝ルイーゼ・ヤーン／ハンス・ライペルト（Marie-Luise Schultze-Jahn, Hans Leipelt）、2）ミヒャエル・ジーゲル（Michael Siegel）、3）ヨハン・ゲオルク・エルザー（Johann Georg Elser）、4）杉原千畝、さらに「建物・記念碑」や「儀式」などをテーマにした5）NS資料センター（NS-Dokumentationszentrum）、6）ホーフガルテンの白バラ記念碑（Denkmal für die Widerstandsgruppe "Weiße Rose" am Hofgarten）、7）死の行進の記念碑（Denkmäler Todesmarsch）、8）つまずきの石（Stolpersteine）、9）焚書（Bücherverbrennung der Nazis）から1つを選択する[4]。9つのテーマの中には、自国の歴史ではないが、関連するものとして、日本学の学生が関心を持つテーマの1つである杉原千畝も選択肢に取り入れた。

　発表のあとで発表者に質問をしたり、発表を聴いて学んだ内容、ことばなどを小グループに分かれてそれぞれ話し合い、内容を深める活動も行う。一方、上級では、それぞれの学生が自由にテーマを選び日本語で発表している。2019年10月からのコースで学生が選んだ発表のテーマは、「白バラ」に焦点をあて抵抗者の努力をまとめたもの、「ナチスのプロパガンダ」、ヒトラーらが作り出した「ナチスの演説手法」、非ドイツ的とされ禁止された「退廃芸術」、ナチスが用いていた暗号機（エニグマ）に焦点をあて戦争と技術の発展をまとめた「ナチスと技術の進歩」、「戦争責任の日独比較」、「ニュルンベルグ裁判」、「平和教育の日独比較」、人体実験などに焦点をあて、主に日本の歴史についてまとめた「第731部隊」、中国からの正規の留学生が、自身の外国語学習経験を活かし、ドイツ語と日本語の教科書分析をまとめた「外国語学習からみる歴史認識の日独比較」であった。

それぞれの発表には1つ以上の議題を準備させ、発表後に、クラスで議論し、言語と内容を深める活動も行った。例えば、「ナチスと技術の進歩」の発表では「戦争は技術的な進歩のために必要であるか」、「平和教育の日独比較」の発表では「日本とドイツの平和教育がもたらした認識の違いは何が原因であると思うか」といった内容で議論した。

(4) クラスのレベル

2つのクラスのレベルについて述べる。中級クラスと上級クラスは主に授業の中で取りあげるテーマの範囲と学生の課題である発表テーマの選択の自由度でレベルを調整している（表3）。

中級クラスは、授業で扱うテーマの範囲を限定し、ナチスの中でもミュンヘン大学の歴史である「白バラ」というテーマに絞り、その経緯やメンバー、活動内容を日本語で説明するというものにしている。課題となる発表でも「ミュンヘンの歴史」を中心に事前に提示した9つの課題（上述Step 5参照）から選択させるという形式にした。その結果、よく用いられる語彙や表現がある程度制限され、ほかの学生の発表がきちんと理解でき、また自分の考えと比較できるような活動になっている。上級クラスは、テーマの範囲を広げ、「戦争と平和」と抽象的にしている。課題となる発表でも、特に具体的なテーマを教師側が指定せず、各自が興味のあるテーマで発表できる形式にした。その結果、学生が用いる語彙や表現には制限がなくなり、理解するのはやや難しくなるが、その分、知識が広がり、さまざまな議論を繰り返しながら、内容が深められるような活動になっている。

表3　テーマの範囲とテーマ選択の自由度

	中級クラス	上級クラス
テーマの範囲	「白バラ運動」とミュンヘンの歴史	戦争と平和
発表テーマの自由度	発表テーマを事前に設定	各々興味のあるテーマを選択

(5) 本実践の意義

　すでに、2つの授業を比較しながら、授業の概要について述べたが、ここでは、歴史の中でも、なぜナチ時代を扱うのかをこの授業の狙いとして、次の3つの観点、①「異文化に対する理解」と「自文化に対する理解」の重要性、②ミュンヘンの歴史・大学の歴史を日本語で学ぶことの重要性、③ミュンヘン市内・大学内の資料施設を利用する重要性、から述べる。

①「異文化に対する理解」と「自文化に対する理解」の重要性

　近年、外国語教育では、コミュニケーションの手段としての言語知識やそのスキルだけでなく、異文化に対する理解が重要であると言われるようになってきた。

　「異文化に対する理解」とは、CEFR（Common European Framework of Reference for Languages）第5章によると「『自分が育った世界』と『目標言語が話されている地域の世界』との関係に関する知識、意識、そして理解」（吉島・大橋（訳）2004：110）と記されている。さらに、異文化間の技能として、「自国文化と外国文化を関係づけることができる力」「自分自身の文化と外国文化との仲介役を務めることができる力量」（吉島・大橋（訳）2004：111）の育成が重要であるとされている。ここで重要なのは、「異文化」を理解するためには「自文化」を理解している必要があるということである。カルトン（2015：10）もまた「他者の文化を理解し、その独自性を尊重するためには、何よりもまず自らの文化について理解することが重要である」と述べている。

　そこで、日本学・日本研究の機関でも、日本の文化や社会に関することだけを学ぶのではなく、そこと関連づけるための自国や自文化、そして自分が置かれている社会についても理解している必要があると考えた。これを踏まえ、大学入学時から2年間、日本、あるいは日本語について学んだ基礎知識をもとに、3年次に改めて、自分の国、あるいは自分が今現在、暮らしている国や街に関することを意識させることで、それぞれの文化や社会、歴史、教育についてもより深く考える機会が提供できるのではない

かと考えた。ここに日本語でドイツの歴史を学ぶことの役割を見出している。

　そして、自国文化の中でも、歴史を扱うことについては、ミュンヘン大学日本学のカリキュラムが「歴史の理解」に重点を置いていることが大きい。ミュンヘン大学日本学の授業では、入学時の1年間で、まず日本の歴史を縄文時代から現在まで学ぶことになっている。それは、学年が上がり、日本学の中でどの分野に進んだとしても、過去の歴史のある部分と必ず関連すると考えられているからである。このような理由により、日本語の授業でも歴史に焦点をあてることにした。

②ミュンヘンの歴史・大学の歴史を日本語で学ぶことの重要性

　ドイツの歴史の中でも、本授業でナチスの歴史をテーマにしているのは、大きく2つの理由があげられる。1つは、ミュンヘンがナチ党の本拠地であったという事実、もう1つは、戦時中にミュンヘン大学学生らによって行われた反ナチの抵抗運動（「白バラ運動」）があったという事実である（對馬 2015; Nerdinger 2015）。命を賭けた彼らの運動に対して、国や街、地域、そして大学は、この歴史的事実と向き合い、同じことが繰り返されないための、そして後世に伝えるための努力をしている。例えば、ミュンヘン大学では、本館前の広場に「白バラ」のメンバーであるショル兄弟の名前が（Geschwister-Scholl-Platz）、その向かいの広場には同じくメンバーのフーバー教授の名前がついている（Professor-Huber-Platz）。また、政治学研究所の正式名称はショル兄弟研究所という名前になっていて（Geschwister-Scholl-Institut für Politikwissenschaft）、研究所前の廊下には、「白バラ」メンバーの肖像画が飾られている。このように、大学には至る所に「白バラ」を象徴する名前が残されている。さらに、毎年2月に開催される「白バラ」メンバーを讃える講演会は、多くの大学生と市民で大講堂が埋め尽くされることから、人々の意識が高いことが示されている。

　こうした歴史が現在のミュンヘンや大学の一部になっているということは、現在と過去を切り離して考えられるものではないことを表し、それはおそらく日本から来る留学生にも感じとってもらえるだろう。この姿勢を

今いる留学生だけでなく、ドイツの学生がこれから知り合う日本の人々により深く知ってもらうためには、日本学の学生の協力が必要であり、また彼／彼女らにはそれを伝えるための知識と言語能力が必要であると考えている。

③ミュンヘン市内・大学内の資料施設を利用する重要性

　この授業を行ううえで、ミュンヘン市と大学の公共施設の協力が不可欠である。その理由として2つあげる。まず1つは、施設が建てられている場所に意味があるからである。ナチスの本拠地（跡地）に建てられた資料センターや「白バラ」メンバーが通っていた大学、主要メンバーが最後に捕まった場所にある記念館を訪れ、そこからの景色を眺め、想像することはことばでは説明できない経験が得られるはずである。そして、もう1つは、施設にある豊富な資料や専門家の指導が得られることである。それにより、1人の教師の視点だけでなく、さまざまな視点から出来事を捉えることを可能にしている。そのため、市内にあるNS資料センターとそこで受けられる専門家の指導、そして、大学本館内にある白バラ記念館、そのHPからダウンロードできる教材[5]などを授業に取り入れている。このような地域との協力関係は、授業を教室内という限られた空間から教室外へと広げ、学生の視野を広げることに大きく役立っている。

　専門家の指導と教材に関しては、学生の日本語力だけでなく、ドイツ語による情報収集も重要視している。こうした考えはCEFRの枠組みで言えば、仲介活動（mediation）の1つである（吉島・大橋（訳）2004）。CEFRにおける仲介活動とは、話し言葉による通訳や書き言葉での翻訳のほか、オリジナルのテクストが受け手に理解できない場合に同じ言語で言い換えたりすることも含む（吉島・大橋（訳）2004：91）。この授業では、ドイツ語で書かれた資料を、ドイツ語による専門家のことばを通して、理解を深めることがある。これにより、学生たちは、テキストだけでは得られない知識を得ることができ、またドイツ語ができない留学生に日本語で翻訳したり通訳したりする機会とその学びを得ることができる。そのため、教室外での資料収集段階では部分的にドイツ語の使用も積極的に認めている。

（6）本実践の教育的枠組み

　ここでは、この授業を支える教育的枠組みについて述べる。

　この授業の狙いを踏まえ、教育的アプローチにContent and Language Integrated Learning（内容言語統合型学習：以下、CLIL）を用いることにした。CLILとは、「内容と言語をともに学び、教えるために、追加言語（母語以外の学習言語）が使用される、2点（内容と言語）に焦点が置かれた教育方法である」（Coyle et al. 2010：1）。この授業に当てはめると、内容には「ナチスの歴史」を、言語には「日本語」を軸に置くことになる。さらにCLILは、Content（内容）、Communication（言語学習）、Cognition（思考活動）、Community/Culture（協学／異文化理解）という、「4つのC」と呼ばれる構成要素が統合されている（奥野他 2018; 渡部他 2011; Coyle et al. 2010）。これらは授業を行う際の重要な枠組みであり、この4つの要素を有機的に結びつけた授業を構成することで質の高い教育が実現されると言われている。この授業もこの「4つのC」に即して構築した。具体的には以下の点に留意した。

- ● Content（内容）：自国の歴史をテーマにすること。
- ● Communication（言語学習）：a. ナチスの歴史を説明するうえで必要となる日本語の語彙や表現を学習できるようにすること。b. 日本語やドイツ語で書かれた資料を用いて、日本語でまとめられるようにすること。c. 調べてきたことを日本語で話し、互いに意見の交換ができるようにすること。
- ● Cognition（思考活動）：a. 学生が読解活動や情報収集活動を行い、内容を理解できるようにすること。b. 学生が習った語彙や表現を用いて、自分で調べたことを日本語で説明できるように、また、それについて日本語で発表できるようにすること。c. 学生が当時の状況と現在の状況を照らし合わせながら考えられるようにすること、そして、それについて日本語で意見を述べたり、相手の意見を聞くことができるようにすること。
- ● Community/Culture（協学／異文化理解）：a. 個人活動、グループ

活動、個人発表、グループ発表など多様な学びの形態を取り入れること。b. 専門家の説明を受け、教室外の活動を取り入れること。c. 学生自らが積極的に公共の機関や施設に見学に行き、興味のある内容について調べられるような機会や環境を教師が提供すること。

4. 授業の成果

CLILの考えに基づき、ナチスの歴史を日本語教育に取り入れ、授業を行った結果、この授業では大きく5つの対話構造が形成された（図1）。「地域」「日本学」「参加者」「現在」「未来」との「対話」である。これらの「対話」を通した結果、日本語の授業が学生にどのような影響をもたらしたのか、彼／彼女らはそれをどのように

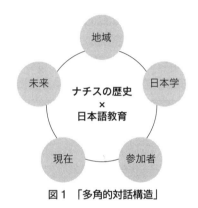

図1 「多角的対話構造」

日本語で表現したのか、学生たちの提出物やコメントなどをもとに考察する。

（1）成果1：地域との対話から得られた新たな気づき

公共機関が提供する学習施設を利用することで、大学と地域との協働を図り、それぞれの強みを活かした学びを可能とする。この授業では、NS資料センター、白バラ記念館の見学が大学と地域を結ぶものになっている。

NS資料センター見学後は、施設での学びを振り返り、自分の思考を言語化するために選択式と記述式のアンケートを実施した。

アンケートでは次のような回答が得られた（全64名からの回答）。まず、選択式アンケートについて述べる。この見学会は良かったかという問いには61名が「はい」と答え、3名が「どちらでもない」と答えた。また、初めて訪れたかという問いには57名が「はい」と答え、3名が「2回目」、

4名が「3回以上来たことがある」と回答した。さらに、今回の見学で歴史に関して新しい情報が得られたかという問いには64名全員が「はい」と回答した。

　次に、記述式アンケートについて述べる。今日勉強したこと、興味を持ったことは何かという質問について、ドイツで教育を受けた学生は、中等教育での歴史の勉強内容と比較し、新しく学んだことを説明した（学生1、2）。また、正規の留学生は見学を通して得られた新たな気づきを述べ（学生3）、日本からの留学生は言語的に難しかったようだが、このテーマに興味を持つ良い機会になっていた（学生4）。

> （学生1）昔は予科課程の中でドイツの歴史を勉強しました、でもミュンヘンと特別な関係が少なかったです。今度の見学によって例えばクルト・アイスナーのことが理解するのは出来ました。この前に名前だけ聞きました。
>
> 　　　　　　　　　　　　　（中級クラス、ドイツで教育を受けた学生）
>
> （学生2）今回勉強したことは、特に左翼派に属した人のことでした。学校の授業でも大学の授業でも、右翼派のナチ党を中心として1920年代を説明することは普通ですが、今回左翼派の人にあった問題や動きを扱えば、1920年代の政治的変化を普通と違って別の立場から把握できました。
>
> 　　　　　　　　　　　　　（上級クラス、ドイツで教育を受けた学生）
>
> （学生3）多様な資料とわかりやすい解説から、ナチスの具体像がわいてきたことが本日の一番の収穫です。例えば、最初はいろんなポスターやプロパガンダ写真を見ることによって、固定観念である軍人のようなナチ像が破られました。年代とともに、当時のミュンヘンに発生したことを目の前の建物等と照らし合わせながら、同時に見られるのがとても珍しい体験だと思います。
>
> 　　　　　　　　　　　　　（上級クラス、中国からの正規留学生）
>
> （学生4）説明は言語力不足のため理解できませんでしたが、写真から当時のナチ社会の歪みを感じることができました。近々もう

一度足を運んで情報を得たいと思います。　　（日本からの留学生）

（2）成果2：日本学との対話から得られた自国の歴史を学ぶ意味

　ミュンヘン大学での日本学の授業では、先にも述べたように、入学して1年間は必修で日本の歴史の講義を受ける。2年次からは、各自が専門分野（日本の社会、政治、経済、文学、宗教、歴史など）を選択し、理解を深めていくこととなる。この課程をみると、日本学にドイツの歴史は直接的な関係はない。では、学生たちはこの授業をどのように捉えているだろうか。

　中級クラスでは、毎年、授業の初回と最終回に「日本学でナチスの歴史を学ぶ意味とは何か」という課題で作文を書かせている。書いた時期で比較すると、例えば、学生5は、授業開始時は、日本人にドイツの過去を教えられること、自分自身もドイツの歴史について復習できることを楽しみだと個人的な意見を述べていたが、授業最終日には、内容がやや抽象的になり、歴史教育の大切さだけでなく、日本とドイツの現在の政治についてもコメントできるようになっている。また、学生6は、2回とも外国語で学ぶことの大切さについて書いているが、授業最終日のほうが日本語が分かりやすくなっている。また、授業最終日は、学んだことをどのように役立てられるか、未来に向けた感想を述べている。

　（学生5-1）<u>特に日本人の学生に少しドイツの過去を教えられるから、いいことだと思います。</u>また私も白バラについて少なすぎに知りますから、今学期の授業は復習のための良いチャンスだと思います。もちろん学校で白バラをもう勉強しました。ところがその勉強は5年前ぐらいでしたから、残念ながら今あまり覚えていません。<u>日本語の会話を勉強するに伴って白バラについて新しい知識も得ることを楽しみです。</u>　　（中級クラス、2018年10月）

　（学生5-2）<u>私たちは歴史から学ばなかったら、歴史は繰り返すと思います。ですから、歴史の勉強はいつまでも大切だと思います。ドイツにも日本にも右派の政党と勢力が強まっています。</u>前回の

連邦議会の選挙でAfD⁶⁾という右派の政党が議席をすごく増やしました。その政党の有権者が歴史を忘れてしまいました。もし残りの人口が歴史について考えるのをやめたら、ドイツでも歴史が繰り返される可能性が存在します。特にドイツの場合、それは大惨事となるでしょう。　　　　　　　　　　（中級クラス、2019 年 2 月）

（学生 6-1）学生は外国語で事を教えることができましたら、この事を本当に分かりました。このために、日本学の授業で白バラについて話すことも分かるの練習のような作用があります。また、白バラはバイエルンの学校で歴史学の大きい部分ですけれど、他のいろいろなドイツの州の学校で、教育課程の部分ではありません。それで、様々なミュンヘンの学校に通っていなかった人は学校で白バラについて勉強しませんでした。大学でこの話題について話すのはとても良いことだと思います。

（中級クラス、2018 年 10 月）

（学生 6-2）1 学期と 2 学期に日本の歴史について勉強した後で、今学期、ドイツの歴史についても勉強しました。私にとっていい補足でした。新しいことがたくさんありました。「白バラ」の細分は全部新しかったです。ナチスの歴史は大きいテーマですから、全部について話す時間がありません。他の州で育ちましたので、ミュンヘンの「白バラ」について勉強しませんでした。さらに、1 つ 2 つのテーマでは、少し知識があったので、もう知っていることを補足する発表もありました。未来にもこの知識を使う可能性があります。卒業したら日本で働きたい学生は日本語でナチスの歴史のことについて専門的に話せます。もちろん、ドイツで日本の観光客と働きたい方もこれができます。数年前に良い記事を読みました。母語で教えられるからといって、本当に理解しているとはかぎりません。異国語で説明することができれば、本当に理解したということになります。　　　　　（中級クラス、2019 年 2 月）

もちろん、学生のこのような視点や意識の変化は、さまざまな授業や大

学外の活動の影響も受けてのものであろう。しかし、日本語の授業での取り組みも大きな影響を与えていることは間違いない。

(3) 成果 3：参加者同士の対話から生まれた新たな視点

　授業への参加者は毎年多様である。特に上級クラスの場合は、教員、上級学生チューター、ドイツで歴史の教育を受けたことのある日本学学生（ドイツの受講生）、ドイツ以外の国からの正規留学生（ドイツ以外の受講生）、日本からの留学生が参加する。実践開始時の参加者と参加者間の役割を図 2 に示す。

　図 2 は上級クラスのモデルである。内容が広くて深い上級クラスは、日本語教育を専門とする教員だけでは対応できないことも多いため、この授業に参加した経験のある修士課程の学生がチューターとして参加し、教員と共同でクラスを運営しているが、中級クラスは、チューターの役割を教員が担っている。教員の役割は日本語の指導とアカデミックスキル、特にプレゼンテーションなどの指導を重点的に行うことである。また、上級学生チューターの役割はドイツ以外の受講生へ内容面（ドイツ史）の指導を行うことである。受講生、および留学生は課題ごとに協働学習を行うことになっている。

　授業を通して、また、それぞれの発表や議論を通して、参加者間にはさまざまな変容がみられた。例えば、ドイツ以外の受講生、特に中国からの留学生の参加によって、歴史教育の比較や慰安婦問題、東京裁判などの

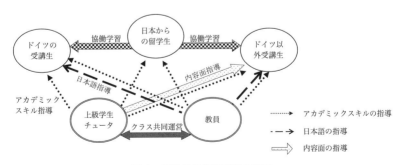

図 2　授業前の参加者間の関係

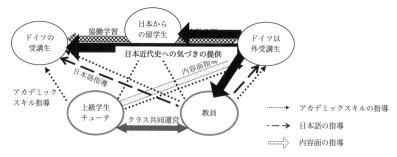

図3　授業後の参加者間の変容1

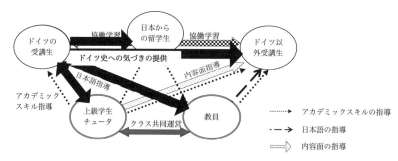

図4　授業後の参加者間の変容2

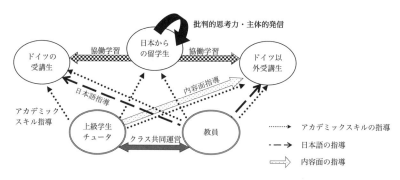

図5　授業後の参加者間の変容3

テーマでも議論することがあり、それぞれの学生が自国の歴史を踏まえ意見を述べることにより、他国の近代史、特に日本の近代史への気づきが提供されたり（図3）、ドイツの受講生側からの発表、今の学生の生の声を通

して、より深い、そして広いドイツ史への気づきが提供されたりするようになった（図4）。さらに、日本からの留学生は、異なる背景を持つほかの受講生らと共に問題に向き合い、他者の視点から歴史を学ぶ機会を得た。ナチスの歴史を通して教育や政治、宗教に関しても議論し、批判的に考える力を身につけ、主体的に発信するという態度がみられるようになった（図5）。

　以下に異なる背景を持つ参加者のこの授業に対する感想を紹介する。学生7は、ドイツの受講生で、中国からの留学生がドイツ語の教科書と日本語の教科書を比較し、ドイツ史、日本史がそれぞれの教科書でどのように扱われているかを調査、発表したものに関する感想である。学生8は中国からの留学生、学生9は日本からの留学生で、この授業を通して、さまざまな背景を持つ参加者の発表を聴き、議論を通して、感じた感想である。

> （学生7）自分がドイツ語を母語とする人なので、その発表のおかげでまたドイツやドイツ語のことを新しい見方で見ることができました。しかも、日本語の教科書とドイツ語の教科書の比較が非常に面白くて、たくさん勉強できました。
>
> 　　　　（ドイツの受講生、中国からの留学生の発表「外国語学習からみる日本とドイツの歴史感覚」を聴いて、2020年2月）
>
> （学生8）この授業を受け、クラスメート全員の発表をきいて、とても勉強になりました。戦争が悪いと思って、あまり興味がありませんので、ずっとこのテーマを避けていました。が、正面に向かわなければならないと思うようになりました。戦争のことを議論し、戦争から勉強したことを思いながら、どうすれば平和を維持できるかを考えるのは大切だと思います。この貴重な授業に感謝します。　　　　　　　　（中国からの正規留学生、2020年2月）
>
> （学生9）（前略）考えることを止めると、「自分の軸」を失ったり、権力者の私欲に振り回されたままになってしまいます。自分から学び、自ら思考し、そして様々な観点から物事を見られるような客観的な視点を得るためにも、これからも学び続け、議論してい

くべきことだなと思っています。多くの人が客観的、そして私欲を捨て、建設的な話し合いができれば、過去を乗り越え、平和につながるのではないかと。　　　（日本からの留学生、2019 年 2 月）

　このように、教師としては日本学の学生のために始めた授業であるが、さまざまな背景を持つ学生が参加することによって、より深い内容理解を求める授業へ発展させることが可能になった。

（4）成果 4：現在の社会との対話から得られた過去と未来の連続性への気づき

　日本語による歴史の授業を行った結果、回を追うごとに学生は歴史的な問題から現在の問題に意識が向くようになっていった。冒頭であげた「大学に入ってまで、どうしてナチスの歴史を勉強しなきゃいけないのと思った」（上級クラス、2016 年 10 月）と授業の開始時に述べていた学生 10 も、その授業の最終日（2017 年 2 月時点）には、次のような作文を書き、自分なりの答えを見つけることができた。

　　（学生 10）今学期の授業を通して、ナチ時代についての今まで知らなかった情報を手に入れることが出来ました。私が高校時代から覚えている何度もただひたすらに繰り返される同じ情報ではなく、それよりも深く、当時の日常生活のあらゆる分野まで広がるような恐ろしい情報まで細かく意識させました。（中略）高校時代の自分との真逆に、ナチスについてはいくら勉強しても、足りない気がします（中略）昔の戦争・ナチ時代の出来事は明日の平和と無関係ではないと意識しました。　　　（上級クラス、2017 年 2 月）

　次の学生 11 は、授業の開始初日は、繰り返さないための歴史教育の必要性を訴えていたが、授業終了時には平和教育の重要性、異文化理解の必要性について述べるような意識の変容がみられた。

（学生11-1）戦争の理由はいつも、お金と権力だと思います。普通の国民たちには、選択がありません。投票の結果はあまり効力がないのです。報道機関は人を操って、政治家の意見を押し通す。ナチの時代も同じでした。ヒトラーは国民たちを扇動して、自分がしたかった戦争を始めた。それは国民のためじゃありませんでした。それはヒトラーが嫌いだった人たちを消すためだけでした。今の政治家はヒトラーと同じように、報道機関を利用します。それは本当に危ないと思います。<u>戦争や凶行をもう二同繰り返さ（ママ）</u><u>ないためには、いい教育が必要です。ファシズムはどうやって生じ</u><u>るのかが分かるように歴史の授業をしたほうがいいと思います。</u>

（上級クラス、2016年10月）

（学生11-2）戦争と平和について考えると、今からこの世界はどうなるかなと少し心配になります。ドイツでは、ナチ時代の記憶はまだ強いので、一般の人々はだいたい反ナチの意見を持っていますが、反難民やAfDのネオナチみたいなイデオロギーに賛成する市民が増えてきました。これからも増えていきかねないです。他の国に目を向けるととても怖くなります。（中略）<u>今の時代は</u><u>平和教育が非常に大切です。そして、ほかの文化や考え方が理解</u><u>できるようになれば、自然と外国人を蔑視しなくなるようになり</u>ますから、異文化コミュニケーションができるような教育も必要<u>だと思います。</u>　　　　　　　　　　　（上級クラス、2017年2月）

　次の学生12は、授業開始時は、高校生までのときに学んだことについて感想を述べるのみであったが、授業終了時は、高校生までの学習では足りないことがある、大学生だからこそ学べることがあるという意見が述べられるようになっている。

　（学生12-1）私は特に<u>中学と高校の時に歴史の授業でナチス、戦争、</u><u>特に第二次世界大戦に付いて勉強したことがあります。</u>今でも、ナチスや戦争というキーワードを聞くと、歴史の授業で学んだこ

とをほとんど全部思い出せます。特に戦争とかに興味があったからではなく、ユダヤ人の運命について詳しく勉強したことがあって、その時に学んだことにびっくりして、鳥肌が立ちました。

（上級クラス、2016 年 10 月）

（学生 12-2）現在の社会ではまたナチ時代に似ている考え方が、広がっています。それはドイツ以内［国内］の問題だけではありません。学校で学んでいる歴史の科目は、将来的にとても大事だと思います、ですが［高校までの］生徒には、その歴史の社会と現在の社会のつながりや違いが良く通じてないと思います。ですから、学校を卒業して、もう一回大学でナチ時代と戦争に付いて考えることがいいと思っています。私自体は、大学生になって、もっと世界中に起こっている問題、社会問題についてニュースで調べることになったので、もっと各問題について議論することが出来るのです。

（上級クラス、2017 年 2 月、［　　］内は筆者による補足と訂正）

　このように、授業開始時と終了時の作文を比較すると、歴史をテーマにした授業ではあるが、学生は歴史を通して平和について、そして現在の政治や教育について意識するようになり、社会の流れや足りない教育について考えるようになっていったことが確認できた。要因としては、ドイツの歴史をテーマに、さまざまな背景を持った参加者と議論することで、新しい視点で物事を捉えることができたことが大きく影響しているだろう。また、施設見学ではドイツ語を、教室内では日本語を用いて議論することが多かった。ドイツ語も日本語も、ある人にとっては母語であり、またある人にとっては目標言語であった。こうした複数の言語が用いられることにより、言語面では対等な関係が築け、互いに助け合い、仲間意識が芽生えたことも、議論を活発にした要因ではないかと思う。

(5) 今後の展開：未来との対話を見据えた今後の活動

　この授業は、今後、これまで通りに本学学生の日本語授業として実施し

ながら、同時に授業という枠を徐々に取り払っていく展開を考えている。その1つが「翻訳プロジェクト」である。授業だけでは、さまざまな制約があり、また、1コース15回という期間では、できない課題もある。「翻訳プロジェクト」はドイツ語のテキストを日本語に翻訳する活動であり、2018年4月から現在までは授業外の活動として、興味のある学生が自主的に集まり、教師とともに活動を行っている。課題テキストは、NS資料センターの協力のもと、「NS資料セン

写真3　ガイドブックの表紙

ター見学のための簡易ガイドブック」（NS-Dokumentationszentrum München. Kurzführer zur Ausstellung：写真3）を用いている。翻訳という課題を通して、学生たちはドイツ語、日本語、内容を学び合い、さらにその成果物が、今後NS資料センターを訪れる日本からの観光客などの手に渡ることで、この授業実践は、日本語で自国の歴史を学ぶことという意義のもと、その対象者を日本学学生から、留学生、ミュンヘン在住の日本人、ミュンヘンに訪れる日本からの観光客などへと広げていけるのではないかと考えている。大学と地域が協力し、学生と市民、そして、さらに観光客とを結ぶような、社会につなげる日本語教育の実践を今後の課題としてあげる。

5.　本実践の総括

　この章では、ミュンヘン大学での日本語クラスの授業実践を例に、海外の大学で日本学・日本研究を主専攻とする学生が日本語の授業で自国の歴史、ナチスの歴史を学ぶことにどのような意義があるかを、「地域と」「日本学と」「参加者と」「現在と」「未来と」の「対話」という形でまとめ、その成果を紹介した。また、この授業を通して変容した学生の意識を紹介

しながらその意義を明らかにした。日本語そのものの成果については、学期中に他の授業も受けているため、この授業だけで向上したかどうかを証明することは難しい。しかし、抽象的かつ重いテーマに日本語で挑み、積極的にディスカッションを行った事実は重要である。自国の歴史を日本語で学び、語ることに意義があるという多くの学生の意見を読むと、日本語教育、外国語教育の中で、今回のようなテーマを取りあげることには大きな意味があると考える。具体的には、学生は、地域との対話から歴史の継続的な学習の必要性に気づいた。そして、日本学・日本研究が単に日本のことを研究する場だけでなく、自国の歴史を再評価する場になることを知る。さらに、多様な参加者同士の対話から歴史を相対的に捉えることの重要性を学んでいる。最後に、現在の社会との対話から過去と現在、そして未来がつながっているという事実を再確認することができた。

6. 結びにかえて

　本実践を行う前までは、この「発表と議論」の授業では日本の時事問題などをテーマとして扱っていた。それは日本学の学生が日本のことを日本語で学び、語れることに意味があると思っていたからである。もちろん、今でもその意味は十分にあると思っている。それと同時に、私自身は、外国語で自国のこと（私の場合はドイツ語で日本のこと）を説明するのが非常に難しいということも知っていた。ことばの問題はもちろんだが、誤解を与えないように、誰に何をどのように伝えたら良いかを考えると難しいからである。

　私自身は言語教師であり、ことばを教えることを生業としている。そんな私に平和のためにできることはないに等しい。現に、この原稿を書いているときに、ロシアがウクライナに侵攻したというニュースが飛び込んできた。少しでも平和につなげられればと思って実践をしている傍らで、争いが絶えない世界の現状に無力感を抱かずにはいられない。

　ことばは道具である。ただ、そのことばで誰にどんなことを伝えるかということを考えてもらえるようなきっかけづくりなら、私にもできるので

はないだろうか。私は、ナチ時代の負の遺産と正面から向き合っているドイツの姿勢を、1人でも多くの方に知ってもらいたい。そのような想いで、5年間この実践を行ってきた。5年間を振り返ると、自分にとっても気づきの多い授業であった。とりわけ、言語教師としての立ち位置を再認識することができた。

　学生たちにとっては、みんながみんな同じ気持ちではないだろうし、15人ほどの小さいクラスでの活動が明日の平和にすぐにつながるとは考えにくい。しかし、この小さな取り組みが自分たちやあるいは遠くの誰かの国や街の平和につながる可能性を生み出すことを、そのバタフライ効果を、私は信じている。

謝　辞

　授業に積極的に参加してくれた学生の皆様に心より感謝申し上げます。また、本稿は、2019年「政治教育、平和教育、そして、日本語教育へ──ドイツの実践例を中心に」（於：2019年3月20日早稲田大学）での発表内容に加筆・修正を加えたものです。発表の機会を与えてくださり、街の写真撮影に協力してくださった早稲田大学李在鎬先生はじめ、関係者の方々に心より感謝申し上げます。

注

1）CEFR（Common European Framework of Reference for Languages）については序章を参照のこと。
　CEFR B1：身近で個人的にも関心のある話題について、単純な方法で結びつけられた、脈絡のあるテクストを作ることができる。経験、出来事、夢、希望、野心を説明し、意見や計画の理由、説明を短く述べることができる。／CEFR B2：自分の専門分野の技術的な議論も含めて、抽象的かつ具体的な話題の複雑なテクストの主要な内容を理解できる。広範な範囲の話題について、明確で詳細なテクストを作ることができ、さまざまな選択肢について長所や短所を示しながら自己の視点を説明できる。（吉島・大橋（訳／編）2004）
2）正規の留学生であっても、交換留学制度を利用してミュンヘン大学から日本へ留学する学生もいる。
3）https://www.nsdoku.de/（2023年3月7日最終閲覧）

4) 9つのテーマについて簡単に紹介する。1) マリー＝ルイーゼ・ヤーン／ハンス・ライペルトは、いずれもミュンヘン大学の学生で、処刑された「白バラ」メンバーの意志を引き継いだ者たち、2) ミヒャエル・ジーゲルは、ミュンヘンに住んでいたユダヤ系の弁護士であり、不当な逮捕、暴力を受けた者、3) ヨハン・ゲオルク・エルザーは、ミュンヘンでヒトラー暗殺未遂事件を実行した者、4) 杉原千畝は、リトアニアでユダヤ系難民に日本通過のビザを発行した者、5) NS資料センターは、終戦からおよそ70年が経った2015年に開館した資料センター、6) ホーフガルテンにある白バラ記念碑は、ミュンヘン市内中心部にある庭園内に建てられた記念碑、7) 死の行進の記念碑は、強制収容所の収容者が過酷な状況の中で、徒歩で移動させられたことに対する追悼碑、8) つまずきの石とは、10×10×10 ㎝サイズのコンクリートで、その上に10 ㎝四方の真鍮版が貼られ、ナチ政権の犠牲となり命を落とした人たちの名前や生年月日、命日、死亡の地が刻印されたもの。その人がかつて住んでいた住居前の石畳に埋められている、9) 焚書とは、ナチ政権が、ドイツ国内にある本で、ナチズムの思想に合わないとみなされた書物を儀式的に焼き払うことである。

5) https://www.weisse-rose-stiftung.de/paedagogisches-angebot/unterrichtsmaterialien/（2021.7.20 参照）。白バラ記念館のHPからは、さまざまな教材が誰でも利用できるようになっている。本実践では、「『白バラ』に関する質問（Fragen zur Ausstellung „Die Weiße Rose"）」を利用している。それはメンバーについてや設立された経緯、名前の由来等の質問が23あり、見学すると答えられるようなものになっている。なお、23項目の質問表は、2021年7月現在、公開されていない。

6) AfDは、極右政党Alternative für Deutschland（「ドイツのための選択肢」）の略称である。

教材

大塚信・石岡史子（訳）（2000）『なぜ、起きたのか──ホロコーストの話』岩崎書店.

對馬達雄（2015）『ヒトラーに抵抗した人々──反ナチ市民の勇気とは何か』中央公論新社.

Weiße Rose Stiftung e.V. 〈https://www.weisse-rose-stiftung.de/〉（2021年7月20日最終閲覧）

Nerdinger, W. (hrsg.). (2015). „*NS-Dokumentationszentrum München. Kurzführer zur Ausstellung*", NS-Dokumentationszentrums

参考文献

奥野由紀子・小林明子・佐藤礼子・元田静・渡部倫子（2018）奥野由紀子（編）『日本語教師のためのCLIL（内容言語統合型学習）入門』凡人社.

カルトン，フランシス・堀晋也（訳）（2015）「異文化間教育とは何か」西山教行・細川英雄・大木充（編）『異文化間教育とは何か──グローバル人材育成のために』pp.9-22、くろしお出版.

平田オリザ（2015）『対話のレッスン――日本人のためのコミュニケーション術』講談社．

村田裕美子（2018a）「社会につながる日本語教育――ナチスの歴史を題材にした内容言語統合型学習の一例」『ヨーロッパ日本語教育』22：430-435、ヨーロッパ日本語教師会．

村田裕美子（2018b）パネル発表「未来につなぐナチスの歴史を題材にした日本語教育実践と教師の役割――中級学習者のための授業実践」日本語教育国際研究大会（イタリア、ベネツィア、カ・フォスカリ大学）．

村田裕美子（2018c）「ドイツの高等教育機関における日本語教育の現状と課題――ミュンヘン大学を一例として」『早稲田日本語教育学』24：11-22、早稲田大学大学院日本語教育研究科．

吉島茂・大橋理枝（他）（訳）（2004）『外国語教育Ⅱ 外国語の学習、教授、評価のためのヨーロッパ共通参照枠』朝日出版社．

渡部良典・池田真・和泉伸一（2011）『CLIL（内容言語統合型学習）上智大学外国語教育の新たなる挑戦　第一巻 原理と方法』上智大学出版．

Carr, E. H. (1962). *What is history?* Reprinted, Macmillan.

Coyle, D., Hood, P., and Marsh, D. (2010). *Content and language integrated learning.* Cambridge University Press.

Nerdinger, W. (2015). *München und der Nationalsozialismus.* Katalog des NS-Dokumentationszentrums, Beck, München.

ドイツにおける日本語の授業で
「ナチス」をテーマにすること

村田裕美子・三輪聖（聞き手）

　　日本語の授業で扱うテーマを選ぶ際はいろいろと悩むことが多いのではないでしょうか。テーマ選びにはいろいろな可能性があると思いますが、第7章で報告されている実践では「ナチス」がテーマにされていました。しかし、村田さんもこのテーマを日本語の授業で扱うのに少し躊躇したと書かれていました。私はこの「躊躇」、つまり何らかの「壁」を感じたというところに興味を持ちました。また、「ナチス」をテーマにした背景などいろいろなことをうかがいたくなり、村田さんと語り合ってみました。

三輪：歴史教育とことばの教育を繋げる実践をしようと思ったのは、何かきっかけがあったんですか。

村田：それまで私は「発表と議論」っていう授業のなかで、内容は日本の時事問題などを扱っていて、もう少しそのドイツに焦点を当てたいなと思い始めたんですね。それがちょうど2015年ぐらいで、ナチスに関する資料館がドイツのミュンヘンに建てられた時期で、あと町の至るところにナチス時代の傷が残っていたりして、もう少しドイツに焦点を当ててもいいのかなっていうふうに思ったんです。自分自身が勉強したいということもあって、授業で学生たちにこれを日本語で話してもらったら私も勉強になるのになっていうような気持ちもあったりして。

三輪：以前、「ナチス時代」を日本語の授業のテーマとして扱うのに少し躊躇したということをおっしゃっていたと思うんですけど、どうして躊躇されたんですか。

村田：授業で「ナチス」のテーマが扱えたらいいなっていうふうに思ったんですけど、私が授業でやるとなると、私はドイツの歴史の専門家でもないので、そんな人間がドイツの歴史を授業の中で扱ってしまってもいいのかどうかっていう、そこが躊躇したポイントでした。

三輪：なるほど。そこからどうやって実践に踏み切ることができたんですか。

村田：こういう形だったら自分でもできるんじゃないかなっていうフレームワークみたいなのを立てた上で、学科長とかうちの日本センターや他学部の教授とか同僚とか、ドイツだけでなく多様な文化的背景を持った学生や友人にも、その意義も説明して直接意見を聞いてみたんです。すると、反対する意見がなかったんですね。みんな「何で躊躇してるの？やってみたらいいんじゃない？」っていうふうに背中を押してくれた人ばかりだったんで、やってみようと思いました。

三輪：授業で自分が専門ではない内容を扱う時に気を付けていることってありますか。

村田：学生にも私が歴史を教えるっていう形では授業をしないことはちゃんと伝えてあります。私は日本語を教えるから、内容はむしろ私に教えてくださいっていうような形で。大事なのは、同じ目線に立つということです。私は日本語を教える立場で、学生も私にいろいろなこと（自分が知っていることや調べたことなど）を教えるというように対等な形で授業をするように気を付けてます。

三輪：教室内での教師と学生の関係性について明示的に説明をされている
　　んですね。

村田：一回目の授業でかなり細かく説明しています。「なぜ私はこのテー
　　マを扱うのか」を説明する時間もとっています。説明するとみんな納得
　　してくれますが、納得しなくてもいいと学生に言っています。その場合
　　は、その判断に至るまでのプロセスや根拠は示せないといけないと伝え
　　ています。この授業のテーマが「ナチス」というだけで、「出席する意
　　味がない」と判断するのではなく、何回か授業を受けてから、なぜ自分
　　は意味がないと思うかを教えてほしいと。「ドイツの歴史」「ナチス」と
　　いうだけで拒否反応をする学生もいるし、そういう学生を引き込むこと
　　は大切なので、特に気を付けています。「ナチス」というテーマは重た
　　い話ですけど、重たい話だからこそ授業でやった方がいいと思っていま
　　す。

三輪：歴史教育の比較をされた時に、中国からの留学生も参加する中で東
　　京裁判や慰安婦の問題などについて議論することがあったと書かれてい
　　ましたが、「重たい話」を扱うとこのようなセンシティブなテーマに
　　入っていくこともあると思います。このようなセンシティブなテーマを
　　扱うことについてどうお考えですか。

村田：中国の留学生が東京裁判についての発表をしたことがあって、日本
　　の留学生もいるし、どうなるかなっていうのはちょっと気になったんで
　　すけど、その時はみんなきちんと意見も言えていて問題ありませんでし
　　た。その時感じたのは、ここが日本や中国じゃなくて第三国だからこの
　　ようなテーマを取り上げても議論ができたのかなと、それがメリットな
　　のかなって思っています。

三輪：少し話が変わりますが、ドイツ語や日本語を駆使しながら歴史を伝
　　えるといった仲介活動を行うことの意義について触れられていましたが、

具体的にどのような仲介活動が見られましたか。

村田：資料館などの施設に行くとガイドさんの話を聞かせていただけるんですね。それがドイツ語なんですけど、その話にガイドさんの意見も入ってくるんですよね。資料で読むような情報に違う視点、意見、考えを入れてくるんです。なので、ガイドさんによっても説明の仕方が結構違うんです。私はそこも仲介活動の一つのあり方なのかなと思っています。

三輪：興味深いところですね。村田さんは授業中に教師として自分の考えとか意見とか立ち位置みたいなのを学生に率直に伝えたりすることはありますか。

村田：基本的にはこういう事実もありますよねぐらいにして、あまり自分の主観は入れないようにしていますが、意図的に反対の意見を言ったりとかはします。

三輪：そうすると視野が広がって、議論が発展していきますよね。でも、自分の意見は言わないようにしているのはどうしてですか。

村田：学生たちはやっぱり意見が言いたいんですよね。それで私が黙っていても授業が進むので、本当に必要ないんです。でも、授業の最後とかにちょっと総括みたいにまとめたりはします。

三輪：最後に、村田さんが執筆してくださった章で学生たちの色々な変容が見られたことが報告されていましたが、実践者である村田さん自身には何か変容が見られましたか。

村田：ドイツの歴史に興味があるし、授業でもやってみようって思っていたのがきっかけですけど、より詳しく勉強しようとか思うようになって

きましたし、日本の歴史に対しても少し敏感になってきたりとかっていうのはあるような気がします。ドイツと日本と切り分けるのではなく、それぞれの国の歴史の関連性なども前よりもっと考えるようになりました。それから、重いテーマで意見を言い合うので、学生との関わり方がちょっと濃くなってきたかなと思いますね。

　村田さんと話していて、教師も「(学生から) 学びたい」という姿勢を持つことの大切さを改めて感じました。このような姿勢を教師と学生がお互いに持つことで、「対等な関係」を構築することができるようになるのかもしれません。また、日本語の授業では日本語を教えるべきだと思い込んでしまっていることが多いように思いますが、それは日本語教師としてできることの可能性を自ら狭めてしまっているのかもしれません。学生はそれぞれ教師と異なる知識やスキルなどを持っているのですから、教室内に個々人の考えを自由に表出でき、能力を存分に発揮できるような場をつくることで、日本語の教室はより豊かな学びの場となることに気づかされました。そのような学びの場では、学生たちは「日本語を学ぶ」という意識より「言いたいこと、語りたいことをいかに日本語で伝えられるか」という意識の方が強くなり、それこそが「ことばの教育」のあり方なのではないかと思いました。

（三輪）

第 8 章

日韓がともに生きるための
シティズンシップを育む

対話・交流型授業実践を通して

森山新

一番伝えたいこと

　本章で紹介する実践は「和解のための対話」です。対話は対立克服と平和実現に不可欠であり、対話にはことばが欠かせません。ことばの学習は互いの文化、価値観、意見の違いを理解し克服する上で重要です。さらにバイラムが主張するように、異なる他者のことばの学びは国家的アイデンティティを克服し包括的アイデンティティ育成につながります。ことばの学びを基盤に平和教育をめざしたことこそが本実践の最大の意義であると言えます。

なぜこのような実践・研究をしようと思ったか

　本章で紹介する国際交流セミナーは過去の対立を克服できずにいる日韓がともに生きることを願い始めたものですが、その歩みは言語、文化中心のものからセンシティブな政治的話題をも扱うものへ発展していきました。それは対立を克服し和解に至るには何より対話が重要であり、それも両者の心の奥底にわだかまりとして残されたセンシティブな問題をも扱ってはじめて実現できると考えたからです。またそれは、近年のシティズンシップ教育としてのことばの教育にも合致しています。

1. はじめに

　1996 年 6 月 1 日、国際サッカー連盟（FIFA）は 2002 年ワールドカップ（以下 W 杯）の日韓共催を発表した。両国は一歩も譲らぬ熾烈な誘致合戦を展開、それを見兼ねた FIFA は「共同開催はこの地域の平和構築に役立つ」[1]と判断し、このような決定をしたのだという（黄 2002：25）。当時、韓国で日本語教育に携わっていた私はこの決定直後の日本語の教室で、失望に満ちた韓国の学生たちの表情を目にすることになる。その時私は学生たちに、「いつかきっと共催してよかったと喜べる日が来る」と訴えた。黄（2002：26）によると、この誘致合戦の「引き分け」の結果について、当時、韓国側は「勝ちに等しい」と受け止め、日本側は「負けに等しい」と認識していたと述べているが、少なくとも韓国にいた私が学生たちから感じたものはそのようなものではなかった。

　しかし、日韓両国はこの FIFA の決定を契機に、W 杯という共通の目標の下、「同じアジアの同胞」「共催のパートナー」として、その後数年間は友好関係構築のための努力を続けることになる。後述するガートナーらの用語を借りれば、対立の過去を持ち、常にライバルであった両国は、1 つの共通の目的の下、「再カテゴリ化（recategorization）」に向かって歩み始めたのであった（上瀬・萩原 2003：113; Stephan 2008：387）。

　しかし、このような良好な関係は決して長くは続かなかった。W 杯終了後、日本に勝るベスト 4 という結果を収めた韓国には、もはや日本は学びの対象ではなくなった、といった言説が目立ち始めた。さらに小泉首相（当時）の靖国神社参拝など、韓国民の歴史感情を逆撫でするような日本の政治家の相次ぐ発言や行動に再び反日感情が再燃する。一方の日本でも韓流ブームが起きるも、韓国の反日感情の高まりに呼応するかのように嫌韓感情が高まっていく。もしかすると韓国は、国力の劣勢を背景に、それまで語ることを控えていた日本植民地時代の過去について、次第に国力を高め、日本に追いつき追い越す勢いを示す中、それまでにも増して強く発言するようになり、日本側もまた、そうした構図に対する反発から、嫌韓感情を再燃させたといったことが根本にあるのかもしれない。いずれにせ

よ、両国間の和解、共生に向けた「再カテゴリ化」は一過性に終わり、長くは続かなかった。

　2001年に私は韓国より帰国したが、W杯共催と韓流ブームで高まった日韓の民間交流を維持、促進せんと、着任した大学において日韓大学生国際交流セミナー（以下「セミナー」）を開始した。最初は、互いの文化を理解し合いながら学生交流を促進しようという、異文化理解的な趣旨での実施であった。しかし上述のように両国政府や国家間の関係が悪化していくのを傍目に見ながら、いくら学生間で交流が進んでも、国家間の関係が悪化するや、日頃の学生交流がほとんど無力なことを痛感する。そのような中、2012年頃から、それまでセミナーでは扱わなかった、日韓両国間に立ちはだかる政治・歴史問題をあえて取り上げ、対話により解決をめざすことで、過去の不信を払拭し、真の信頼関係を築こうと、大きく方向転換することを決心する。

　2015年、日本は戦後70年を迎えた。日韓関係においても国交回復50周年の節目に当たる。政治が解決できないこの対立を、学生交流によって何とかしたいという思いはさらに高まり、第10回セミナーは自身においてとりわけ重要な実践として位置づけられた。その思いは韓国側の指導教員や両国参加学生にも共有され、結果、それまでにない大きな成果をあげることになる。本章ではこの間実施してきた様々な教育実践とその成果を紹介、考察していくが、中でもこのセミナーに注目し、言語教育と政治教育を融合したこの実践の成果について、理論的、及び実践的側面から分析を加え、平和のための言語教育としての有効性について考察を深めることを目的とする。

2. 先行研究

　悲しいことだが、国家、民族、人種間の対立や葛藤は世界に数多く存在してきた。欧州ではホロコーストを含む二度の世界大戦がその代表であろうし、米国の人種差別も根の深い対立が今日の国内の分断を引き起こしている。

欧州では戦後、二度とこのような悲劇を繰り返すまいと、欧州統合へ向けた歩みが始まり、その過程で国家間の対立克服のための理念や政策が打ち出された。その中でも本書のテーマである「平和のためのことばの教育」という文脈で注目したいのが、外国語教育、異文化理解教育の延長に提示された複言語・複文化主義であり、バイラムによる間文化的シティズンシップ教育としての外国語教育である。

　一方米国では、戦後、「人種差別待遇廃止（desegregation）」の動きが沸き起こり、1954年、米国最高裁判所が黒人隔離政策を違憲とした。同年、オルポートは *The Nature of Prejudice*（邦訳『偏見の心理』）を出版した。その中で提案した、集団間のバイアスや偏見を解消するための4条件は、その後、様々な研究の中で検証、修正され、葛藤や偏見の克服に必要な条件とはどのようなものかについて、継続的に実験や考察が行われていく。その中で注目された実践研究の1つが、シェリフ（Sherif 1988/1961）のオクラホマ州ロバーズ・ケーブ（Robbers Cave）で行われた野外実験である（コラム❻）。そこでは2つのグループに分かれた10代の生徒が、目的をともにする様々な共同作業を通じて対立を克服し、1つになっていく様を事細かに描き出し、オルポート（Allport 1954）の「接触仮説（Contact Hypothesis）」の検証と改善に大きな示唆を与えた。同時にこれは、接触仮説の改訂版とも言える、様々なモデルを生み出す契機ともなった。

　これら様々なモデルや実験は、日韓の対立克服に何らかの示唆を与えてくれないだろうか。実は2012年以降、日韓対立克服のための教育実践を模索する中で、多くの示唆と可能性を示してくれたのが、第一に、二度の大戦を乗り越え、欧州統合への挑戦の中で示された様々な考え、とりわけ、このセミナー同様、外国語教育、異文化理解教育に民主主義教育やシティズンシップ教育を積極的に取り込もうとしたバイラムの考えであり、第二に、接触によりグループ間の葛藤を解決せんとする、オルポートの「接触仮説」と、それに端を発する一連のモデルであった。こうしたことから本節では主にこれらに関する研究をレビューし、日韓対立克服に有効と思われる理念と実践について考察し、日韓セミナーなどの教育実践の効果を考察する際の土台としたいと思う。

ロバーズ・ケーブでの野外実験

　この実験は1954年に11歳の小学生22名を対象に3週間実施された。第1週は11名ずつのグループが互いに相手の存在を知らずに生活し、それぞれが内集団構造（集団内の役割や規範など）を形成し、集団としてのまとまりを確立していく。続く第2週ではそれぞれに別の集団（外集団）がいることを知らせ、両集団間に野球や綱引きなどの場を設定、賞品なども準備し、競争的関係を築かせる。その結果、彼らは勝敗の結果を巡り相手の旗を燃やしたり大乱闘が起きたりと、対立を激化させた。第3週では、キャンプ場が断水したり、食料調達のトラックが動かなくなるなど、彼らのキャンプ生活を存続する上で重大な、かつ両集団が協力しなければ解決できない問題を仕掛ける。このような中で彼らは協力し問題を解決していくが、その中で、第2週に高まった集団間の緊張や葛藤は徐々に軽減され、良好な関係を築きキャンプを終える。この実験は、何が集団間の葛藤を引き起こし、何がそれを解決するのかについて明らかにするものとして、今なお引用されることが多い。

（森山）

(1) バイラムの間文化的シティズンシップ教育としての外国語教育

　バイラム（Byram 2008）は、国民教育で教えられる自国の言語・文化は国家的アイデンティティ形成を促すが、外国語教育により他者の言語・文化を学ぶことで、超国家的なアイデンティティ形成が促されるとして、外国語教育の重要性に着目している。彼によればこのような考えが他者の言語と文化を学ぶこと、すなわち「複言語・複文化主義」に向かわせ、それによって超国家的なヨーロッパ人としてのアイデンティティ構築と欧州統合を促し得ると考えた。さらにバイラムは、外国語教育は国際性を強みとして持つが、市民として社会に働きかけるという行動的側面は欠如しがちだとし、こうした側面を補うために、政治教育（民主主義的教育）[2]を取り込むことで外国語教育は間文化的シティズンシップ教育となり得るとした（コラム❼）。

　さらにバイラムは、外国語教育が超国家的アイデンティティと間文化的シティズンシップを育むには、異なる他者とともにセンシティブな話題を含む政治的、民主主義的問題を、間文化的視点から扱う必要があるとしたが、そのような場を提供し、それを成功裏に導く上で、教師の役割や教室環境が非常に重要であるとしている。

(2) 接触仮説

　人種、民族、国家など、集団間の対立や葛藤克服に関しては、Allport（1954）の「接触仮説」に端を発する一連の研究がある。接触仮説によれば、集団間の敵対感情は疎遠さ、分離により起きるが、よい条件下で接触することで敵対感情は軽減、肯定的態度を増進させることができるという。オルポートは集団間の関係改善のための条件として、「対等な関係」「共通の目的」「社会的・制度的支援」「協力的関係」という4つの条件[3]を挙げている。ロバーズ・ケーブで実施されたキャンプの実験（コラム❻）でも、こうした条件の重要性は明らかになっている（Sherif 1988/1961）。またイスラエルとパレスチナなど、歴史的対立を抱える集団の間で行われた様々なプログラムを通じても、接触の効果が明らかになっている（例えばBiton & Salomon 2006; Maoz 2000 など）。

　Byram et al.（2016）では、バイラムの理論に基づいた様々な実践を集めている。そこで紹介された実践のうち、本実践のように、2か国の学生が互いの言語を学び、かつ政治教育、センシティブな話題を取り込むことで、バイラムが主張する間文化的シティズンシップ教育が起き得たかについて明らかにしたのはPorto and Yulita（2016：199-224）であった。ここでは、アルゼンチンと英国の学生が互いの言語を使用し、両国間で起きたフォークランド紛争というセンシティブな政治問題を扱っている。その結果、Byram（2008：212-213）の間文化的行動の尺度では「前政治的段階」を超えて「政治的段階」に、Barnett（1997：103）の世界を変革する「クリティカルな存在（critical being）」になるための尺度では、「世界」の領域で最高レベル（第4段階）に達し、間文化的シティズンシップ教育として十分成果を上げていることを示した。

　Byram（2008：212-213）の間文化的行動の尺度とは前政治的な2段階、政治的な3段階からなる。「前政治的段階」の第1段階では、学習者は文書、対面、またはヴァーチャルに他者と関わり、自他の当然と考えることについて批判的に考える。第2段階はその上でどのような代案や変化が可能か提案／想像する。「政治的段階」に入ると社会での行動が伴うようになる。第3段階は自身の社会で行動し実際に変化を引き起こす。第4段階は他者と超国家的共同体を創り行動する。そして第5段階では超国家的共同体における規範を確立していく。

　一方Barnett（1997）は、様々な価値観の交差するグローバル社会の高等教育では、既存の「知識」「自己」「世界」の3領域に対しクリティカルに見つめ改善し、よりよいものを創造していく「クリティカルな存在（critical being）」を育成すべきだとした（本書の第5章2も参照）。その上で、そのためのクリティカルな態度は4段階の発達段階があるとし（表1）、各領域において4段階の成長をなすことで、グローバル社会が必要とするクリティカルな存在になり得るとした。

表1 「クリティカルな存在」となるための領域とレベル

クリティカルな態度のレベル	領　域		
	知　識	自　己	世　界
4. 変革するための論評	知識に対する論評	自己に対する再構成	行動に対する論評（世界についての集約的再構成）
3. 伝統の改変	クリティカルな思考（柔軟な思考の伝統）	伝統の中での自己の啓発	相互理解と伝統の変革
2. 省察	クリティカルな思考（自分の理解についての考察）	内省（自分の計画についての省察）	省察的実践（メタ能力、適応力、柔軟性）
1. クリティカルなスキル	分野固有のクリティカルな思考のスキル	所与の基準や規範への自己モニタリング	問題解決（手段・目的の道具主義）
クリティカルな態度の形	クリティカルな思考力	クリティカルな内省	クリティカルな行動

(Barnett, 1997：103)（筆者和訳）

（森山）

その後、実験室での研究も含め、多くの研究によりオルポートの4条件が概ね妥当であることが示されていく。例えばPettigrew and Tropp（2006）では、500以上の接触研究をメタ分析し、接触は偏見軽減に効果があるが、オルポートの4条件に当てはまる場合、その効果はさらに大きくなる[4]ことを明らかにした。

このように、オルポートの接触仮説は概ね妥当であることが検証されていくが、その一方で、その集団間の葛藤形成と軽減のプロセスの複雑さも明らかになり、その解釈をめぐり、集団間の個人間の接触を重視する「脱カテゴリ化モデル」、集団間の相互補完的関係構築を重視する「相互差異化モデル」、両集団を包括するカテゴリ構築を重視する「共通内集団アイデンティティモデル」などが提示されていく（コラム❽）。

(3) 対立克服のための実践

世界では対立を和解へと導くための様々な実践が行われてきたが、Stephan（2008）はこれを、①啓発プログラム（多文化教育、道徳教育、多様性教育、異文化理解教育）、②接触プログラム（集団間対話、協同学習）、③スキル中心プログラム、④治癒・問題解決プログラムの4つに分類している。本セミナーは異文化理解教育の面で①と、対立を抱える集団間の接触と対話が行われる点では②とも共通点があるが、ここで特に注目したいのが④である。イスラエルとパレスチナの対立など、解決困難と見られる世界の紛争解決のために、バートンの対話型問題解決（interactive problem-solving：IPS）の考え方に基づき、30を超えるワークショップが行われている（Fisher 2005; Rouhana & Kelman 1994 他）。これらの実践では双方の政策に影響力のある有力者を集め行われている点で、本稿が取り上げる学生間のセミナーとは異なるが、討論の中で互いに相手の意見に耳を傾けつつ、両者が納得し得る共通の解決策を見出そうとしている点など、本セミナーと類似点が多い（d'Estrée 2012）。またこのプログラムでは、分析を促し、共通の解決を導き出すために当事者に加え中立な立場に立つ第三者グループが参加しているが、それは本セミナーでの教師の役割や関与のしかたとあい通ずるものがある。

接触仮説から発展した3つのモデル

①脱カテゴリ化モデル (Decategorization Model、Brewer & Miller 1984)

集団間のバイアスを軽減するには、集団（カテゴリ）から個人へ注目をシフトすること（脱カテゴリ化、decategorization）が重要であるという考えである。個々人を独立した存在と考え、相互に個人として知り合い、友人となれるような関係を築く。集団のメンバーとして以上に、個人として相手を見る。そしていろいろなメンバーに繰り返し接することでステレオタイプが軽減され、それは未だ会っていないメンバーにも一般化（generalization）され得る。協力的な依存関係は他者を個人として知覚させ、個人間の交流を活発化することで集団間のバイアスは軽減されると考えた。

②相互差異化モデル (Mutual Differentiation Model、Hewstone & Brown 1986)

「集団間接触モデルIntergroup Contact Model（Brown & Hewstone, 2005）」とも呼ばれる。集団間のバイアス軽減には、「脱カテゴリ化モデル」とは異なり、集団（カテゴリ）のまとまりを維持しながら協力的相互依存関係を構築する（相互差異化、mutual differentiation）ことが重要であるという考えである。自他の長所短所を認識し、互いになくてはならないという相互補完的関係を構築した上で、互いの長所を尊重し、ウィンウィン（Win-win）の関係を築く。集団の際立ちを維持することはそこに居合わせていない相手集団のメンバーに友好的関係を広げ、一般化する上で重要で、集団の際立ちを弱める「脱カテゴリ化」や、次に述べる「再カテゴリ化」より一般化が容易であると主張した。

③共通内集団アイデンティティモデル (Common Ingroup Identity Model、Gaertner et al. 2000)

集団間のバイアス軽減にはある集団が外集団と同じ目標を共有し、集団間の際立ちを軽減すると同時に外集団を包摂し、1つの大きな内集団（包

括的カテゴリ）を構築すること（再カテゴリ化、recategorization）が重要で
あるという考えである。目標や環境を共有させることで、外集団と１つの
包括的グループを編成し、外集団への差別感情を解消、外集団への評価を
肯定的に変えようとするものである。ここで重要なことは、元集団のアイ
デンティティの放棄は求めないという点である。それは集団によっては
（特にマイノリティ集団は）、元集団のアイデンティティの維持を強く望む
ことも多く、元のアイデンティティを放棄させることは再カテゴリ化を阻
むこともあるからである。また元集団をサブカテゴリとして残すことで、
再カテゴリ化した後に、その場に居合わせていない外集団の他のメンバー
にも肯定的評価を広げやすくなるという利点もある。このように包括的ア
イデンティティは元のアイデンティティを残しながら二重のアイデンティ
ティ（dual identity）を形成することもある。

④３つのモデルの相互補完的関係

　これら３つの考えはその後、相互補完的であることが示されていく。例
えば、Gaertner et al.（2000）は、ロバーズ・ケーブでのキャンプの成功は
これら３つの補完的関係により達成されたとし、Pettigrew（1998）は、状
況によりその順序は変わり得るとしつつも、まずは集団のメンバーシップ
を低めて個々人同士が親しくなり（脱カテゴリ化）、続いて双方の集団のメ
ンバーシップと相手が他集団の代表であることを再意識化し（相互差異化）、
最後に１つの集団としてまとまっていく（再カテゴリ化）のが最大の効果
があるとした。またKenworthyら（2005）は集団の際立ちは維持しつつ親
密な交流を行うのが最善策であるとしている。さらに、Brewer and
Gaertner（2001）は、長期に及ぶ態度変化を引き起こすには３つのモデル
を融合することが有効であるとしている（この他Brown & Hewstone（2005）
も参照）。
　　　　　　　　　　　　　　　　　　　　　　　　　　　　　　（森山）

Stephan（2008：382-387）ではまた、和解を導く心理的プロセスについて説明しているが、そこでは、本稿で扱うセミナーが行ったように、個人、または少人数で対話を行う教育環境が非常に有効であるとも述べている。学生・生徒間の実践としては、既に紹介したロバーズ・ケーブでのキャンプ（コラム❻）が代表的なものであるが、大学生間で実施された教育的環境下での実践としては、Porto and Yulita（2016：225-250）などを挙げることができる（コラム❼）。

3. 日韓大学生国際交流セミナー紹介

2004 年から開始された日韓大学生国際交流セミナーはお茶の水女子大と韓国の同徳女子大との間で実施されてきた[5]。このセミナーは大別すると 4 つのステップを踏んでその内容を変化、発展させてきた（表1）。

第 1 期　異文化理解をテーマとした時期（2004 年〜、第 1 〜 6 回）

第 1 期は主に異文化理解をテーマとして実施された時期である。互いの文化を紹介、比較しながらステレオタイプを克服し、相互理解を深めようとするセミナーであった。しかしこれにより相手文化に対する理解や学生間の絆は深められたものの、ひとたび両国間に政治的対立が生じるや、深められた理解や絆も無力であることを痛感していた。

第 2 期　政治、歴史問題をテーマに加えた時期（2012 年〜、第 7 〜 9 回）

そのような中、第 2 期ではあえて日韓の間に立ちはだかる、センシティブな問題を取り上げるようにした[6]。このセミナーを担当する両大学教

表1　日韓大学生国際交流セミナーの歴史

期	回	年度	特徴
第 1 期	第 1 〜 6 回	2004 年〜	異文化理解をテーマとした時期
第 2 期	第 7 〜 9 回	2012 年〜	政治、歴史問題をテーマに加えた時期
第 3 期	第 10 〜 11 回	2015 年〜	韓国語学習を積極的に導入した時期
第 4 期	第 12 回以降	2017 年〜	複言語・複文化教育プログラムの開始

員は言語教育を専門としており、領土問題、慰安婦問題、歴史教育問題などは専門から大きくかけ離れていた。そのため、それらをセミナーのトピックとして取り扱うことは、それを担当し指導する教師として相当な抵抗感があった。しかし上述の無力感を克服せんと実施に踏み切った。そしていざ実施してみると、教師の非専門性はむしろ学生が教師に頼ることなく自ら回答を見出さんとする主体性を引き出し、その一方で言語教師としての専門性は、言語・文化を超えて良質な対話の場を提供することに寄与し得るのではないか、という感触と自信を得た。

　さらに、これまでのような1週間程度のセミナーではセンシティブな話題を扱うには不十分であると考え、8月のセミナー前にテレビ会議システムを用い4か月の遠隔交流を行い、長期にわたる交流期間を確保した。その結果、センシティブなテーマに対しても、学生たちは対立する態度を示さず、良好な関係を維持しながら、互いが納得し得る回答を見出していた。

第3期　韓国語学習を積極的に導入した時期（2015年〜、第10、11回）

　第3期は日本側学生に韓国語学習を導入した。第2期までは専ら日本語により対話と交流が行われてきたが、他者の言語を学ぶことは、単にコミュニケーション上の理由のみならず、母国語により育まれた国家的アイデンティティを克服、超国家的なアイデンティティの構築につながるとするByram（2008）に従い、日本側の学生にも事前に韓国語を学んでもらい、発表の一部を韓国語で行ってもらった。その結果、国家や歴史の壁を乗り越え、両国学生の相互理解や相手に対する敬意は相当程度深められたように見受けられた。

第4期　複言語・複文化教育プログラムの開始（2017年〜、第12回以降）

　これまで日韓の国家間の関係においては、とかく日本側が「過去」を直視しないまま「未来」を語ることが韓国側から批判され続けてきた。しかしセミナーでは第3期までに「過去」を避けることなく直視し、それを克服できたという達成感があったことから、今や「未来」を語る、もしくは語るべき段階に来た、といった実感を得た。そのため第4期は、過去の清

算から未来の建設に向け、大きな方向転換がなされた。周知の通り、ヨーロッパは二度の大戦に対する深い反省の後に、超国家的な政治機構を構築せんと歩み始め、その中で、外国語教育政策においても、母語・母文化に加え、他の言語・文化を学ぶことで、超国家的なヨーロッパ人としてのアイデンティティを構築、地域共同体を建設しようとした。こうしたヨーロッパの試みも参考にしつつ、2017年より「複言語・複文化教育プログラム」として、互いの言語・文化を学び教えつつ、政治的タブーも話し合うプログラムを開始した。これは同時に、欧州が外国語教育に超国家的アイデンティティ形成を託したように、将来、日韓を含む東アジアが、欧州のように共同体を建設しようとする際に、どのような言語教育が求められるのかを考える際の参考にしようとするものでもあった。また、実際に互いの言語・文化を学ぶことでアイデンティティは変化し得るか、それは国家間の政治、歴史の壁を超え得るのかといった根本的課題解決のための実践的検証作業でもあった（この第4期の実践については、それまでのものとは大きく異なっていること、本稿では第10回セミナーを扱うことから、今回は扱わない。詳細は森山（2019b）参照）。

4. 実践研究の概要

（1）研究課題

　本稿では第10回セミナーを取り上げ、成果を考察する。研究課題は以下の3つである。

　　課題1　セミナーを通じ、参加学生はどのような変容を遂げたか。
　　課題2　セミナーは日韓共生のための間文化的シティズンシップ教育となっていたか。
　　課題3　セミナーの環境や教師の役割はどのようなものであったか。

（2）研究方法

　第10回セミナーの参加者は日本人26名、韓国人24名であった（日本

側には台湾からの留学生が1名含まれていたが、分析からは除外している）。日本側参加者は、グローバル文化学を主プログラムとして専攻、または専攻予定の学生であり、日頃から日韓関係をはじめとした国際関係を学び、政治にも関心を持つ学生であり、かつ複言語・複文化主義やバイラムの考えを学んで参加している。また指導教員もグローバル文化学環に所属し、かつ日頃からそのような点を重視した教育を行い、それが参加学生の問題関心に影響を与えた可能性がある。そのようなことから、日本側の学生のセミナーへの参加動機も、韓国の言語や文化を学ぶことよりは、日韓両国の間に存在する政治的問題について韓国の学生と討論、考察することであった。

　一方の韓国側参加者は日本語科の学生、または日本語を学ぶ学生であり、日頃、日本の言語と文化に関心を持ち学んでいる学生である。また指導教員も日本語科教員であるため、日本語使用や異文化理解の場としてセミナーを位置づけていた。そのためセミナーに参加する韓国側の学生の動機も日本側とは異なり、日本語を用い、日本について知ろうという動機であることが多かった。また事前学習でも複言語・複文化主義やバイラムの考えを学んで参加しているわけではなく、開講式の講演ではじめて耳にする。このような韓国側参加者に対しても、セミナーが単に日本の言語・文化を学ぶ場であるだけでなく、間文化的シティズンシップ教育の場として有効であったのかを明らかにすることは、平和のための言語教育を考える上で意義がある。

　参加者は2015年4月に両大学で実施された説明会に参加し、参加申請を行った。その後テレビ会議システムを用い、2週に1、2回の割合で遠隔交流が行われた。まず日韓両学生はグループと取り扱うテーマ決定を行い、5つのグループが編成された。テーマは日韓共通の課題である「女性の社会進出」、日韓両国間に立ちはだかるセンシティブな問題である「歴史問題」「反日・嫌韓」「日韓交流」、そして戦後70年を迎え、それを振り返り、学生の立場から共同で声明を発表した「戦後70年日韓学生共同談話」に決まった。各グループは合同授業以外にもFacebookやLINEなどを用いて個別に交流と研究発表の準備を重ねた。これ以外に受入（韓国）

表2　セミナー概要（事前の説明会・交流等は除く）

月　日	実施内容	実施場所
8月2日	日本側学生の訪韓・歓迎会	ソウル市内
8月3日	開講式・日韓文化体験・第1次発表会	同徳女子大
8月4日	フィールドスタディ（軍事境界線・南侵トンネル）	京畿道
8月5日	グループ別討論・最終発表準備	同徳女子大
8月6日	最終発表会	同徳女子大
8月7・8日	江華島合同合宿	京畿道
8月9日	自由時間	ソウル市内
8月10日	帰国の途に	

側では、担当する教員の指導の下、学生が主体となり、ホストとしての準備を行った。7月にはMERSが猛威をふるい、一時開催が危ぶまれたが、最終的にセミナーは開催に漕ぎつけた。8月2日に訪韓、歓迎会が開かれた。滞在先は江華島での合宿を除き、同徳女子大の寮で日韓両学生がグループ別に同じ部屋で生活した。セミナーの翌3日には第1次発表が行われ、日韓が別々に事前研究成果を相手の言語で発表した。また恒例になっていた日韓の民族衣装（日本側は韓服、韓国側は浴衣）体験も行われた。4日には北朝鮮を臨む軍事境界線や南侵トンネルを見学した。5日はグループ別討論と発表準備を行い、6日に日韓合同のグループによる最終発表を行った。その後、江華島合宿などを通して交流が深められた。8日には送別会が行われ、10日、日本側参加者は別れを惜しみつつ帰国の途に就いた（表2も参照）。

　4月から交流を始めていたため、学生たちは会ってすぐ打ち解けることができた。しかし最終発表は「女性の社会進出」のグループ以外、両国のナショナリズムが衝突するセンシティブな話題を扱っており、滞在する寮内で行われた発表直前の発表の準備や意見の調整は難航、議論は長時間に及んだという。そこでは意見対立も幾度となく起きたと言うが、それまでに築いた友情を基盤に、互いに相手の意見に耳を傾け、理解し、受け止めようとする姿勢は最後まで維持され、最終発表の内容が練り上げられていった。このプロセスが、シェリフの実験の第2週から3週、または日韓関係におけるW杯共催に相当する、対立から和合に向かう重要な転換点

であった。最終発表はどれもセンシティブなテーマながらも両国学生が合意をめざそうとする努力の跡が感じられる感動的なものであった。あるグループは発表の冒頭で、「今朝、安倍首相が談話を発表しました。しかし、残念ながら過去に対する謝罪はありませんでした。故に私たちはそれに代わる談話を両国学生が共同で発表します」と告げ、発表を開始した。発表終了後、総評に立った私は、学生たちの深夜に及ぶ長時間の努力と発表の内容に思わず感情を制し得ない一幕もあった。

　分析には、セミナー報告書（http://hdl.handle.net/10083/58327）に掲載された参加学生のレポートを用いた。レポートは「グループ活動報告と学び」「日韓の文化の違い・日韓関係に対する学び」「セミナーについて」からなる。分析はまず、報告書を読み、セミナーによって生じた自身の気づき、学びや変容、セミナーや教師の役割に対する評価が書かれた部分を抽出し、その頻度を数える。それらを日本人学生を分析した際に定めた以下のカテゴリに分類していき、各々について日韓の結果を比較しつつ量的、質的に分析した。以下（3）ではまず、日韓両学生のカテゴリ別の頻度を量的に比較することで、全体的な異同を見た後、それぞれのカテゴリの具体例について1つ1つ質的に見ていくことにする。

　　①文化に関するもの
　　②外国語・複言語に関するもの
　　③対話・直接交流に関するもの
　　④アイデンティティの変容に関するもの
　　⑤政治・シティズンシップ教育に関するもの
　　⑥将来の行動に関するもの
　　⑦教師の役割やセミナーの環境に関するもの

　なお、韓国側はセミナーを授業という形では実施していなかったが、本研究実施と報告書作成のために、日本側学生と同様に韓国側学生にもレポートを提出してもらった。

(3) 結果

図1はセミナー評価における日韓両学生のカテゴリ別頻度をまとめたものである。それによれば、日韓のカテゴリ別の頻度分布は同質とは言えなかった[7]。また、カテゴリ別に日韓の分布を見ると、「⑤政治・シティズンシップ教育」「④アイデンティティの変容」「③対話・直接交流」で日本側学生が、「①文化」「②外国語・複言語」で韓国側学生が有意に上回っていた。「⑥将来の行動」「⑦教師の役割」については両者の分布に有意な差は見られなかった[8]。

すなわち日本側学生はグローバル文化学を専攻としている学生がほとんどであったため、韓国側学生に比べ、日韓両国の政治・歴史問題に関心を持ち、韓国側学生と対話・交流をすることで、様々な学びを得ていたようである。同時にアイデンティティにおいても変化が見られ、シティズンシップ教育としての成果が韓国側学生より高かった。これに対し、韓国側学生は日本語専攻または学習者であり、日本側学生に比べ、日頃学ぶ日本の文化に対し様々な学びを得ていること（①）、学んだ日本語を使用し、コミュニケーションが図れたことを評価していること（②）を示している。

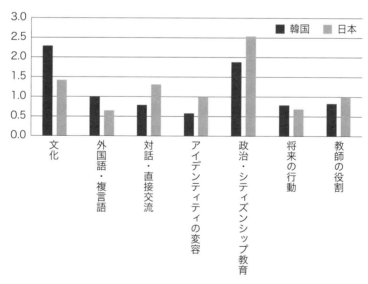

図1　セミナー評価に対する日韓両学生のカテゴリ別頻度（1人当たり）

その一方で、韓国側学生もまた、⑤政治・シティズンシップに対する学び
が、①文化の学びに次いで多く、本セミナーが、韓国側学生にとっても、
単に日本の言語・文化を学ぶだけではなく、間文化的シティズンシップ教
育の場としても有効に機能していたことがわかる。

　既に述べたように、セミナーでは日本側の学生は韓国の学生との対話や
交流に関心を持ち参加していたのに対し、韓国側学生は、このセミナーが
日本語教育の延長線上に置かれていた。本書は「平和のためのことばの教
育」を扱っていることから、以下ではセミナーをより「ことばの教育」の
場として位置づけていた韓国側学生の報告内容を主に取り上げ、それを質
的に分析しながら、セミナーが単に言語や文化の学びにとどまらず、シ
ティズンシップ教育としても機能していることを明らかにする。なお、文
中のアルファベット大文字A～Xは、韓国側学生の別を指す。また報告
書からの引用は「　　」で、抽出された構成概念は《　　》で示した[9]。

①文化に関する気づき・学びに関するもの

　韓国側学生に55回（2.29回/人）、日本側学生に37回（1.42回/人）の記
述があり、韓国側が日本側を有意に上回っていた。韓国側学生の気づき・
学びは、日本人の性格や対人関係、考え方などに関わる《人間文化》（25
件）、言語に関わる《言語文化》（12件）、《生活文化》（7件）、《伝統文化》
（4件）、《その他》（7件）と多岐にわたっている。日本側学生の場合、《人
間文化》や《生活文化》に対する気づきがほとんどであったが、韓国側学
生の日本文化に対する多岐にわたる気づきは、日頃日本語・日本文化を専
攻として学んでいるためであろう。またこうした学びや気づきは、単に新
たな知識や体験の獲得・確認にとどまったものも3件あったが、多くは日
韓両文化の差異や共通性を実感している。内訳は差異が33件、共通性は
7件と差異の方が圧倒的に多い。さらに日本人は個人主義的傾向が強いと
思っていたが、《相手への配慮・思いやり》を感じたり（5件）、本音と建
前を使い分けると思っていたが、《本音を語ってくれたこと》を感じたり
（5件）、意外と《スキンシップ》や《積極性》を感じたり（各1件）する
など、単なる気づきにとどまらず、それまでの認識（誤解やステレオタイ

プ）の反省と修正に至ったものも見られた。

②外国語・複言語に関するもの

　韓国側学生の記述が 24 回（1.00 回／人）で、日本側学生の 17 回（0.65 回／人）を有意に上回っていた。内容を見ると、日本側は、韓国語を学ぶことが挑戦的で大変であったこと、わずかばかりでも相手の言語を学んだことが、日本語を使う相手の苦労への理解や敬意、相手文化への理解につながった、といった記述が目立っていたが、日頃から日本語学習者である韓国側は、《会話力の向上》（10 件）、コミュニケーションを通しての《異文化理解の深化》（6 件）、《自信増進》（6 件）、《動機づけの増加》（5 件）、《生きた日本語に触れられた喜び》（7 件）などが多かった。これは、第 1 次発表を除く多くの場で日本語が媒介言語として用いられていたことが原因であろう。また、日頃相手の言語（日本語）を専攻として学んでいる韓国側学生と今回のセミナーのために韓国語を学んだ日本側学生の違いも影響していると思われる。

③対話・直接交流に関するもの

　韓国側学生は 19 回（0.79 回／人）の記述があり、日本側学生の 34 回（1.31 回／人）を有意に下回った。セミナーでは発表を除き、コミュニケーションの多くが日本語で行われたが、その影響からか、日本側学生にとっては内容面に焦点が向けられて「対話」として捉えられ、韓国側学生にとっては言語使用面に焦点が向けられ、「対話」というよりは「日本語使用」の面が強く印象づけられたためであると思われる。

　韓国側学生の記述内容を見ていくと、特に注目されるのが、日本人は本音を語らず、本音と建前を使い分けると日本語の授業で日頃教わっていたが、実際の日本人は積極的に心を開き、本音の対話を行えたといった記述が目立っていたことである。日頃授業で日本の文化を知識として固定的に学び、そのような日本の学生と「対話」をすることなどあり得ないと半ば諦めかけていた韓国側学生が、実際の交流の中で、自身のステレオタイプの誤りに気づくとともに、今まで語りたくても語れなかった、知りたくて

も知ることができなかった日本人の本音、とりわけセンシティブな内容についての考え方を知ることができ、セミナー参加の意義を見出していた。具体的には、センシティブなトピックを扱うことは、セミナー前には「期待半分・不安半分」（C）、「怖くもあり、嬉しくもあった」（H）、「どれほどよくなるのか」という絶望感（I）、「一人と一人が会うことでは、国家間の関係を回復できない」という「疑懼の念」（N）などを抱いていた。しかし、実際には心を開いて対話を行い、ともに生活することにより、自身の認識に誤解・偏見があったことに気づき（A、H、I、M、N、S、U、X）、相手の意見を聞こうとしなかった自身の姿勢の誤りに気づいていく（N）。そして相手の考えを知り、互いの違いに気づき（N）、理性的な思考を可能にし（M）、理解が深められ（N、O）、距離を縮め（M、X）、視野が広がり（S）、よりよい関係が築ける（A、U、V）ことを学び、こうした対話や交流の意義を実感するに至っている（E、F、H、I、K、M、N、O、U、V）。

　このように韓国側学生には、相手の意見に耳を傾け、その差異を克服するための真摯な対話を行い、回答を見出そうとする姿勢が見られたが、これは日本側にも見られている。

④アイデンティティの変容に関するもの

　日本側学生の26回（1.00回／人）を下回るものの、韓国側学生は14回（0.58回／人）の記述があり、日頃こうした政治問題を考え、事前授業を受けてきた日本側学生のみならず、そうでない韓国側学生においても、今回日韓両国間の政治問題を扱うことで、これまで自身の中に存在していた排他的な国家的アイデンティティの壁が徐々に取り払われ、「一緒に暮らす市民」（T）という表現に見られるように、日本人の学生をともに生きる市民として、超国家的なアイデンティティを構築・共有しつつあることが窺えた。同様に、「親友」（W）、「仲間」（A）、「同じ韓国の友達のよう」（K）、「国家関係を超えたいい友達」（V）、「隣のいとこ」（G）などは日本人学生を韓国人学生と同様の友人、仲間、親戚として受け止め、「同じ普通の人」（B）、「同時代を生きる大学生」（D）、「国籍を超えて通じ合う女

子大生」（W）などは、国籍の違いより同じ人、大学生として同族意識を感じている。さらに歴史問題や政治的国家関係などで遠く感じられていた日本人学生に対し、「親近感」（T）、「友好的」「相互発展的関係」（W）など、関係が親密化した様子が示されている。

⑤政治やシティズンシップに関するもの

　政治問題を扱い、超国家的アイデンティティを育み、ともに生きる市民となるためのシティズンシップ教育の場を提供することがセミナーの最大の目的であり、その点で政治やシティズンシップに関する言及は最も重要な部分である。このカテゴリでは、日本側学生の66回（2.54回／人）よりは少ないものの、韓国側学生も45回（1.88回／人）の記述があった。

　具体的には、両国関係や国際関係に無関心であったり絶望していた学生にも関心を喚起し（B、M）、それまで抱いていた偏見や誤解、疑問、敵対感情を解き（I、L、M、O、S、T、V、X）、新たな学びを得たり視野を広げ、心を開き（F、D、T、U、V、W、X）、両国の教育や報道、認識の実際を知ると同時に、それまでの自身の認識が異なっていたことに気づき、理解を深めていた（F、G、H、I、K、N、O、Q、S、V、W、X）。その上で、絶望的であった両国関係の改善に希望を抱くようになり（D、M、O、V）、慰安婦問題、領土問題などの政治・歴史問題には、メディアなどにとらわれずに客観的に問題を捉え（X）、ナショナリズムや国益を克服しつつ（X）、それらの解決に向けて対話・交流を継続しようと語っていた（G、H、I、M、W、X）。また、今回のセミナーのような民間交流や相互理解の重要性に目覚め、それにより共存の道を見出そうとしていた（P、R、X）。「女性の社会進出」という、両国に共通する課題を討論したグループの学生の中には、両国が共同で取り組む必要性を語っていた者もいた（A、E）。セミナーが国際理解教育や異文化理解教育、シティズンシップ教育として非常に有効であったと語る学生もいた（B、H、I、Q、U、X）。

　以上のように、シティズンシップ教育としての言語教育は、日頃からこうしたトピックを学ぶ日本側学生だけでなく、日頃は日本の言語や文化を学ぶ韓国側学生にも成果があった。

⑥将来の行動に言及したもの

　前述したように、外国語教育を間文化的シティズンシップ教育として見た場合、絶えず異なる国、言語、文化に目を向け、国際的視点を養う点で外国語教育は適しているが、市民として社会に向けて行動するという点が十分でない（Byram 2008）。そのため、本セミナーが日韓がともに生きるための間文化的シティズンシップ教育の場となるには、バイラムのいう政治教育、すなわち、政治的問題や国家間の対立などを扱い、民主的市民になるための教育を取り入れ、学生が自身の所属する社会に対し何らかの行動を行う必要があった。そのような理由から、参加者が将来に向け、何らかの行動に言及しているかは重要である。

　その結果、韓国側学生は 19 回（0.79 回／人）の記述があり、日本側学生の 18 回（0.69 回／人）をやや上回る記述があった（有意差なし）。日本側同様、韓国側の学生も、様々な壁を克服し交流が行われた成功体験を踏まえ、《交流や問題解決を継続する努力》を表明したり（11 件）、報道などを通じて知っていた相手の国や人に対するイメージが誤解でありステレオタイプであったことに気づいたことを契機に、周囲に真実の姿を伝えたり、国家間の対立も対話により解決し得ることを伝えようとする《成果発信》（L、P、R、S）、国家に代わり自身が《先頭に立つこと》（E、H）、《架け橋になること》（Q）を表明したり、《日本留学》（V）を希望したり、《できることからの実践》（W）を行うなどの記述があった。学生であってもできることがあることに気づいたことで、それを何らかの行動に移したり、発信したりすることで、日韓の問題を自ら解決していこうとする様子が窺える。

⑦教師の役割、セミナーの環境に言及したもの

　⑦では韓国側学生に 20 回（0.83 回／人）の記述があり、日本側学生の 26 回（1.00 回／人）と有意差はなかった。しかし内容を細かく見ていくと、セミナーや教師の役割のどこを評価しているかに違いが見られる。まず、ほとんどの韓国側学生は、《日本語使用に対する評価》が 4 件（G、J、L、N）、《異文化理解の場としての評価》が 10 件（C、D、F、G、J、M、N、R、W、X）、《友人を得たことへの評価》が 6 件（C、F、G、T、W、X）と、

セミナーをまず、文化・言語に対する学びの場として評価したり、日本人の友人ができたことを評価したりしている。これはセンシティブな話題を扱い、対話が実現したことを評価する学生が多かった日本側とは対照的で、やはり、日本語科の学生が多く、日本語学習者であったために彼らの第一の関心・動機が言語・文化の学びにあったことを物語っている。またセミナーでは、複言語主義の立場から、日韓両言語の使用が奨励されてはいたものの、使用言語の大半が日本語であったことも大きな影響を及ぼしているであろう。しかしその一方で、《シティズンシップ教育の場としての評価》が8件（B、D、F、K、M、N、P、R）、《政治的話題を扱ったことに対する評価》も5件（B、K、N、P、R）、《韓日問題解決の場》（K、N、P、R）としての評価も4件と非常に多かった。「国際理解と市民性教育のスタートライン」（B）として有効であったという言及もあった。この他セミナーが《学生主体の実践の場であったことに対する評価》が3件（H、J、V）見られたが、これは韓国側がホストとして様々な準備・運営に積極的に携わり成功裏に終えた達成感から来るものである。セミナーは学生に準備や運営の主導権を与えているが、これは超国家的協働に対する成功体験を得ることで、行動する市民を育もうとする狙いがあり、その点でも成果が得られた。教師の指導に言及したものは2件（I、O）で、開講式での講演から、日本語科の学生として日頃学ぶことのなかった超国家的視点に立つことを学んだり、閉講式の教師の総評から学びを得たりしたものであった。

　また、言語教育を専門とする教師の役割については、それを直接評価する言及はなかった。しかし、学生たちが回答を教師に求めず、積極的に対話を通して自ら回答を模索する姿勢が随所に見受けられたことは、セミナーが様々な誤解やコンフリクトを超えた対話の場や環境を提供でき、それは日頃言語・文化を超えたコミュニケーションを扱う（言語）教師の間接的な寄与と言ってよいであろう。

（4）総合的考察

　ここでは、間文化的シティズンシップ教育としての観点、及び接触によ

る集団間バイアス軽減の観点などからセミナーの成果を考察する。

間文化的シティズンシップ教育としてのセミナーの成果

　まず、参加学生の変容について（課題1）であるが、言語・文化に対する学び（①文化、②外国語・複言語）については、韓国側学生が日本側学生以上に多くの学びを得ていた。一方、⑤政治・シティズンシップ教育、③対話・直接交流については、日本側学生に比べると下回っていたものの、韓国側学生もまた、戦後70年という節目に、両国間の歴史・政治問題、嫌韓・反日問題などについて議論し、両者が納得し得る回答を模索したり、戦後70年日韓学生共同声明を発表したりしながら、過去を超え、日韓がともに生きるための道を対話により解決しようとしていた。さらに④アイデンティティの変容についても、日本人学生との関係が深められ、超国家的なアイデンティティへの変容が見られた。以上のことから、韓国側の参加学生にも注目に値する変容が見受けられ、間文化的シティズンシップ教育としての成果があった。⑥将来の行動では、日本側学生と同様の成果が見られた。

　次に間文化的シティズンシップ教育としてのセミナーを評価する（課題2）。Byram（2008）は、間文化的シティズンシップ教育には前政治的段階とそれに続く政治的段階があるという（コラム❼）。どちらも他者との関わりを前提としている点では共通しているが、前政治的段階では、第1段階が自他に対するクリティカルな再考、第2段階が代替・変化の提示である。一方、政治的段階の第3段階では自身の所属する社会での行動、第4段階が他者との超国家的コミュニティでの行動、第5段階が超国家的連帯の基盤となる理論化である。前政治的段階と政治的段階の違いは、学びによる変化が自らの中（内面）にとどまる段階であるのか、それともこうした学びによる変化が他者と共有され、社会における行動や理論として具体化するのかという違いであろう。であるとすれば、セミナーに参加した韓国側参加者たちは、日本側学生との討論や交流を通じ、自身と他者が当然と認識していることについてクリティカルに再考し（第1段階）、日本人や日本文化についての自身の考えが誤解、ステレオタイプであったことに

気づき、認識を改めている（第2段階）。これらの点ではセミナーは前政治的段階には十分到達していると言えるであろう。次にセミナーが政治的段階に至ったのかについて考えると、⑥で言及したように、参加者たちはSNSなどを通じた交流の継続や発信、留学など、学生であってもできることがあると気づき、両国間の政治・歴史問題を自ら率先して解決していこうとする様子が見受けられる。中にはFacebookを通じたセミナーの成果の発信など、既に行動に移した参加者もいたが、多くは単に将来に向けた意思表明であり、その点で十分政治的段階に至ったとは言い難い。しかし、セミナー後半で日韓の学生たちが、対話を行いながらお互いの意見に耳を傾け、ともに納得できる見解をまとめ、共同声明を作成し、発表したという事実は、教室内とはいえ、他者とともに超国家的連帯の下に行った1つの行動（第4段階）と捉えることは可能であろうし、そうした教室内の成功体験が、将来、教室外、すなわち社会に向けて展開していく可能性は十分ある。また日本側学生とともになされた合同発表は超国家的連帯の基盤となる意見表明であり、政治的段階の最終（第5）段階の「超国家的連帯の基盤となる規範・理論」の構築に至ったとも考えられる。その点で本セミナーは、「教室内」においては政治的段階に達したと言える。反面、その社会への展開は、Facebookなどを用いての発信は見られたものの、多くは未来形にとどまっている[10]。この点はセミナー自体が社会的行動をそのプログラムに含んでいないことによるものであり、Porto and Yulita（2016）の合同授業で行われていたように、セミナー終盤または終了後に、セミナーの成果について学内や社会に発信する具体的なプログラムを組み込むなど、セミナーのあり方自体を再考する必要がある。

　次に、バーネットの尺度（Barnett 1997）（コラム❼）で本セミナーの成果について考察する。バーネットによれば、グローバル時代の高等教育は「知識」「自己」「世界」に対するクリティカルな態度を身につけた「クリティカルな存在」を育成する場となるべきであるとしている。「②外国語・複言語」「①文化」は言語・文化に関する「知識」、「④アイデンティティの変容」、及び「①文化」のうち自己に関する気づきは「自己」、「③対話・直接交流」「⑤政治・シティズンシップ教育」「⑥将来の行動」は

「世界」に対するクリティカルな態度に含まれると考えられる。

　また、バーネットの4段階の成長段階の面では、「②外国語・複言語」は主に日本語に関する「知識」領域の第1段階（スキル）の段階、「①文化」は、日本の文化に対する新たな知識の獲得だけでなく、柔軟な思考により自身の日本の文化に対する再考がなされていることから、「知識」の領域での第1、第2段階であると考えられる。そしてこれは同時に、誤解を抱き、ステレオタイプを有していた自身の姿勢、態度に対する学びや内省をも含むことから、「自己」の第1、第2段階であるとも言えよう。「④アイデンティティの変容」は「自己」の変容と新たな超国家的アイデンティティの形成を伴うことから「自己」の領域の第3、もしくは第4段階に至るものであろう。また「世界」に関するもののうち「③対話・直接交流」は、政治的テーマについてもあえて「対話・交流」を行うというもので、主に第1段階のクリティカル・スキルのレベルであるが、「柔軟な思考」を伴うという点では第2段階でもあるとも考えられる。「⑤政治・シティズンシップ教育」では「政治教育」は新たな「知識」を得ることから始まるものの、その際に「柔軟な思考」を伴うため、第1、第2段階であり、「シティズンシップ教育」は様々な「変容」をも伴うという点では第3段階のレベルに到達したと考えられる。これに対し「⑥将来の行動」は、実際に社会に対する創造的行動を伴う、もしくは伴う可能性のあるものであり、第4段階に至っている、もしくは至る可能性を秘めている。いずれにせよ、本セミナーが「知識」にとどまらず、「自己」「世界」の領域でのクリティカリティを備え、「クリティカルな存在」となる成果を引き出しており、かつ「自己」「世界」では第4段階に至る事例も見られたことから、本セミナーは間文化的シティズンシップ教育の場となり得たと考えてよさそうである。

　最後に、教師の役割やセミナー環境（課題3）について考察する。前述のように、本セミナーでは政治や歴史が専門ではない言語教師が指導に当たることで、学生たちは教師に回答を求めなくなり、自分たちで主体的に回答を模索した。また、コミュニケーションの専門家としての専門性が発揮され、学生たちは対話に成功し、様々な誤解や葛藤を超え困難な問題も

対話により解決できるという成功体験を与えることができた。

　Byram（2008）は、上述のような政治的タブーなどの困難な問題を扱う場合に、「良質な対話の場を提供する」という教師の役割について触れている。また前述のように、世界の紛争解決のために様々なワークショップを行っているバートンやケルマンらは、対立を抱える 2 つの集団が紛争解決について話し合う際に、第三者の存在とその役割が重要であるとしている（Kelman et al. 2016）。Burton et al.（1990：204-205）によれば、この第三者はその状況や地域の専門家である必要はなく、他の状況や理論への知見を有し、そこから問題解決を導く行動パタンを対立する両集団に伝え、彼らが自ら問題を解決するのを支援する立場であるとしている。本セミナーにおける教師の役割は、この第三者の役割に類似していることは既に述べ通りだが、このセミナーでの対話の成功の陰に、こうした教師の役割があった可能性がある。

　参加前、両国学生の多くは両国間に立ちはだかる様々な問題は解決不能であると諦めていた。韓国側学生には、日本人は本音と建前を使い分け、本音は語ってくれないだろうと思っていた学生が多いことが報告書の至るところで書かれている。一方、日本側学生には、マスコミ報道などから、韓国の学生は反日的、攻撃的で、対話などあり得ないと思っていた者が多い。しかし相互理解の姿勢を保ちつつ、良質の対話が行われる環境を教師が提供したことで、深刻な対立を生みかねない話題を扱っても、相互の信頼の基盤は損なわれず、むしろ相互理解が深められ、対話は決して不可能でないこと、対話により解決の道が開かれ得ることを実感していた。さらに学生たちは対話の力を痛感、自らも世界の平和構築に何かができるかもしれないと考えるようになり、参加後、海外留学など、積極的に行動を起こす態度変化が見受けられた。こうした結果も、学生に主導権を譲渡し、主体的かつ成功裏に対話を行う経験を与えた教師の陰の貢献と考えることができる。その意味でセミナーにおける教師の立場はバイラムの理論とも合致し、成果があったと言えるだろう。さらに教師の貢献や良質な環境の設定はオルポートの 4 条件の 1 つ、社会・制度的支援と合致することも、対立を生みかねない話題を議論する中でも良好な関係が促進できた要因に

なったと考えられる。

何故セミナーでは対立を克服し得たのか

　セミナーがセンシティブな話題を扱ったにもかかわらず、何故彼らは対立を克服し、大きな成果をあげられたのか、接触仮説やその後提案されたモデルに基づき考察してみたい。

　まずオルポートは、集団間バイアスを軽減する条件として、①対等な立場、②共通の目的、③協力的関係、④社会的・制度的支援の４つを挙げた。既に述べたように、セミナーは４か月間の事前交流があったため、セミナー開始後すぐに親密な関係を構築できた。しかし各々のトピックに対し、日韓が別々に事前研究の成果を発表した第１次発表会では、それまで受けてきた学校教育やマスコミ報道などの影響から、情報源が自国のものに偏っていたり、自国中心の視点であったりしており、対立を内包していた。

　例えば、韓国側の第１次発表では、1905年の独島／竹島の島根県編入に言及し、「独島を日本固有の領土だとしながら1905年に編入させたという主張は、こじつけに過ぎない」と述べたり、「2004年、日本政府は右傾化教科書の申請本を受付、2006年から使用される教科書の検定に突入します。教科書は（中略）日本の代表的極右勢力の集団が主導した本なので、さらに問題になりました」と述べたりしている。これらは韓国側の報道や教育の内容からすれば、至極尤もな主張である。しかし双方の学生が自身の受けてきた報道や教育を根拠に討論に臨み、かつ共同声明をまとめようとすれば、当然見解の対立が発生し得る。学生たちはそれを克服せんと、共同発表前日、深夜まで長時間にわたる議論の中でそれを克服した。そこにはセミナーという良質な討論の場が提供される中で（④）、双方が対等な立場に立ち（①）、互いの意見を尊重しつつ協力的に議論を行い（③）、両者が納得し得る回答を求めた（②）結果であろう。

　次に、接触仮説から発展した３つのモデル（コラム❽）から、セミナーがセンシティブな話題を扱ったにもかかわらず、大きな成果をあげられた理由について考察する。

　「脱カテゴリ化モデル（Decategorization Model）」では、集団（カテゴリ）

から個人へと注目が移行することが関係性改善に重要であると述べている。学生たちは、自国で受けた教育や報道から、相手国に対するステレオタイプを持っていた。しかし4か月にわたる交流と、短期間であったが心を開き、友情を基盤に直接の交流と対話がなされたことにより、国家的カテゴリのステレオタイプから、個々人へと注目が移り、そこには彼らがそれまで抱いてきたイメージとは全く異なる姿を目にし、誤解を解いていったことが、集団間のバイアス軽減に寄与したと言えるだろう。

「相互差異化モデル（Mutual Differentiation Model）」では、集団の際立ちが維持されつつ、相互補完的関係が築かれることが重要であるとされる。今回のセミナーは日韓学生によるセミナーであり、それぞれの国の集団としての輪郭は保持されている。その上で互いが相手の言語を学び、異なる他者の意見に耳を傾けた。そのことが互恵的関係と相手に対する敬意を育んだ。また双方の協力なしには、最終の共同声明の発表を行えないことから、相互補完的関係も築かれた。

Brown and Hewstone（2005）では、接触には個人間の接触と集団間の接触の両側面があり、それらをともに維持することの重要性に触れている。本セミナーは日韓の大学生という国際交流の側面を維持しつつ、かつ個々人の交流を促進しているが、これはBrown and Hewstoneの主張とも合致し、その点でもセミナーの成功につながったものと思われる。

さらに「共通内集団アイデンティティモデル（Common Ingroup Identity Model）」によれば、包括的、超国家的なカテゴリ構築の重要性と、従来の（国家的）カテゴリが脅威に晒されないことが重要となる。各グループは日韓学生で混成グループを構成、寝食をともにしつつ交流を行っており、グループ内では自然と日韓の壁を超えた友情で結ばれた包括的な連帯感が生まれた。その一方で日韓のアイデンティティは損なわれることはなく、相対立する意見に耳を傾けながらそれを尊重することで、日韓を超えた包括的カテゴリの構築とそれぞれの国家的アイデンティティの保持とが同時になされた（dual identity）。

またDovidio et al.（2004）によれば、包括的カテゴリの形成は、加害者に過去への反省を促し、和解を導くとしている。セミナーで築かれた親密

な関係は日本側学生に過去の責任をより強く感じさせ、それが契機となって両国の学生を和解的雰囲気へと向かわせたと思われる。

　オルポートの4条件以外にも個々人との接触の重要性や友情を育むことの重要性を挙げる研究もある（注3参照）。セミナーは、遠隔による定期的な事前交流による個々人の交流や期間中の共同生活を通じ友情を深めており、この点も大きく寄与していると考えられる。

　さらにDovidio et al.（2012）は、両集団が相手に期待することを修正するための介入を行うこと、謝罪すること、両集団の類似性に注目させることは信頼関係を構築し、互いが心を開くことは両集団のニーズや目的を合致させることにつながり、真の和解に重要な方略となるとした。本セミナーは日韓双方の指導教員が事前学習を通じ相手に対する期待を正しい方向に修正している。また開講式の私の講演では今日の日韓関係の責任が過去の日本にあることを明確に示し、信頼関係構築や、センシティブな話題にも心を開いて話し合う土台を前もって築いている。さらに参加者の多くは交流を通じそれぞれが国籍を異にしながらも同じ（女子）大学生であることを感じている。そして何よりも参加する日韓学生はどちらも、対立を解決したいという共通の目的を持ち合わせている。これらも成功の重要な要因となっているだろう。

　このように本セミナーは、ロバーズ・ケーブでの実験（コラム❻）同様、それまでの対立を和合に変えるための条件が整っており、それがセミナーを成功に導いたと言えそうである。

5.　その他の実践とその成果について

　本セミナーを皮切りに始まった日韓、東アジア共生のためのシティズンシップ教育は様々な形で拡大している。

　その第一が、時間的拡張である。具体的には2007年より毎学期実施されているテレビ会議システムを用いた国際遠隔合同授業で、セミナーという限られた期間で実施されていた交流・対話を、オンラインで行うことで、自国にいながらにして日常的に行う、国際交流・対話の日常化である。

第二が、空間的拡張である。2012年より毎年実施されている「国際学生フォーラム」で、こちらは交流の広がりを日韓のみならず、東アジアや世界へと拡大し、よりグローバルな視点から国際問題を議論する場である。紙幅の都合で詳細に論じることはできないが、どの実践も概ね接触仮説の4条件や3つのモデルの諸条件が満たされており、参加者に様々な気づきや学びを得させ、シティズンシップ能力が育成されている。

（1）国際遠隔合同授業

　森山（2020b）は2018年に韓国・釜山外国語大との間で実施された国際遠隔合同授業を取り上げ、そのシティズンシップ教育としての効果について明らかにしている。この授業はABCモデルを用い、対立の絶えない東アジアの学生たちに、ともに生きるためのシティズンシップ教育として行われた。ABCモデルはSchmidt et al.（2006）により提示され、自身のアイデンティティ形成や他者イメージ形成を振り返るオートバイオグラフィ（Autobiography）、同様の内容について、他者にインタビューするバイオグラフィ（Biography）、そしてそれらを比較し自他の文化的異同などについて考察する文化間分析（Cross-cultural analysis）の3段階を経ながら、どのように自分は日本人としてのアイデンティティを持ち、韓国に対する（嫌韓）感情を持つに至ったのかなどを内省するとともに、相手からも、どのように韓国人としてのアイデンティティを持ち、日本に対する（反日）感情を持つに至ったのかなどを聞き、こうした国家間の対立克服の原因と解決方案について考察する授業である。ABCモデルは構造化された自己開示に基づく対話と考察の中で、異なる他者に対する理解や気づきを促す点でナグダらの集団間対話（Intergroup Dialogue）と似ている（Nagda et al. 2012他）が、この遠隔授業では本来異文化理解に用いられるべきABCモデルを、政治的に対立する日韓という集団間の相互理解に応用している点で、集団間対話に近づいたと考えられる。授業はまた、互いに自己開示することで、今まで知ることのなかった自他の内面を見、かつ国家的対立を個々人の内面の問題として捉えることを促しているが、その点は脱カテゴリ化モデル（Decategorization Model）のカテゴリ（集団）から個

人への注目の移動と通ずるものがある。また、このような自己開示と脱カテゴリ化は外集団に対するステレオタイプ軽減と親密な関係構築につながっており、これらの点が他の実践に比べ優れた効果となって現れている。

(2) 国際学生フォーラム

　森山（2021）は2012年より開始された国際学生フォーラムのうち、「東アジアの共生」をテーマに、日韓中のほか、世界から学生を集めて実施された第8回フォーラム（2019年）を取り上げ、「民主的文化のための能力の参照枠（RFCDC）」を用い、シティズンシップ能力の育成効果について明らかにした。この参照枠は欧州市民が人権、民主主義、法の支配を擁護、促進するために必要な能力を「価値づけ」「態度」「スキル」「知識と批判的理解」の4つのカテゴリ、合わせて20の能力として示したもので、これを用い、シティズンシップ教育としてのフォーラムを評価した。この実践では、東アジアの問題を、東アジアにとどまらず、ニュージーランドの多文化主義、第二次世界大戦の苦難を克服したポーランドの歩みなどを参考にしながら議論する中で、多角的に東アジアの問題を議論し、国家的なシティズンシップの排他性を、民主的文化のための能力を活用しながら、超国家的なものにしてくれていた[11]。

　Kenworthy et al.（2005）は、対立を抱える集団間の効果的な介入プログラムとは、パーソナライゼーション（personalization）により他集団への不安を軽減し共感を高める一方で、メンバーシップを顕在化させるカテゴライゼーション（categorization）により他集団全体のステレオタイプを除去することの重要性を述べている。国際学生フォーラムは、学生交流であるにもかかわらず、日韓中など、国家的緊張関係を顕在化させて行われている。これはこうした考えとも合致し、単なる学生交流の次元を超え、国家間の葛藤を緩和、日韓、東アジアの関係改善に寄与し得る可能性がある。

6.　共生に向けたシティズンシップ教育としてのことばの教育

　以上、これまで行ってきた東アジア共生のためのシティズンシップ教育

実践を見てきた。2004年以降、様々な形で開催されてきたこれらの実践は、ちょうど前述のバートンのIPSの実践が回を重ねるごとに改善されていったのと同様、試行錯誤の中で発展してきた。

　セミナー、遠隔授業、国際学生フォーラムに共通するのは、欧州を統合に導いたバイラムの間文化的シティズンシップ教育のための考え方などが生かされているだけでなく、接触仮説やその仮説を改善すべく現れた3つのモデルにも合致した条件を備えており、学生の心の中にあった国家間の対立を和合と共生へと向かわせてくれたということである。

　既に述べたように、今回注目したセミナーは過去の対立を克服できずにいる日韓がともに生きることを願って始めたものだが、その歩みは言語、文化中心のものから、センシティブな政治的話題をも扱うものへと発展していった。それは対立を克服し和解に至るには何より対話が重要であり、それも表面的な対話ではなく、両者の心の奥底にわだかまりとして残されたセンシティブな問題をも扱ってはじめて実現できると考えたからである。その意味で本実践が行き着いたところは「和解のための対話」であった。暉峻がその著書（暉峻2017）で「戦争・暴力の反対語は、平和ではなく対話です」と語ったように、対話は平和実現に欠くことができないものであり、対話にはことばが欠かせない。また文化や国家を超えた対話に他者のことばを学ぶ必要があるのは言うまでもないが、しかしそれは単にコミュニケーションの手段を得るため、というだけでなく、互いの文化、価値観、さらには対立の根本原因となっているセンシティブな話題に対する意見の違いを理解し克服する上でも重要である。さらにバイラムも語るように、異なる他者のことばの学びは国家的アイデンティティを克服し、国家を超えた包括的なアイデンティティの育成にもつながる。その意味で日韓の和解と共生をめざした本セミナーが、互いのことばの学びを基盤に行われ、それに止まらず、平和教育へと発展してきたのはある意味必然のことであったと言えよう。本書がテーマとするように、平和の教育がことばの教育を通して行われることが望ましい理由がここにある。

　過去の歴史により加害者と被害者に引き裂かれたままの東アジア。加害者・被害者には各々の異なるニーズや期待があり、置かれた位置や力関係

も対等でない（Wagner & Hewstone 2012）。さらに各々の「正義の範囲（scope of justice、Opotow 2012）」も排他的なままである。東アジアに真の和解をもたらし、「ともに生きる」を実現していくにはこれらに対し、加害者・被害者が各々の立場から地道に取り組んでいく必要がある。同時に、対立を克服するためには対立の引き金となった過去を超え、世界市民となっていくための学生一人一人の能力開発も必要である。ここに我々の実践が単にことばを用いた国際交流に終わらせず、間文化的シティズンシップ教育の場とならなければならない理由があり、それは言語教育に携わる我々がシティズンシップ教育者として果たす役割である。

　今後このような共生と平和構築に向けたことばの実践がさらに継続され発展し、そこで育った若者たちが、対立の絶えない日韓、東アジアをともに生きる地域へと作り替える力になってほしいと願うばかりである。

付　記

　本研究は科学研究費基盤研究（C）（2018 ～ 2020 年度、課題番号 18K 00681、研究代表者）の助成により実施された。

注

1）Deutsch, M.（2008：482-483）では和解に至る最初のステップとして、共通の目的の下で協働することや横断的な集団を作りアイデンティティを共有することの意義が指摘されている。
2）政治教育（民主主義教育）については本書の序章5.2、第2章3（3）及びコラム③も参照。
3）オルポートの4条件以外に、「個々人と知り合う機会」や「友情を育むこと」を付加する場合もある（Cook, 1984; Brewer & Miller, 1984; Pettigrew, 1998）。Kenworthyら（2005）では先行研究を踏まえ、接触により深まった友情を基盤に、認知的には相手に対する正確な情報を得、情緒的には共感（empathy）や視点の共有（perspective-taking）をすることで、ステレオタイプ軽減、アイデンティティ共有がなされ、他集団への評価や態度が改善されることを明らかにしている。また、Dovidio, et al.（2012：170）は、それぞれの集団が相手に期待することを修正するための介入を行うこと、集団のリーダーが有効なアクションを起こすこと、謝罪すること、両集団の類似性に注目させ信頼関係を構築し、互いに心を開くようにすることなどを通じ、両集

団がニーズや目的を合致させることができ、真の和解につながるとした。

4）オルポートの4条件に当てはまる場合、ピアソンの効果量は、$r < -.20$ から $r = -.30$ になっている。

5）詳細は『日韓大学生国際交流セミナー報告書』（http://www.li.ocha.ac.jp/ug/global/ mrs/2.html）を参照のこと。また本セミナーを扱った先行研究には、西岡（2010）、松野（2014）、森山（2019a、2020a）があるが、シティズンシップ教育としての効果を分析したのは森山（2019a、2020a）である。森山（2019a）では第3期の第10回セミナーの日本人参加者、森山（2020a）では韓国人参加者の報告書を用い、間文化的シティズンシップ教育としての成果を明らかにしている。

6）センシティブな話題を（外国語の）授業で扱うこと、及び教師の役割については本書第6章の対談や第9章でも議論されている。また第7章でも歴史問題を扱ったことばの教育実践が紹介されている。

7）χ 二乗検定で $p = .016$

8）対応のないt検定にかけた結果それぞれの p 値は、① $p = .018$、② $p = .039$、③ $p = .020$、④ $p = .042$、⑤ $p = .037$、⑥ $p = .584$、⑦ $p = .332$ であった。

9）1回の発言には様々な構成概念《　》が含まれていることがある。そのため、以下の頻度と構成概念の出現件数の合計とは一致しないことがある。

10）但し、森山（2019a）によれば、日本側参加者の中にはセミナーでの対話の成功体験が動機となり、交換留学に参加しようと思い立ち、実際に留学した学生が数名いたことが確認されている。同様に韓国側からもセミナー参加をきっかけに、その後4名が日本へ留学している。これらは教室やセミナーを超えた行動と考えることができる。

11）また森山（2022）は米国ヴァッサー大で開催された第9回フォーラム（2020年）を取り上げ、Osler and Starkey（2005）の「コスモポリタン・シティズンシップ」の枠組みを用いてシティズンシップ教育としてのフォーラムを評価している。この枠組みでは「情報」「アイデンティティ」「包摂」「スキル」の育成をシティズンシップ教育の必要要件として挙げており、森山はフォーラムの「複言語・複文化教育的側面」はバイラムの枠組み、「政治教育的側面」はこのOsler et al.の枠組みを用い、フォーラムの成果を明らかにしている。

参考文献

上瀬由美子／萩原滋（2003）「ワールドカップによる韓国・韓国人イメージの変化」『慶應義塾大学大学院社会学研究科紀要』57：111-124.

暉峻淑子（2017）『対話する社会へ』東京：岩波新書.

西岡麻衣子（2010）「多文化交流学習の理論的枠組みに関する研究――オルポートの『接触仮説』に基づいて」同徳女子大学校大学院修士論文.

黄盛彬（2002）「2002W杯はどのように語られたか――試論「日韓比較」の再考：1996年共催決定から2002年開幕まで」『立命館大学人文科学研究所紀要』81：25-54.

松野志歩（2014）「日韓交流セミナーにおいて日本側学生は何を学んだか」お茶の水女

子大学大学院修士論文.

森山新（編著）『日韓大学生国際交流セミナー報告書』2005 〜 2018 年（http://www. li.ocha.ac.jp/ug/global/mrs/2.html）

森山新（2019a）「日韓の共生をめざす日韓大学生国際交流セミナーと教師の役割」『人文科学研究』15：121-134.

森山新（2019b）「アジアのインターカルチュラル・シティズンシップ教育としての複言語・複文化教育プログラム――その成果と課題」『高等教育と学生支援』9：1-11.

森山新（2020a）「間文化的シティズンシップ教育としての日本語教育――第 10 回日韓大学生国際交流セミナーでの韓国側学生の変容より」『人文科学研究』16：67-79.

森山新（2020b）「東アジアが共に生きるためのシティズンシップ教育――ABC モデルに基づいた教育実践からの考察」『高等教育と学生支援』10：1-14.

森山新（2021）「間文化的シティズンシップ教育としての国際学生フォーラム分析――民主的文化のための能力の参照枠（RFCDC）の観点から」『人文科学研究』17：25-38.

森山新（2022）「間文化的シティズンシップ教育としての国際学生フォーラム分析――政治教育的側面、及び複言語・複文化教育的側面からの考察」『人文科学研究』18：55-68.

Allport, G. W. (1954). *The nature of prejudice*. Addison-Wesley.［= G. W. オルポート（1968）原谷達夫・野村昭（訳）『偏見の心理』培風館］

Barnett, R. (1997). *Higher education: A critical business*. McGraw-Hill Education.

Biton, Y., & Salomon, G. (2006). Peace in the eyes of Israeli and Palestinian youths: Effects of collective narratives and peace education program. *Journal of Peace Research, 43*(2), 167-180.

Brewer, M. B., & Gaertner, S. L. (2001). Toward reduction of prejudice: Intergroup contact and social categorization. In *Blackwell handbook of social psychology: Intergroup processes* (pp. 451-472). Wiley-Blackwell.

Brewer, M. B., & Miller, N. (1984). Beyond the contact hypothesis: Theoretical perspectives on desegragation. In N. Miller and M. B. Brewer (Eds.), *Groups in contact: The psychology of desegregation* (pp. 281-302). Academic Press.

Brown, R., & Hewstone, M. (2005). An integrative theory of intergroup contact. In M. P. Zanna (Ed.), *Advances in experimental social psychology* (Vol. 37) (pp. 256-343). Elsevier Academic Press.

Burton, J. W., Mason, G., & Dukes, F. (1990). *Conflict: Resolution and provention*. St. Martin's Press.

Byram, M. (2008). *From foreign language education to education for international citizenship*. Multilingual Matters.［= バイラム，マイケル（2015）細川英雄（監修），山田悦子・古村由美子（訳）『相互文化的能力を育む外国語教育――グローバル時代の市民性形成をめざして』大修館書店］

Byram, M., Golubeva, I., Hui, H., & Wagner, M. M. (Eds.). (2016). *From principles to practice in education for intercultural citizenship*. Multilingual Matters.

Cook, S. W. (1984). Cooperative interaction in multiethnic contexts. In N. Miller and N. B. Brewer (Eds.), *Groups in contact: The psychology of desegregation* (pp. 156-185). Academic Press.

d'Estrée, T. P. (2012). Addressing intractable conflict through interactive problem-solving. In L. R. Tropp (Ed.), *The Oxford handbook of intergroup conflict* (pp. 229-251). Oxford University Press.

Deutsch, M. (2008). Reconciliation after destructive intergroup conflict. In A. Nadler, T. Malloy, and J. D. Fisher (Eds.), *Social psychology of intergroup reconciliation: From violent conflict to peaceful co-existence*. Oxford University Press.

Dovidio, J. F., ten Vergert, M., Stewart, T. L., Gaertner, S. L., Johnson, J. D., Esses, V. M., Riek, B. M., & Pearson, A. R. (2004). Perspective and prejudice: Antecedents and mediating mechanisms. *Personality and Social Psychology Bulletin, 30*(12), 1537-1549.

Dovidio, J. F., Saguy, T., West, T. V., and Gaertner, S. L. (2012). Divergent intergroup perspectives. In L. R. Tropp (Ed.), *The Oxford handbook of intergroup conflict* (pp. 158-176). Oxford University Press.

Fisher, R. J. (Ed.). (2005). *Paving the way: Contributions of interactive conflict resolution to peacemaking*. Lexington Books.

Gaertner, S. L., Dovidio, J. F., Banker, B. S., Houlette, M., Johnson, K. M., & McGlynn, E. A. (2000). Reducing intergroup conflict: From superordinate goals to decategorization, recategorization, and mutual differentiation. *Group Dynamics: Theory, Research, and Practice, 4*(1), 98-114.

Hewstone, M., & Brown, R. (1986). Contact is not enough: An intergroup perspective on the 'contact hypothesis.' In M. E. Hewstone, & R. E. Brown (Eds.), *Contact and conflict in intergroup encounters*. Basil Blackwell.

Kelman, H. C., Wintersteiner, W., & Graf, W. (2016). *Resolving deep-rooted conflicts: Essays on the theory and practice of interactive problem-solving*. Routledge.

Kenworthy, J. B., Turner, R. N., Hewstone, M., & Voci, A. (2005). Intergroup contact: When does it work, and why. In J. F. Dovidio, P. Glick, & L. A. Rudman (Eds.), *On the nature of prejudice: Fifty years after Allport* (pp. 278-292). Blackwell Publishing.

Maoz, I. (2000). An experiment in peace: Reconciliation-aimed workshops of Jewish-Israeli and Palestinian youth. *Journal of peace Research, 37*(6), 721-736.

Nagda, B. A., Yeakley, A., Gurin, P., and Sorensen, N. (2012). Intergroup dialogue: A critical-dialogic model for conflict engagement. In L. R. Tropp (Ed.), *The Oxford handbook of intergroup conflict* (pp. 210-228). Oxford University Press.

Opotow, S. (2012). The scope of justice, intergroup conflict, and peace. In L. R. Tropp

(Ed.), *The Oxford handbook of intergroup conflict* (pp. 72-86). Oxford University Press.

Osler, A., & Starkey, H. (2005). *Changing citizenship*. McGraw-Hill Education.

Pettigrew, T. F. (1998). Intergroup contact theory. *Annual Review of Psychology, 49* (1), 65-85.

Pettigrew, T. F., & Tropp, L. R. (2006). A meta-analytic test of intergroup contact theory. *Journal of Personality and Social Psychology, 90*(5), 751-783. doi:10.1037/0022-3514.90.5.751

Porto, M., & Yulita, L. (2016). Language and intercultural citizenship education for a culture of peace: The Malvinas/Folklands project. In M. Byram, I. Golubeva, H. Hui, and M. Wagner (Eds.), *From principles to practice in education for intercultural citizenship*. Multilingual Matters.

Rouhana, N. N., & Kelman, H. C. (1994). Promoting joint thinking in international conflicts: An Israeli-Palestinian continuing workshop. *Journal of Social Issues, 50*(1), 157-178.

Sherif, M. (1988). *The robbers cave experiment: Intergroup conflict and cooperation*. Wesleyan University Press [Intergroup conflict and group relations, 1961].

Schmidt, P. R., & Finkbeiner, C. (Eds.). (2006). *ABC's of cultural understanding and communication: National and international adaptations*. Information Age Publishing.

Stephan, W. (2008). The road to reconciliation. In A. Nadler, T. Malloy, & J. D. Fisher (Eds.), *Social psychology of intergroup reconciliation: From violent conflict to peaceful co-existence*. Oxford University Press.

Wagner, U., & Hewstone, M. (2012). Intergroup contact. In L. R. Tropp (Ed.), *The Oxford handbook of intergroup conflict* (pp. 193-209). Oxford University Press.

第9章

センシティブなトピックについて議論を重ねる

英語で実施される、交換留学生・学部正規生の混合クラス

山本冴里

一番伝えたいこと

　言葉の学びは、必ずしも平和に繋がるわけではありません。対立や分断を煽るために高い言語能力を持つ人もいますし、他者の非をならしたり抗議したりするために言葉の能力が必要な場合があることも、認めなければなりません。

　本章では、センシティブなトピックを通して、言葉の内包的意味の広がりを学ぶこと、そして言葉を個人的で繊細で可変的なものとして扱うことに注目します。言及されることの少ないその学びこそが、言葉の教室だからこそできる平和への貢献の核心にあると、筆者は考えているからです。

なぜこのような実践・研究をしようと思ったか

　教室に夢を見ているから、でしょうか。

　センシティブなトピックを扱うやりとりでは、衝突が起こりがちです。しかし、その衝突を、自身の正当性を強化し他者を否定する力を養うためではなく、各自がそれまでの判断基準や参照点の再検討へ向かうきっかけとしたい。各々が行う再検討と探求を励まし、可能なかぎりその自由を保障したい。それを可能にする特権的な場が教室であり、だから教室は、現実を変えていくために私が関われる最高の場なのです。

1. はじめに

　センシティブなトピックについての議論は、しばしば、激しい対立や衝突に繋がりかねない。ゆえにそうしたトピックは話題にすべきではないもの、忌避すべきもの、つまりはタブーとして扱われることが多い。

　それは関係を良好なものに保ちたい、という意志から生まれたタブー化だが、あえてそれを逆転させ、正面から扱うことで得られるものもある、と筆者（以下、私とする）は考えている。

　もちろん、センシティブなトピックについて扱いさえすれば、それだけで良い結果に繋がる、というはずはない。本章では、大学での交換留学生・学部正規生の混合クラスにおいてセンシティブなトピックについて議論するなかで、私が直面することになった様々な問いを提示する。具体的には、このクラスが開設された三つの異なる年の実践で印象的だった場面を振り返り、それぞれの場面でとくにどのような問いが焦点化され、答（あるいは暫定的な答らしきもの）が出たのかを述べる。それを通して、本章の持つ最大の問い——ゆずれない信念と信念がぶつかりあうとき、その衝突を嫌悪や憎しみに転化させないために、そしてともにその先を描くために、第二言語・外語[1)]の教室だからこそ可能になることは何なのかを考えたい。

2. センシティブなトピックとは

　議論をはじめる前に、この章における「センシティブなトピック（sensitive topics）」の意味合いについて明確にしておく。類似の表現には、「タブーのトピック（taboo topics）」「論争上にある問題（controversial issues）」「触れられないトピック（untouchable topics）」などがあるが、何をもって「センシティブな」「タブーの」「論争上にある」「触れられない」と捉えるか、ということは、社会常識や個々人の意識、当該トピックへの距離感や場を共有する人への慮りによって大きく変わる。

　たとえば、竹島（日本側呼称）／独島（韓国側呼称）の領土問題に関して、

相手国の学生と正面から議論することについて二の足を踏む学生はどちらの国にも多いものと思われる[2]。そうした学生にとっては、当該の島は「論争上にある」からこそ、友好的にすごしたい個々人の間では「タブー」として感じられる。だが、その同じ学生たちが、たとえば（アイルランドとはこれまで無縁に生きてきた、と仮定される）自分たちの間で北アイルランド紛争について議論することについて、自身に十分な知識がない、という理由以外の事柄を原因としてためらうだろうか。あったとしても、おそらく、竹島／独島の場合ほどではないものと思われる。だが、そうした場にアイルランド出身の学生が加わった場合にはどうか。ためらいはまた、発生するのではないか。

　この章では、「センシティブなトピック」という表現によって、自分自身にとって、あるいは場を共有する他者にとって切実である、と考えられるトピックや、個々人が帰属意識を持つ集団（国や社会、宗教）と他集団とが対立しているトピック全般を指すものとする。それらが社会的な意味で「論争上にある問題」であれそうでなかれ、また「触れられない」ものとして「タブー」視されているか否かにかかわらず、共通するのは、自身や他者の激しい感情的な揺れや対立を招きかねないと想定されること——したがって「センシティブ」だ、という点である。

3. なぜセンシティブなトピックを扱うか

　一般に、教師は教室においてセンシティブなトピックを扱うことに対して消極的である（Haynes and Karin 2008; Hess 2009; Philpott et al. 2011）。しかし研究レベルでは概して、センシティブなトピックのうち、少なくとも「論争上にある問題」については、教室で扱うことが妥当だとされている。

　Berg et al.（2003）は、教室で論争上にある問題を扱うことの合理的な根拠となる6つの側面を挙げている。すなわち、政治と論争上にある問題との間に繋がりがあること、市民性および民主主義の重視、多角的な側面からの考察、合理的思考、能動的参加、スキルの獲得である。他の先行研究も、こうした6つの側面のうち幾つかを挙げるものが多い。たとえば

Hess（2008）は、公的な議論の能力、批判的思考と解釈のスキルは、論争にある問題を教育場面で扱うことによって養われる、と主張している。この分野の多くの先行研究を渉猟し検討したKubota（2014）も、「論争上にある問題」は、教室活動のなかに含みこまれるべきだと結論づけた。

　このような意義づけは、しかし、第二言語・外語教室の場合にも妥当だと言えるだろうか。Yamamoto（2020）は、2つの理由から、この妥当性を擁護している。1点目は、第二言語・外語教室そのものに必然的に伴う政治性である。第二言語・外語教室は、そもそも、何語が教育されるのか、授業時間数は何時間か、といった点や、使用教材（言語教科書の政治性については、Castellotti and Moore 2002; Zarate 1993, 1997 などの指摘がある）の点から避けがたく政治的であり、中立性を装っていても、政治的・社会的状況から独立して存在することはあり得ない。「良い教育」が中立的なコンセプトではない（Kumashiro 2009：XXXII）のと同様に、「トピックの選択それ自体」も、中立性よりも、「教師自身の政治的姿勢を反映する」（Kubota 2014：236）。

　2点目は、こうしたトピックを扱うことによって得られる学習経験である。近年、成功した学習者イメージが、第二言語・外語を流暢に扱う人というものから、効果的で思慮深い仲介者へと変化していることについては幾つもの指摘があり（Byram and Zarate 1995; Byram et al. 2002; Zarate 2003a, 2003b）、後者は、欧州評議会による 2018 年の RFCDC（Reference Framework of Competences for Democratic Culture）内での複言語能力関係記述にも反映されている。

　第二言語・外語を用いて効果的で思慮深い仲介者となるためには、しばしば語学教科書のコラムに掲載されるような、挨拶や土産の習慣の差異といった "safe differences"（Doerr & Lee 2016）について知っているだけでは不十分である。必要なのは、衝突や葛藤に苦しみつつもそれを乗り越え、互いに認めあえる地盤を見つけるという状況を経験することであり、そうした経験のためには「論争上にある問題」は、適切なトピックとなり得る。

　このことから、本章で報告する実践では、私は、政治的・社会的な意味で「論争上にある問題」をトピックとして用意している。本書第8章執筆

の森山とは、「論争上にある問題」を扱うという点で、異なる経緯を辿りつつも同じ地点に至ったということになる。

　もっとも、参加学生から、より個人的、個別的な意味合いでセンシティブなトピックが提案されることはあり（本章4.（3）2）に詳述）、そうしたトピックも受け入れ議論することはこの実践の重要な一部となっている。そのため本節のタイトルを「なぜセンシティブなトピックを扱うか」とした。

4. センシティブなトピックについて議論を重ねる

（1）実践の概要

　本章で紹介する実践は、日本の地方大学において、国際系学部で行われたものである。クラスサイズは年によって変わるが、数人〜15人程度と比較的小さい。使用言語は英語である。これは自由選択科目のひとつであり、例年、選択者の半数〜3分の2程度を外国人交換留学生が占める。交換留学生の出身国・地域は、ハンガリー、オーストラリア、タイ、フランス、マレーシア、台湾、アメリカ、イギリス、中国、インドネシア、ドイツなどであり、英語圏をふくめ多岐にわたる。

　授業期間は8週間であり、1.5時間の授業が週に2回実施されるため、合計で24時間（計16回）となる。学生に対して提示するクラス概要は、年によってやや異なるが、たとえば、「省察をともなうアクティビティへの参加と議論を通して、1）自らの間文化的な経験についてこれまでよりも複合的に理解する、2）『他者』とより適切な関係を結べるような能力の発達を促すクラスである」といったものである。私はまた、「現実についての自らの解釈を問い直すことができる」環境を作ることを、何年も実践を繰り返すうちに強く意識するようになった。

　このクラスでは、合計10程度のテーマについて議論する。その3分の2〜4分の3程度は教師＝私が用意し、残る4分の1〜3分の1は学期末に学生たちが提案し準備する。これまでに議論されたテーマ例には、「英語と私」「困惑する瞬間」「メディアと自己イメージの構成」「ゼノフォビ

ア」「安楽死」「宣伝広告」「表現の自由」「複言語のコミュニケーション」「性」「難民」「LGBTQ」「ミソジニー」などがある。トピックの多くが、「センシティブなトピック」となり得るものであることがうかがえよう。

　授業は、刺激になるような具体的な素材の提示→議論→活動／書くことによる思考の整理と深化→次の刺激（＝素材）の提示、という形を繰り返していく。議論や活動の刺激として使う素材としては、差別的であるなどの理由で批判され取り下げになったTVコマーシャル、互いに矛盾する主張を行っているニュース記事などを多く用いている。素材を選ぶ際には、とくにByram & Zarate（1995）に大きな影響を受けつつ、少なくとも以下3点のいずれかには当てはまることを念頭に置いている。

　　1) 異質なもの同士が出会い、その結果として生まれた拒否反応を描いている。
　　2) 自身の（自己中心的な）解釈を問い直し、問い返すきっかけになる。
　　3) 二元的なカテゴリー化（私たち／彼ら、良い／悪い）に影響する日常的なディスコースの機能を分析するきっかけになる。

（2）実践でのテーマ、素材の提示例

　全16回の実践で、10程度のテーマを扱う。ひとつのテーマでも複数の活動を行うことが多く、学期全体を通してみれば、活動の数は30前後にのぼる。紙幅の都合上、活動例のすべてを取り上げることはできないが、代表的なものとして、以下に3点（A～C）を挙げる。

A) 共通言語を持たない、という経験
　「英語と私」のテーマ導入時に行うもので、学生たちは、共通言語を持たない状態で、問題解決に取り組む。便宜的に「英語と私」としているが、英語を母語、第一言語とする学生たちには、この部分は他の（自分にとっての）外語、第二言語に置きかえて活動に参加するよう求めている。例年、この活動は学期初期に行うため、アイスブレーキングの機能も兼ねる。英

表1 共通言語を持たない、という経験

実施時期	初回（アイスブレーキングを兼ねて実施する活動のひとつ）
刺激する素材	a）英語が苦手な新宿御苑の元職員が、外語を話さないために「怒鳴りつけられた」経験をきっかけに、外国人の訪問客から過去2年半にわたって入場料200円を徴収しなかったという趣旨の英文ニュース記事 3) b）「トイレ故障中」を意味する言葉に、文字情報が取れなければ意味のわかりにくいイラスト（例：図1）が添えられた紙。文字情報は、インターネット上の自動翻訳などを利用して、その時の教室内参加者の誰も読めない文字で記しておく。なお、参加者の言語レパートリーは、事前に確認している。 لا يمكن استخدام هذا المرحاض **図1 トイレ故障中の図例 4)** c）読めない文字で書かれている「トイレ故障中」部分は、トイレ故障中という意味であることを英語で説明する紙 d）「あなたは、はじめての言語文化圏に入ったばかりです。トイレに行きたくなり、トイレらしき場所を見つけましたが、このような紙が貼ってありました。無視して入ってもいいですが、何か問題が起こるかもしれません。この紙の意味を確認しましょう」と、英語で書いた紙
活動の流れ	1）a）の素材が提示される。学生たちは、自分がその職員の立場であったならどのように問題解決するか（共通言語のない相手から入場料を徴収するにはどうすればよいか）というアイディアを出すよう求められる 2）教師は学生をペアにして、「互いに知らない者同士であり、トイレの前でたまたま出会った」という設定を告げたうえで、ペアの中央に（b）を置く。ペアの片方には（c）を、もう片方には（d）を渡す 3）教師は、学生に、（d）を渡されたほうの学生は問題解決につとめること、（c）を渡された学生は、まず何がペアになった学生の問題なのかを理解し、問題解決の手助けをすること、あらかじめ双方の言語レパートリーを確認し、共通する言語は話さないこと（したがって英語と、多くの場合には日本語も話さない）を指示する 4）学生たちは、共通言語無しに、問題解決／解決の手助けに取り組む 5）全員で、問題解決時に1）で出たアイディアをうまく使えていたか、共通言語を持たない相手とのコミュニケーションの方法に関して、1）で出てきたもの以外の方法を取ることはあったか、等を（英語で）確認する

語帝国主義や英語コンプレックスといったテーマに発展し得る活動ではあるが、アイスブレーキングも兼ねて行っていることから、この時点ではまだ、それほど「論争上にある問題」を議論する方向には持っていかないよう心掛けている。

　実施に際し、教師＝私が意図しているのは、この活動により、学生たち

が、互いが発音したり提示したりする「わけのわからない」音や文字、非言語情報、スマートフォンなどのツールもふくめ、使えるあらゆるものを使い、相手に意図を伝えようと前のめりになっていくことである。とくに、正規生は自身の英語使用能力に自信を持たず黙り込んでしまうことが多いため、「共通言語を持た」ずともある程度のコミュニケーションが可能になる経験をさせることで、その後の活動において、「伝える」「理解しようとする」ことに対して、より積極的になることを期待している。

　なお、この課題は比較的解決が容易で、たいていのペアは、5分前後でやりとげる。その後、同じく「英語と私」というテーマの導入のために、より抽象的、複雑な活動を2回程度、引き続き共通言語を持たない状態で行う。

B) 国歌の分析

　この活動は、Byram & Zarate（1995：37-38）が提案する活動 "SONGS OF UNITY AND AGGRESSION: Analyzing the symbols of national identity" に範を取ったもので、例年、学期中盤に行っている。クラス担当の初年度には、すべてのステップをByram & Zarate（同）に沿った形で実施していたが、その後、変更を加え、Byram & Zarate（同）との重なりは3分の1程度（表2内（3）．（4））となっている。

　なお、Byram & Zarate（同）においては、この活動の目的は「学生たちに国家シンボルの機能について意識させること」「国という枠組みでのステレオタイプに結びつけられた偏見について省察させること」とされているが、私は、クラスを数年間担当するうちに、この活動を、「表現の自由」というテーマについて思考するためのきっかけとして実施するようになった。Byram & Zarate（同）からの活動内容の変更は、このような力点の相違による。

　4）〜6）に関して、例として大韓民国の国歌を扱う場合を挙げる。なお、これはあくまでも例であり、学生たちはそれぞれ、自分がもっともよく歌った経験のある国歌について考えていくことになる。

　4）：大韓民国の国歌は、「東海の水が乾き、白頭山が朽ち果てても神が

表2　国歌の分析

実施時期	クラス活動の中期に実施
刺激する素材	a)　"Reporters Without Borders"（国境なき記者団）のインターネットサイト[6] b)　クラス参加者のそれぞれが、過去にもっとも頻繁に歌ったことがあるという国歌の英訳
活動の流れ	1)　学生たちは、a)のインターネットサイトを検索し、自分がもっともよく知っている国・地域について、報道の自由という点からのランキングおよびランキングの理由を調べる 2)　各自が、そのランキングおよびランキングの理由を紹介しつつ、自身はどのような点で同意し、どのような点で同意しないかを述べる 3)「国歌はどんな状況のときに聞きますか？」「国歌と結びついた行動がありますか？（例：国歌をうたうときは、○○しなければならない）」など、国歌に関わる質問が行われ、答が学生間である程度共有される 4)　皆でひとつひとつの国歌の歌詞を読みこみ、「国民の性質」「他者（国民でない者）の性質」「国家の制度」に関する描写をすべて列挙する。また、国歌のなかで「価値づけられている思想」があれば、それも挙げる 5)　仮に、国歌のなかで表明されている価値観に反対する「○○人」がいた場合、「○○」はそれを遠慮なく表明できる社会だと思うか？ということが、「○○」を自分がもっともよく知っている国・地域だとした学生に対して問われる。ただし、その時、答える学生本人のそうした価値観への賛否は問わないことが、事前に明言される 6)　こうした価値観に反対する「○○人」がいた場合、その人に対して法的な、あるいは社会的な制裁があるべきだと考えるか？ということが問われる

お護りくださる我が国万歳　無窮花、三千里、華麗な山河　大韓人は大韓を永遠に保全しよう」とはじまる[5]。「大韓人は大韓を永遠に保全しよう」という部分には、〈国土の維持〉という価値観が見られ、後に出てくる「この気性とこの心で忠誠を尽くそう　苦しくても楽しくても国を愛そう」という部分には、〈国家への忠誠や、国を愛すること〉が価値づけられているのではないか、といったことが議論される。

　5)：自分のもっともよく知っている国として韓国を挙げる学生に、自分自身の〈国土の維持〉〈国家への忠誠や、国を愛すること〉への賛否には触れなくてよい、と明言されたうえで、もしも韓国に（あるいは自分の出身大学に）、こうした価値観に反対する人がいた場合、それを遠慮なく表明できる社会だと思うか？　が問われる。

　6)：こうした価値観に反対する韓国人がいた場合、その人に対して、法的あるいは社会的な制裁が課されるべきだと考えるか？　ということが（学生全員に対して）問われる。

この後の活動は、1）～6）の段階でどのような国歌を扱い、学生がどのように答えたか、ということや、教室の雰囲気に大きく依存するが、たとえば、「国土の維持、国家への忠誠、どんなときも国を愛すること」への反対者には法的あるいは社会的な制裁が科されるべきだ、と答えた学生に対しては、次のような問いが考えられる。

　　　「（法的な罪として王族への不敬罪が存在する国が実在することを示しつつ）もしもこれがどこか違う国の国歌で、王権の維持、王への忠誠、どんなときも王を愛することが歌われていたら、そうした価値観に反対する『王国の民』に対して、法的な制裁があるべきだと考えますか？　社会的な制裁があるべきだと考えますか？」「もし、あなたが自国で、国土の維持、国家への忠誠、どんなときも国を愛することに反対する人に対しては制裁があるべきだと考え、しかし他国で、王権の維持、王への忠誠、どんなときも王を愛することに反対する人については問題ない（制裁がないべきだ）と考えるなら、それはなぜですか？」

　こうした問いには、学生の意見をあえて批判的に捉え、比較対象を出すことで、学生が自身の考えの根拠を問い返せるようにしたい、という意図がある。私が意識しているのはdevil's advocate（すでに述べられた意見の妥当性を検証するために、わざと異なる考えを述べること）の立場に立つことである。学生にもその意図を明示するとともに、私自身が必ずしも学生の意見に対立する考えを持っていたり、学生に対して「考えが足りない」などと見なしていたりするわけではないことを強調している。

C）宣伝広告

　この活動の目的は、宣伝や広告といった、日常どこでも見かける消費活動の媒体について、批判的に検討する目を養うこと、違和感を言語化するスキルを養うこと、何が問題なのかということについて仮説を立てる力を養うことである。

表3「刺激する素材」中の動画は、大企業がTVコマーシャルとして放送したもの、あるいはインターネット上で正式な広告媒体として流していたものであり、その後、多方面からの批判——いわゆる〈炎上〉を経たものとなっている。日本、韓国、中国といったアジア圏でのものが中心だが、オランダなどそれ以外のものも含まれる。実践での共通言語が英語であるため、英語版の動画があるか、英語の字幕が入っているか、あるいは、そもそも言語は用いられていないことが必須である。

　動画の例を挙げると、たとえば、味の素AGFが主力商品のひとつである「ブレンディ」ミルクコーヒーの販売促進のために公開していたウェブムービーがある。これは、味の素AGF株式会社のプレスリリースによれば、「涙溢れる感動のラストシーン」を持つ、「超感動作」だということである[7]。そこでは、鼻輪をした高校生たちが「卒牛式」に参加する。「卒牛式」で生徒たちは校長から闘牛場、食肉メーカーであることが示唆される会社、動物園などの行き先の書かれた「卒牛証書」を受け取る。主人公の女子学生が受け取った行き先は「ブレンディ」で、校長は彼女を「濃い牛乳を出し続けるんだよ」と激励する。差し挟まれる回想には、主人公が担任教師に、望ましい進路に進む可能性が「薄い」と言われ絶望する様子や、「薄くなんかない」「胸をはって」と励まされ、乳房を揺らして走る様子が描かれている。

　表3「活動の流れ」中の中核に位置するワークシートは、Weiss（2011）の提案する "ANALYZING ADVERTISING: A Controversial Ad from Dove" に範を取りつつ、その一部を改変した。

　ワークシートには、「この宣伝広告が売ろうとしている品は何か」というすぐに答えられる簡単な問いから、「宣伝広告は通常、人々に共有される価値観や信念にアピールするように製作されている。この宣伝広告は、どのような価値観、信念にアピールするものか？」「この宣伝広告は〈炎上〉し、当該企業は陳謝した。この宣伝広告の何が問題だったのか？」といった、熟考を要するものまでが並んでいる。

　観察しているかぎりでは、「活動の流れ」5）において、もっとも多様な意見が出る。興味深いのは、どの宣伝広告の分析においても、様々な意見

表3 〈炎上〉した宣伝広告の分析

実施時期	クラス活動の中期から後期に実施		
刺激する素材	a)〈炎上〉した宣伝広告の動画5点 b) 幾つかの問い（下記「活動の流れ」2、3で使用）が書かれたワークシート		
活動の流れ	1) 学生たちは、自身の日常生活のなかでは、どのような媒体で宣伝広告を目にすることが多いか、YouTubeのコマーシャルに対してどのようなリアクションをしているか、など、普段の生活での宣伝広告との関わりを話す 2) 教師が、これから見せる動画は〈炎上〉したものであること、不快に感じる場合は一時退室しても良いこと、動画視聴後にはワークシートを埋め、埋めた内容について後に皆で共有することを伝える 3) 動画を視聴する。教師は、それぞれの動画を、時間をおいて2度～3度流す。学生はワークシートの問いに答える。 4) 上記3) を、動画の数だけ（5回）繰り返す。 5) 学生たちは、ワークシートの答を共有する。教師もその話し合いに加わり、「なぜ〈炎上〉したのか」「その背景にはどのような価値観が見られるか」といった点に関して、必要があれば学生たちから出た意見に対して補足を行う		

のなかに、ほぼ必ず、「〈炎上〉を引き起こしたというが、問題がどこにあるのかまったくわからない」という趣旨の発言も出てくることである。

前述の「ブレンディ」についても、「楽しいCMだと思う。とても良くできている。何が問題なのかわからない」という意見が出ることもあれば、「進路に食肉メーカーがあることが嫌だ」という学生もいる。「擬人化の反対で、人間が出ているのに『卒牛式』としていることが問題だったのか？」という質問が出ることもある。「『大きな胸は良い胸だ』『小さな胸は価値のない胸だ』という価値観」に問題を読み取る学生も多いが、そもそも、胸の大小に価値を持たせること自体の是非が問われるべきだ、という主張もある。

なお、これまでに以下のような意見が学生から出たことはないが、このCMが、女性の性を象徴するような身体の部分を商品化し対象化して眺めて楽しむといった行為をうながす作りになっていることも、批判的検討の対象となり得るのではないか。

（3）三つの異なる年の実践、三つの問い

さて、このクラスでは、愛国心、差別、宗教、性などタブーとされがちなトピックについて、母語を異にする者同士が、前述のような活動を通し

て英語で議論を重ねる。何年も担当を重ねるなかで、私は、教師としての自分自身に、幾つかの問いを向けることになった。以下では、三つの異なる年の実践と、それぞれをきっかけに生まれた問いについて考えていく。

1）学生の間に激しい感情的な対立が起こったときに

　このクラスを担当するようになって数年経ったときだった。その年までの実践について、学期末に行われる学生からの評価は高く、私は、ある程度の自信を持ちはじめていた。

　そんななかで迎えたある年の最終授業で、教室では、〈LGBTQ〉をテーマとした議論が行われていた。これは学生から提案のあったテーマだ。ある学生が、「LGBTQの権利拡大のためには、私たちは何ができるか」という問いを出したとき、他の学生が「権利拡大なんてまったく理解しかねる」と言い出した——「そういう人は、入院させないといけない」。彼女によれば、LGBTQは病態であり、隔離と治療、矯正することが必要であり、なおかつ本人のためであるという。

　「そんなの百年以上前の考え方じゃない？」と、最初の学生は言った。こちらの学生によれば、LGBTQはどの社会にも見受けられるものであり、ノーマルなものとして認められなければいけない、という。

　両者はそれぞれの主張を「科学的な」根拠で補強するための論文を持ち出し、ぶつかりあった。いずれも交換留学生である。それぞれの出身国は、LGBTQに対して極めて積極的な対応を取る国と、厳格に否定する国として知られていたし、他にも様々な政治的・社会的対立点を持っていた。そうした対立点にも飛び火しつつ、幾つもの感情的な言葉が交わされた。

　この年に私が持った問いは、〈学生の間に激しい感情的な対立が起こったとき、教師はどうすべきか〉というものだった。もちろん、そうした激しい感情的な対立が起こる前に、対立を起こさせないようにしよう、とは考えた。しかし、扱うテーマを、お馴染みの "safe differences"（Doerr & Lee 2016）に限定していくことにも、意味があるとは思えなかった。

　結果として、私は、その後の年にテーマの選定基準などを変更することはなかったが、問いの立て方や学生が立てた問いへの関わり方という点で

は、それまでとは異なる姿勢を意識するようになった。皆にとっての正解を求める質問を回避し、学生たちにも他者に正解を要求しないよう指示した。そして、それよりも各自に、自分自身が当然視してきた事柄から距離を取らせ、再検討させるような問いを重視するようになった。

それにより、教室での話し合いは次のように変化した。

【前】

　LGBTQはノーマルである／治療が必要な病態である、という主張のどちらが正しいか？という議論において、各自が、自分の正しいと信じる答を対立させる者に納得させるよう努める。

⬇

【後】

　LGBTQの肯定派は「LGBTQの権利を制限することの合理的な根拠には何があり得るか？」と問われ、否定派は「なぜ世界の様々な場所でLGBTQの権利が認められつつあるのか？」と問われる。

前者においては、意見を異にする者はすなわち誤った者であり敵となる。だが、後者では、意見を異にする者は、自らが向けられた問いの答を持つかもしれない者、助けとなる者だ。

2）こうしたクラスでの「言葉の学び」とは

それから数年後の同じクラスでの実践（山本 2021 で詳細に検討）は、私にとって、これまで 20 年近くを教師として生きてきたなかで、もっとも記憶に残るひとつとなった。この年は参加人数が少なく、しかも話し合いに対して真摯に向かいあう人が多かった、という印象がある。学期の途中から、学生たちは、授業時間が終わっても教室に残って、議論を続けるようになっていった。部屋を出ると魔法が解けてしまうかのように、20 分、30 分と残って話し合いを続けていた。さらにこの年の最大の特徴としては、学期の終わり近くで、学生たちが自分自身で議論のトピックを提案する際に、それぞれが、自身にとって極めてセンシティブなトピックを提示

していたことが挙げられる。しかもそれは、必ずしも必要ではないはずの自己開示を伴っていた。

　たとえば、〈LGBTQ〉をテーマとしての議論を提案する際に、自分自身の性的指向について明らかにすることは、必要ではないし、教室で求められてもいなかった（それを求めない、ということは明言されていた）。だが、この年の学生たちは自らの苦しみについて自己開示をしつつ、自分自身にとってのセンシティブなトピックを議論のテーマに選んでいった。

　ある学生は、教室での話し合いの最中に、自分がそのトピック（どのようなトピックであるかはここでは伏せる）について苦しんだことは、親も、大学のまわりの学生も誰も知らない、と言った。ならばなぜそのようなことを、教室という場で口にすることができたのか。

　授業終了から半年以上後のインタビューでその点について問われ、この学生は3点を挙げた。自分の発言を否定されないこと。そして、真剣に聞いてもらえること。通常は触れることができないトピック（たとえば性的含意、差別的含意を持つCM）についても、すでに真摯な議論を重ねてきたことから、「隠すことがない」、と感じられたこと。それが、この学生が自己開示しつつ、自身にとってのセンシティブなトピックを議論の俎上に載せた原動力となっていた。

　この学生はまた、この実践について「恥ずかしいとか、これを言おうかどうしようかとか……っていうのがなくなって、ひとりの人としてじゃないですけど、なんか男女の境もなくなって、国の境もなくなって、ひとりのほんとに……同じところに住む人として、話ができる」という描写をしていた。それを可能にしたのは、話し合いを重ねるなかで生まれてきた、最終的には互いに個として立ち得る者同士なのだという信頼感だと私は思う。

　Sloterdijk（2006）が、「コミュニケーションの増大は、なによりも軋轢の増大を意味する」と述べるとき、なによりも対多数のコミュニケーションを想定していた、と私は考える。かつては自分の体ひとつで出せるだけの声量でしか届けられなかったメッセージが、ラジオやテレビ、インターネットの出現で拡張され無数に増幅した。そのようなやりとりはインター

ネットを介して、日々、私たちのまわりに溢れかえるが、それが軋轢の膨張を伴うとき（「炎上」がその例だ）、声の出し手への信頼感と現実感が薄れていく。そのようなやりとりとは対極にあるのが、目の前にいる誰かと時と場を共有し、その誰かを尊重し信頼しつつ頼りつつ、自分自身の過去と、自身の判断基準や価値観の枠組みを再検討していく議論である。私には、この年にはそれがある程度実現できていて、そこに何か大切な学びが起こっていたという確信がある。

　だが、実際にはその学びとは何だったのか。とくに、<u>こうしたクラスでの「言葉の学び」とは何か</u>。

　このクラスの使用言語は英語であり、教師である私をふくめ参加者の大多数は英語の非母語話者だった。議論を重ねるなかで、参加者が持つ英語の運用力は向上を見たが、それが、センシティブなトピックについて議論するなかで得られた「言葉の学び」に特徴的なものだとは思えない。また、交換留学生のなかには、英語圏出身者や英語圏の大学に学位取得のための長期留学中で、そのうちの1年を日本ですごすという者など、英語の運用力という点では教師よりよほど熟達した者も例年のように見られた。そうした学生にとっては、このクラスは、一般的な意味での英語運用能力の向上に役立つものではなかったはずだ。

　本書の大きなテーマのひとつであるCCBIに即して言えば、クリティカルな言語使用者の例のひとつである、「今ある慣習ややり方を異なった側面から分析し、新たな価値を生み出すため」に「討議を行うことができる」（佐藤他 2015：10）という点が、もっともこのクラスでの「言葉の学び」と親和性を持つものと思われる。こうした討議には、当然の前提とされているものを可視化し妥当性の検討を行う過程が不可欠だと考えられるが、前節に記した「国歌の分析」や「〈炎上〉した宣伝広告の分析」といった活動は、まさにその可視化・検討を行ったものとなっているからだ。

　しかし、このクラスでの「言葉の学び」という点で私がもっとも注目しているのは、管見のかぎり、CCBIではこれまで、少なくとも直接的には言及されてこなかった点である。それは、言葉の内包的意味の広がりを学ぶこと、そして言葉を個人的で繊細で可変的なものとして扱うことについ

ての学びである。

　通常、第二言語、外語学習においては、単語の学習は、その外延的意味を知ることや使えるようになることを意味する。しかし、この実践において検討されるのは、たとえば〈LGBTQ〉という言葉が、自身にとって、他者にとって、どのような意味と価値を持ち得るか、そしてその背景には何があるか、ということだった。Williams（1991：149）は、個人的な被差別の記憶と体験を、自らが専門とする法学と結びつけながら描き、探り、論じた文章で、「必要なことは、あらゆる目的に対応する、権利を描く言葉を大量に生産することではなく、諸権利を評価する言葉の意味論において、マルチンリンガルになることだ」と述べている。Williamsの表現を援用しつつ、このクラスでの「言葉の学び」についてまとめると、「必要なことは、できる限り様々な言語で〈LGBTQ〉の訳語を知ることではなく、〈LGBTQ〉という言葉が結びつく概念が持ち得る意味の多様性に開かれていることだ」となるだろう。

3）学生の意見が、教師にとって受け入れがたいときに

　私は2）に述べた実践を踏襲する形で、翌年以降のクラス運営を続けていた。この道が良いのだと感じていたが、その状態を立ち止まらせたのは、またしても学生の発言だった。

　議論のテーマが「ジェンダー平等」だったある日、ある男子学生が「このテーマについて自分は意見がない」とはじめた。理由は「日本にジェンダーギャップはないから」だ、という。珍しく留学生のいない日だった。うながしても、他の学生たち（その日、当該学生以外は全員女性だった）からの反論は出ない。彼に「日本にジェンダーギャップがない」と考える理由を問うと、「今まで自分でそれを感じたことがない」からだ、という。他の学生は発言しない。

　私はジェンダーギャップ指数における日本の世界ランキング（たとえば2021年のそれは156か国中120位）について紹介し、とくに日本は政治参画における男女格差が激しいことを資料で見せた。すると、「それは先天的な向き不向きの問題。男性のほうが先天的に政治家に向いているというこ

とだと思う」といった答が返ってきた。

　もしかしたらそのあたりですでに、私は冷静さを失いはじめていたのかもしれない。ニュージーランド、台湾、ドイツなど、女性が政治のトップを務めている（いた）ケースを紹介した。すると、この学生は、自分は、女性が首相、大統領になった例をこれまで知らなかった、としつつも、「男性にも個人差はある。たまたまそのとき、その場所では男性が十分に有能じゃなかっただけだ」という趣旨の主張をした。日本における男女の所得格差についても、先天的な向き不向きによる職業選択志向の結果であり、是正すべき問題とはならない、というのがこの学生の考えだった。

　この日、私は熱くなって各種の資料を示し説得することに努め、最終的には彼に、日本でのジェンダーギャップ問題の存在を認めさせた。授業終了後の後味は悪かったが、私はそれを、彼の理解・知識のなさに起因するものと決めつけていた。

　しかし、やがて熱が冷めると、気がかりも生まれた。自分自身女性として生きてきて、そのことに対する社会的な抑圧を感じることの多い私にとって、日本でのジェンダーギャップ問題は、個人的にもセンシティブなトピックである。私自身にとってのトピックのセンシティブ性が、私自身の反応を左右していたのではないか。この学生が男性ではなく女性であったら、私の反応は異なっていただろうか、とも考えた。後日、日本オリンピック委員会（JOC）での委員長辞任の原因となった、森喜朗元首相による発言（女性は「わきまえて」発言を控えめにするべきだという価値観の表示）が厳しい批判の対象となったときには、あのとき教室で女子学生たちが発言しなかったのは、「わきまえて」いたからなのだろうか、「わきまえ」ることが内面化されていたのだろうか、という疑問もわいた。

　数カ月を経て、さらに、本項1）で述べた実践との共通点について思い至った。あの日に、日本でのジェンダーギャップの存在について彼を説得しようとして私がしたこと（資料を提示したこと）は、「科学的」論拠を持ち出して自己の「LGBTQはアブノーマル／ノーマル」という主張を通そうとした、かつての留学生たちと同じだったのではないか。いったんトピックが自分にとってセンシティブなものになれば、私は自分自身の信念

を再検討することなしに、感情に押し流されて、彼を説得、教化しようとしていたのではないか。

そこに私は、新たな問いをつきつけられた。<u>一学生から示され、他の学生から反論の出ない意見が、教師にとって受け入れがたいものであるとき、どのように対応すべきか</u>、という問いである [8]。

Dewhurst（1992）は、一時的に批判性や対立を横におき、共感や開放性、忍耐、そして良き聞き手であることを通して、他者の立場に自分自身を置いてみることを提案している。私に必要だったのは、そうした余裕と想像力だったのかもしれない。

自分自身にとって、トピックがセンシティブであればあるほど、人は感情的になりやすく、余裕、想像力を持つことは難しい。フランス語にdédramatiserという言葉があり、これは、物事をドラマティックでなくする、深刻さや興奮をやわらげるという意味を持つ。自分自身の経験や考えについてはドラマティックに盛り上がることなく冷静に、同時に他者の立場については温かく共感性を持って、という態度は困難を極める。しかし、自分自身にとってセンシティブなトピックであればあるほど、熱く説得や教化に努めるのではなく、まずは自分をおさえ、「今まで自分でジェンダーギャップを感じたことがない」という彼の立場や経験を想像してみることから、はじめるべきだったと今は思う。

（4）第二言語、外語の教室だからこそ可能になること

学生の間に激しい感情的な対立が起こったとき、教師はどうすべきか。センシティブなトピックを扱うクラスでの〈言葉の学び〉とは何か。一学生から示され、他の学生から反論の出ない意見が、教師にとって受け入れがたいものであるとき、どのように対応すべきか。実践を通して生まれたこうした問いへの答は、いつになっても暫定的で、実践を重ねるうちに更新される。

そして、こうした問いのすべてが結びついていくのが、「ゆずれない信念と信念がぶつかりあうとき、その衝突を嫌悪や憎しみに転化させないために、そしてともにその先を描くために、第二言語・外語の教室だからこ

そ可能になることは何か」という問いだ。

　三つの異なる年の実践から言えるのは、「ともにその先を描」こうとするとき、教室は、各自が自己の信念を表明し他者を説得する力をつけるための場ではなく、他者とのやりとりや資料の比較検討を通して、各自が自身の持つ信念を再検討できる場としなければならない、ということだ。

　私たちはそれぞれ、生きてきた環境や経験によって形成された、判断の基準や参照点を持っている。人は「自身の価値の完全にオリジナルな源泉であることは現実には不可能」であるうえに、自分自身が「慣習的な道徳性を吸収している度合いを知ることすらできない」（コーネル 2001：80）。信念は、個々人の過去から形成される。他者に信念を否定されることは、自身の過去やまわりの人を否定されたにも近しい感情を——したがって他者への嫌悪や憎しみを、引き起こすことにもなる。

　衝突はしてもいい。しかしその衝突をきっかけとして自身の正当性を強化し他者を否定する力を養うのではなく、他者の立ち位置に自身を置くことで、それまでの判断基準や参照点の再検討へと繋げること。各々が行うそうした再検討と探求を励まし、可能なかぎりその自由を保障すること。これが、教室が行うべきこととしての現時点での私の暫定的な答である。それが、ともにこの先を描くことへと繋がっていく。

　このような活動はもちろん、母語で行っても良く、必ずしも第二言語・外語の教室で行われる必要はない。しかし第二言語・外語の使用は、こうした活動を実施するにあたって有利に働くものと思われる。というのも、一定以上のレベルを持つ外語、第二言語であれば、母語で論じるよりも、合理的かつ理性的な議論ができる可能性があり（Keysar et al. 2012）、これはdédramatiserするために極めて重要であるからだ。

　Byram & Zarate（1995：17）は、教室場面を、若者が「自らがさらされている、説得力ある強い影響」について「認識し批判的に見る」ことを可能にするための「特権的な場所」として描いている。Byram & Zarate（同）と力点は異なるが、私もまた、教室を、各々が自らに向ける探求の自由を保障する、「特権的な場所」として描きたい。

1) 本章を通してforeign languageに対応する用語として「外国語」ではなく「外語」を用いる。「外国語」に対する「外語」は、「母国語」に対する「母語」と同じ意味関係にある。たとえば北海道のアイヌ語は、日本語話者の多くにとってほぼ未知の言語だと思われるが、これを「外『国』語」つまり「外国の言語」と呼ぶことには問題があるのではないだろうか。詳しくは山本（2010）を参照されたい。

2) 日韓の間のセンシティブなトピック（この場合には「論争上にある問題」の色合いが強い）に踏み込んだ大規模な教育実践については、本書の第8章を参照されたい。

3) Japan Today（2017）を使用している。

4) フリー素材、無料素材Digipot〈https://www.digipot.net/?p=6958〉より入手。本画像はダウンロードサイト上に加工して利用することも可であることが明記されている。（2020年10月12日最終閲覧）

5) 本稿では、駐日韓国文化院による日本語訳〈https://www.koreanculture.jp/korean/korean_info04.php〉（2021年8月12日最終閲覧）を引用しているが、実際のクラスでは英訳版を使う。国歌の歌詞は通常、それぞれの歌詞で表現されたものが正式なバージョンであり、英訳版には様々なバージョンが見られる。正式版が英語以外の言語である国歌を選んだ学生たちには、事前に、複数のバージョンの英訳版を見せ、それぞれにもっとも原語のニュアンスに近いと納得できるものを選んでもらったうえで、使用している。

6) Reporters Without Borders（国境なき記者団）は、ジャーナリストによる非政府組織で、言論の自由、報道の自由をかかげている。

7)「"牛"達の卒業式を描いた超感動作 思わず牛に感情移入?! WEB限定ムービー公開 Blendy特濃ムービーシアター」2014年11月26日発表 https://prtimes.jp/main/html/rd/p/000000008.000007812.html（2021年10月5日最終閲覧）

8) Kubota（2014）は、南京大虐殺の存在を否定する学生に正対して、「自分自身の当該課題に対する立ち位置と、学生が自由に意見を述べることを尊重するリベラルな教師というアイデンティティとの衝突」を経験したことを述べているが、私が直面したのも同種の衝突だったと言えよう。

引用文献

コーネル，ドゥルシラ（2001）石岡良治・久保田淳・郷原佳以・南野佳代・佐藤朋子・澤啓子・仲正昌樹（訳）『自由のハートで』状況出版.

佐藤慎司・長谷川敦志・神吉宇一・熊谷由理（2015）「内容重視の言語教育再考」佐藤慎司・高見智子・神吉宇一・熊谷由理（編）『未来を創ることばの教育をめざして──批判的言語教育（Critical Content-Based Instruction：CCBI）の理論と実践』ココ出版

山本冴里（2010）「『外国語』に対して『母国語』-『母語』の位置関係にある『X語』の提案──フランス語のlangue étrangère概念を足場として」『リテラシーズ』7：21-29.

http://literacies.9640.jp/vol07.html（2021 年 10 月 5 日最終閲覧）

山本冴里（2021）「崖っぷちの向こう側に踏み出して――センシティブなテーマを扱っ
たコミュニケーション教育の実践研究」『言語文化教育研究』19：131-153.

Berg, W., Graeffe, L., & Holden, C. (2003). *Teaching controversial issues: A European perspective*, CiCe Thematic Network Project, Institute for Policy Studies in Education. London Metropolitan University.

Byram, M., Gribkova, B., & Starkey, H. (2002). *Developing the intercultural dimension in language teaching: A practical introduction for teachers*. Council of Europe Publishing.

Byram, M., & Zarate, G. (1995). *Young people facing difference: Some proposals for teachers*. Council of Europe.

Castellotti, V., & Moore, D. (2002). *Social representations of languages and teaching*. Language Policy Division, Council of Europe, Strasbourg https://www.researchgate. net/publication/242101887_SOCIAL_REPRESENTATIONS_OF_LANGUAGES_ AND_TEACHING_Guide_for_the_Development_of_Language_Education_Policies_ in_Europe_From_Linguistic_Diversity_to_Plurilingual_Education（2021 年 8 月 12 日 最終閲覧）

Dewhurst, D. W. (1992). The teaching of controversial issues. *Journal of Philosophy of Education, 26*(2), 153-163.

Doerr, N., & Kiri, L. (2016). Heritage language education without inheriting hegemonic ideologies: Shifting perspectives on 'Korea' in a weekend Japanese-language school in the United States. *Diaspora, Indigenous, and Minority Education, 10*(2), 111-126.

Haynes, J., & Murris, K. (2008). 'The wrong message': Risk censorship and the struggle for democracy in primary school. *Thinking, 19*(1), 2-11.

Hess, D. (2008). *Controversial issues and democratic discourse*. Routledge.

Hess, D. (2009). *Controversy in the classroom: The democratic value of discussion*. Routledge.

Japan Today (2017). Park employee didn't collect admission fees from 160,000 foreigners over 2 1/2 years because one scared him. https://japantoday.com/category/ national/park-employee-didnt-collect-admission-fees-from-160000-foreigners-over- 2-12-years-because-one-scared-him（2021 年 8 月 12 日最終閲覧）

Keysar, B., Hayakawa, S., & An, S. G. (2012). The foreign-language effect: Thinking in a foreign tongue reduces decision biases. *Psychological Science, 23*(6), 1-8.

Kubota, R. (2014). "We must look at both sides"— but a denial of genocide too?: Difficult moments on controversial issues in the classroom. *Critical Inquiry in Language Studies, 11*(4), 225–251.

Kumashiro, K. (2009). *Against common sense: Teaching and learning toward social justice*, Revised Edition. Routledge.

Levstik, L. S., & Tyson, C. A. (Eds.). (2008). *Handbook of research in social studies education*. Routledge.

Philpott, S., Clabough, J., McConkey, L., & Turner, T. N. (2011). Controversial issues: To teach or not to teach? That is the question! *The Georgia Social Studies Journal, 1*(1), 32–44.

Sloterdijk, P. (2006). Warten auf den Islam. *Focus Magazine.* https://www.focus.de/kultur/medien/essay-warten-auf-den-islam_aid_216305.html（2021 年 8 月 12 日最終閲覧）

Yamamoto, S. (2020). "The sea": Benefits of discussing controversial issues in second/foreign language teaching. In D. Neriko (Ed.), *The global education effect and Japan: Constructing new borders and identification practices* (pp. 191-231). Routledge.

Weiss, J. (2011). Analyzing advertising: A controversial ad from Dove. https://www.morningsidecenter.org/teachable-moment/lessons/analyzing-advertising-controversial-ad-dove（2021 年 8 月 12 日最終閲覧）

Williams, P. J. (1991). *The alchemy of race and rights*. Harvard University Press.

Zarate, G. (1993). *Représentations de l'étranger et didactique des langues [Representations of strangers in language teaching]*. Didier, Coll. Crédif-Essais. 29.

Zarate, G. (1997). La notion de représentation et ses déclinaisons [The notion of representation and it's range]. In G. Zarate (Ed.), *Les représentations en didactique des langues et culture [The representations in teaching lanauges and cultures]*, Notions en Questions [Notions in questions] 2, 5–9. Didier Erudition.

Zarate, G. (2003a). Identities and plurilingualism: Preconditions for recognition of intercultural competences. In M. Byram (Ed.), *Intercultural competence* (pp. 85–118). Council of Europe.

Zarate, G. (2003b). The recognition of intercultural competences: From individual experience to certification. In G. Aled, M. Byram, & M. Fleming (Eds.), *Intercultural experience and education*. Multilingual Matters.

あとがき

　思い返せば、この本の企画は 2017 年にポルトガルで開催された第 21 回
ヨーロッパ日本語教育シンポジウム『ヨーロッパで日本語を教えることと
学ぶことの意味を考える――それぞれの現場で』における 2 つのパネル
「平和をめざすことばの教育（1）」「平和をめざすことばの教育（2）」、
2017 年にアメリカで開催された 23 回プリンストン日本語教育フォーラム
「世界の平和、思いやり、リスペクトとことばの教育――日本語教育には
何ができるのか？」、イタリアのベネチアで開催された 2018 年の第 22 回
ヨーロッパ日本語教育シンポジウム『平和への対話』での 3 つのパネルに
おける「平和な社会を実現するための日本語教育実践と教師の役割」「シ
ティズンシップ教育としての日本語教育の確立をめざして」「言語景観と
生態学的アプローチ――『平和への対話』をめざした言語文化教育」が元
になったものであった。その時のパネルのメンバーや発表者に加え、同時
期に平和とことばの教育について考えたり、教育実践をしたりしている
方々に執筆をお願いし、本書を編むこととなった。
　そこから今年、刊行に至るまで、あっという間に 5 ～ 6 年の月日が経っ
た。その間、世界は平和になるどころか、その逆の道を歩んでいる。しか
しながら、本書に描かれたことばの教育が平和な社会構築につながると信
じてやまないことばの教師たちの思いや、それを実践に結びつける行動力
と覚悟、実践の場に登場することばを学ぶ側の学びや気づき、それらを描
き出そうとする研究者たちのまなざしからは、よりよい未来への希望が見
える。
　本書所収のことばの教育を生業とする執筆者たちの平和へ向かう様々な
アプローチや方策からは、ことばの教師の役割は狭義の「言語」だけを教
えるのではなく、ことばを通してよりよい未来を築く基盤を確認し合って
いくことが重要であると感じる。それはつまり、ことばの教育を通して

個々人のさまざまなリソースを増やしていくのと同時に、今あるリソースを活性化させながら、よりよい将来をともに創っていくための話し合い、つまり、「民主主義」の基盤（市民性）を育てていくことなのであり、それが本書で編者らが強調したかったことである。これからは本書の読者皆さまと共に、それぞれの教育現場で当事者として実践する一歩を踏み出し、その理念・方針・方法などを周りと共有し、さらに平和というものまでを射程にいれたことばの教育や、教育を通した全人的な育成を学問的にも推し進めていきたいと強く願う。本書がそのような挑戦のひとつの試みとして、これからの実践や理論構築への足場かけになり得るのであれば望外の喜びである。

　最後にアイディアの段階からお付き合いくださった明石書店の大江道雅さん、校正でお世話になった岡留洋文さんにこの場を借りてお礼を申し上げる。

　　2023 年　春　　　ことばの教育が平和に資すると信じて
　　　　　　　　　　　　　　　　　　　　奥野・三輪・神吉・佐藤

編著者紹介 <small>（五十音順、［　］内は担当、◎は編者）</small>

市嶋典子（いちしま　のりこ）［第1章］
早稲田大学日本語教育研究科修了（日本語教育学博士）。金沢大学人間社会研究域 歴史言語文化学系教授、筑波大学地中海・北アフリカ研究センター客員共同研究員。専門は、日本語教育学。
［主な著書・論文］

『日本語教育における評価と「実践研究」――対話的アセスメント：価値の衝突と共有のプロセス』（ココ出版、2014年）

「内戦、国家、日本語――シリアの日本語学習の語りから」（『現代思想（特集：いまなぜ地政学か――新しい世界地図の描き方）』45(18)、2017年）

『「活動型」日本語クラスの実践――教える・教わる関係からの解放』（マルチェッラ・マリオッティと共著、細川英雄（監修）、スリーエーネットワーク、2022年）

「内戦下、日本語とともに生きる――ことばを学ぶ意味」（山本冴里編『複数の言語で生きて死ぬ』129-149、くろしお出版、2022年）

榎本剛士（えのもと　たけし）［第3章、コラム❸❹］
立教大学大学院異文化コミュニケーション研究科博士後期課程満期退学。博士（異文化コミュニケーション学）。金沢大学国際基幹教育院准教授等を経て、現在、大阪大学大学院人文学研究科准教授。専門は、言語人類学、語用論、記号論。
［主な著書・論文］

『学校英語教育のコミュニケーション論――「教室で英語を学ぶ」ことの教育言語人類学試論』（大阪大学出版会、2019年）

「メタ言語のメタ語用論――英語授業における対象言語の詩的生成とその社会化効果」（『社会言語科学』23(1)、2020年）

『よくわかる英語教育学』（鳥飼玖美子・鈴木希明・綾部保志と共編著、ミネルヴァ書房、2021年）

『ポエティクスの新展開――プルリモーダルな実践の詩的解釈に向けて』（片岡邦好・武黒麻紀子と共編、ひつじ書房、2022年）

奥野由紀子（おくの　ゆきこ）［序章、第5章、対談］◎

広島大学大学院教育学研究科修了（教育学博士）。横浜国立大学准教授等を経て、現在、東京都立大学教授。専門は、第二言語習得研究、日本語教育学。

［主な著書・論文］

『第二言語習得過程における言語転移の研究——日本語学習者による『の』の過剰使用を中心に』（単著、風間書房、2005年）

『日本語教師のためのCLIL（内容言語統合型学習）入門』（編著、凡人社、2018年）

『超基礎　第二言語習得研究』（編著、くろしお出版、2021年）

『日本語×世界の課題を学ぶ——日本語でPEACE』（編著、凡人社、2021年）

『日本語でPEACE——CLIL実践ガイド』（編著、凡人社、2022年）

『第二言語学習の心理——個人差研究からのアプローチ』（福田倫子・小林明子との共編著、くろしお出版、2022年）

神吉宇一（かみよし　ういち）［序章、対談］◎

大阪大学大学院言語文化研究科博士後期課程単位取得満期退学。海外産業人材育成協会（AOTS）、長崎外国語大学を経て、現在、武蔵野大学グローバル学部教授。専門は、日本語教育学、言語教育政策。

［主な著書・論文］

『文化・ことば・教育』（共著、明石書店、2008年）

『未来を創ることばの教育をめざして：内容重視の批判的言語教育の理論と実践』（編著、ココ出版、2018年）

『The Global Education Effect and Japan: Constructing New Borders and Identification Practices（Politics of Education in Asia)』（共著、Routledge、2020年）

「共生社会を実現するための日本語教育とは」（『社会言語科学』24(1)、2021年）

『Open Borders, Open Society?: Immigration and Social Integration in Japan』（共著、Verlag Barbara Budrich、2022年）

「公的日本語教育を担う日本語教師に求められるもの」（『日本語教育』181、2022年）

佐藤慎司（さとう　しんじ）［序章、第4章、対談］◎

コロンビア大学ディーチャーズカレッジ人類学と教育プログラム修了（Ph D）。ハーバード大学、コロンビア大学講師等を経て、現在、プリンストン大学東アジア研究学部University Lecturer。専門は、教育人類学、日本語教育。

［主な著書・論文］

『文化、ことば、教育』（ドーア根理子と共編著、明石書店、2008年）

『かかわることば』（佐伯胖と共編著、東京大学出版会、2017年）

『コミュニケーションとは何か』（編著、くろしお出版、2019年）

『ともに生きるために』（尾辻恵美、熊谷由理と共編著、春風社、2021年）

嶋津百代（しまづ　ももよ）［第4章］

大阪大学大学院言語文化研究科修了（言語文化学博士）。韓国・高麗大学校助教授を経て、現在、関西大学外国語学部教授。専門は、日本語教育学、ディスコース・ナラティブ研究。

［主な著書・論文］

『ことばで社会をつなぐ仕事——日本語教育者のキャリア・ガイド』（義永美央子・櫻井千穂と共編著、凡人社、2019年）

『ナラティブでひらく言語教育——理論と実践』（北出慶子・三代純平と共編著、新曜社、2021年）

三輪聖（みわ　せい）［序章、第2章、コラム❶❷、対談］◎

京都大学人間・環境学研究科博士後期課程単位取得満期退学。ベルリン自由大学、ハンブルク大学などを経て、現在、テュービンゲン大学専任講師。関心のある研究領域は、言語教育政策、民主主義教育（政治教育）、継承語教育、言語学。

［主な著書・論文］

「ドイツにおける学校教育について——見学報告」「民主的シティズンシップ教育としての日本語教育を考える」「複言語・複文化主義に基づく対話に焦点を当てた日本語教育を考える——民主的シティズンシップ教育と文化間教育の観点から」（名嶋義直編『民主的シティズンシップの育て方』ひつじ書房、2019年）

「ドイツの「政治教育」の教材——「政治」を「自分ごと」として捉えることから始める」「ドイツにおける政治教育の現場から見えてくること」（名嶋義直・神田靖子編『右翼ポピュリズムに抗する市民性教育』明石書店、2020年）

『民主的シティズンシップ教育としての日本語教育には何が必要か——「政治教育」の教材から見えてくること』（『ヨーロッパ日本語教育』25、2021年）

「自分のことばをつくっていく意味」（松田真希子・中井精一・坂本光代編『「日系」をめぐることばと文化——移動する人の創造性と多様性』くろしお出版、2022年）

村田裕美子（むらた　ゆみこ）［第7章、コラム❺、対談］

東京都立大学大学院人文科学研究科修了（日本語教育学博士）。現在、ルートヴィヒ・マクシミリアン大学ミュンヘン、日本センター講師。専門は、日本語教育学。

［主な著書・論文］

「小規模コーパスの構築方法」（『データ科学×日本語教育』ひつじ書房、2021年）

「異なる環境で習得した日本語学習者の発話に関する計量的分析——対話に現れる音声転訛（縮約形・拡張形）に着目して」（『計量国語学』32(4)、2020年）

「ストーリー描写課題に現れる日本語学習者の『話し言葉』と『書き言葉』の比較分析——習熟度の差はどのように反映されるのか」（『日本語教育』173、2019年）

元田静（もとだ　しずか）[第6章、対談]
広島大学大学院教育学研究科修了（教育学博士）。東海大学語学教育センター教授。専門は、教育心理学、日本語教育学。
[主な著書・論文]
『第二言語不安の理論と実態』（渓水社、2005年）
『日本語教育法概論』（共著、東海大学出版会、2005年）
『日本語教師のためのCLIL（内容言語統合型学習）入門』（共著、凡人社、2018年）

森山新（もりやま　しん）[第8章、コラム❻❼❽]
同徳女子大学校大学院日本語日文学科修了（文学博士）。韓国・弘益大学校・世宗大学校専任講師を経て、現在、お茶の水女子大学基幹研究院人文科学系教授。専門は、日本語教育学。
[主な著書・論文]
『多様化する言語習得環境とこれからの日本語教育』（坂本正他と共編著、スリーエーネットワーク、2008年）
『認知言語学から見た日本語格助詞の意味構造と習得』（ひつじ書房、2008年）
『日本語多義語学習辞典　動詞編』（アルク、2012年）
『第二言語としての日本語習得研究の展望──第二言語から多言語へ』（編著、ココ出版、2016年）

山本冴里（やまもと　さえり）[第9章]
早稲田大学日本語教育研究科修了（日本語教育学博士）。フランスのリール第三大学等での勤務を経て、現在、山口大学国際総合科学部准教授。専門は、複言語教育学、日本語教育学。
[主な著書・論文]
『戦後の国家と日本語教育』（くろしお出版、2014年）
『言語の多様性から複言語教育へ──ヨーロッパ言語教育政策策定ガイド』（欧州評議会言語政策局著作の訳書、くろしお出版、2016年）
『複数の言語で生きて死ぬ』（編著、くろしお出版、2022年）

ことばの教育と平和
──争い・隔たり・不公正を乗り越えるための理論と実践

2023 年 4 月 25 日　初版第 1 刷発行

　　　　　　編著者　　　佐　藤　慎　司
　　　　　　　　　　　　神　吉　宇　一
　　　　　　　　　　　　奥　野　由　紀　子
　　　　　　　　　　　　三　輪　　　　聖
　　　　　　発行者　　　大　江　道　雅
　　　　　　発行所　　　株式会社明石書店
　　　　　　〒 101-0021 東京都千代田区外神田 6-9-5
　　　　　　　　　　　　電　話　03 (5818) 1171
　　　　　　　　　　　　Ｆ ＡＸ　03 (5818) 1174
　　　　　　　　　　　　振　替　00100-7-24505
　　　　　　　　　　　　http://www.akashi.co.jp
　　　　　　　　装丁　　清水　肇 (プリグラフィックス)
　　　　　　　　印刷・製本　　モリモト印刷株式会社

ISBN978-4-7503-5579-5
（定価はカバーに表示してあります）

共生社会のためのことばの教育
自由・幸福・対話・市民性
稲垣みどり、細川英雄、金泰明、杉本篤史編著
◎2700円

多言語化する学校と複言語教育
移民の子どものための教育支援を考える
大山万容、清田淳子、西山教行編著
◎2500円

アイデンティティと言語学習
ジェンダー・エスニシティ・教育をめぐって広がる地平
ボニー・ノートン著　中山亜紀子、福永淳、米本和弘訳
◎2800円

日本語教育は何をめざすか［オンデマンド版］
言語文化活動の理論と実践
細川英雄著
◎6500円

考えるための日本語
問題を発見・解決する総合活動型日本語教育のすすめ
細川英雄＋NPO法人「言語文化教育研究所」スタッフ著
◎2400円

新装版 カナダの継承語教育
多文化・多言語主義をめざして
ジム・カミンズ、マルセル・ダネシ著　中島和子、高垣俊之訳
◎2400円

言語マイノリティを支える教育［新装版］
ジム・カミンズ著　中島和子訳
◎3200円

リンガフランカとしての日本語
多言語・多文化共生のために日本語教育を再考する
青山玲二郎、明石智子、李楚成編著　梁安玉監修
◎2300円

グローバル化と言語政策
サスティナブルな共生社会・言語教育の構築に向けて
宮崎里司、杉野俊子編著
◎2500円

「つながる」ための言語教育
アフターコロナのことばと社会
杉野俊子監修　野沢恵美子、田中富士美編著
◎3400円

グローバル化と言語能力
自己と他者、そして世界をどうみるか
OECD教育研究革新センター編著　本名信行監訳
徳永優子、稲田智子、来田誠一郎、定延由紀、西村美由起、矢倉美登里訳
◎6800円

言語と貧困
負の連鎖の中で生きる世界の言語的マイノリティ
松原好次、山本忠行編著
◎4200円

言語と格差
差別・偏見と向き合う世界の言語的マイノリティ
杉野俊子、原隆幸編著
◎4200円

言語と教育
多様化する社会の中で新たな言語教育のあり方を探る
杉野俊子監修　田中富士美、波多野一真編著
◎4200円

言語を仕分けるのは誰か
ポーランドの言語政策とマイノリティ
貞包和寛著
◎4500円

10代からの批判的思考
社会を変える9つのヒント
名嶋義直編著　寺川直樹、田中俊亮、竹村修文、後藤玲子、今村和宏、志田陽子、佐藤友則、古閑涼二著
◎2300円

〈価格は本体価格です〉